Girl Online

JOUE SOLO

Zoe Sugg

Girl Online

JOUE SOLO

Traduit de l'anglais (Grande-Bretagne)
par Sophie Passant

La Martinière **j.**
FICTION

Du même auteur :

Girl Online − Tome 1
2015
Girl Online en tournée − Tome 2
2016

Photographies de couverture :
cœur : © Andrew Paterson/Getty Images ;
masque, chardon et appareil photo : Unsplash.com
Illustrations de la carte de Brighton : © mapsofjoy.com, 2016.
Photographie de l'auteur : © Zoe Sugg.

Édition originale publiée en 2016
sous le titre *Girl Online Going Solo* par Penguin Group,
Penguin Books Ltd, 80 Strand, London WC 2R 0RL, UK

Pour la traduction française :
© 2017, Éditions de La Martinière Jeunesse,
une marque de La Martinière Groupe, Paris.
ISBN : 978-2-7324-8163-0

www.lamartinierejeunesse.fr
www.lamartinieregroupe.com

Conforme à la loi n° 49-956 du 16 juillet 1949 sur
les publications destinées à la jeunesse.

Zoe Sugg, alias Zoella, est une youtubeuse de Brighton, au Royaume-Uni. Ses vidéos consacrées à la mode, à la beauté et à la vie en général lui ont valu des millions de fans et attirent encore plus de visiteurs chaque mois.

En 2011, elle a remporté le Cosmopolitan Blog Award du « Meilleur Blog Beauté » et, en 2012, celui du « Meilleure Blogueuse Beauté ».

En 2013 et en 2014, elle a également remporté le Radio 1's Teen Awards dans la catégorie « Meilleure Vlogueuse du Royaume-Uni », et en 2014 et en 2015, elle a été élue par le Nickelodeon Kids' Choice « Vlogueuse préférée du Royaume-Uni ».

Le Teen Choice Award lui a aussi été décerné en 2014, la consacrant cette fois « Web Star Mode et Beauté ». En 2016, elle a créé son groupe de lecture en partenariat avec la chaîne de librairies britannique WHSmith.

À tous mes adorables abonnés, lecteurs et fans, merci pour votre soutien constant et merci de partager mon amour pour Penny et son histoire. J'espère que vous poursuivrez vos rêves jusqu'à ce qu'ils deviennent réalité. Si je peux le faire, alors vous en êtes capables !

15 septembre

Où est Noah Flynn ?

Petite interruption dans le cours habituel de mes bavardages !

Si vous êtes un lecteur régulier de *Girl Online*, vous savez que j'adore répondre à vos questions, que ce soit dans les commentaires ou par e-mail. Cela dit, bien que la majeure partie d'entre vous soit super cool et m'interroge sur des choses normales (la nouvelle année scolaire, la façon dont je vais gérer tous les devoirs et interros qui ne vont pas tarder à tomber), ma boîte déborde aussi de questions sur... Noah Flynn. Du type : Où est-il ? Que fait-il ? Pourquoi a-t-il lâché la tournée mondiale des Sketch ?

Et ces questions n'arrivent pas seulement ici, sur mon blog, elles me poursuivent sur tous les réseaux sociaux auxquels je suis abonnée, et même dans la vraie vie ! Autrement dit, je crois que l'heure est venue de raconter ce que je sais.

Si vous êtes nouveau venu, vous ne savez peut-être pas que Noah et moi sortions ensemble (j'insiste sur le *passé*). Les abonnés plus anciens le connaissent sous le nom de « Brooklyn Boy » et, bien que je n'aie rien écrit sur lui – ou sur nous, en l'occurrence – depuis un moment, sa récente disparition a laissé un vide et beaucoup de gens perplexes.

Alors voilà (bonne inspiration) la vérité : je n'en sais pas davantage que vous. Tout ce que j'espère, c'est qu'il va bien et, quoi qu'il fasse et quel que soit l'endroit où il se trouve, qu'il est heureux. Son manager a publié le communiqué suivant :
« En raison d'un important surmenage et pour des motifs personnels, Noah Flynn a pris la décision de quitter la tournée mondiale des Sketch un mois avant la date prévue. Profondément désolé de décevoir ses fans, il leur adresse toutes ses excuses et les remercie chaleureusement de leur indéfectible soutien. »

Je n'en sais pas davantage. Être proche de Noah Flynn ne signifie pas, hélas, que je puisse le suivre par GPS ; je n'ai pas d'appli sur mon téléphone qui me permettrait de savoir où il est (par contre, je suis quasi certaine que ma mère en a une pour nous pister, mon frère et moi). Tout ce que je peux dire, c'est que je connais Noah et qu'il n'aurait jamais pris cette décision à la légère.

C'est aussi quelqu'un de très solide, et je suis certaine qu'il va bientôt réapparaître.

J'espère que cela répond à vos questions et que nous pouvons revenir au cours normal de *Girl Online*.

Ah si, encore une chose : pour ceux qui ne voient pas du tout de quoi je parle (ah ah !)... je suis désolée de cette digression. Et pour Noah : si jamais tu lis ces lignes, donne-moi des nouvelles, ou je vais être obligée de lancer un détective à ta recherche.

GIRL ONLINE, going offline xxx

Chapitre Un

Mon post rédigé, je tourne l'écran de mon ordi vers Elliot.

— Tu crois que ça suffira ?

Je le laisse lire et j'attends son verdict en me mordillant l'ongle du petit doigt.

— Ça me paraît bien, déclare-t-il après des secondes d'angoisse.

Rassurée par son approbation, je récupère mon ordi et je me dépêche, avant de changer d'avis, d'appuyer sur la touche « envoi ». Je sens aussitôt un poids s'envoler de mes épaules : c'est fait. Je ne peux plus revenir en arrière ni effacer ce que j'ai écrit. Ma déclaration est désormais « officielle ». Je trouve parfaitement ridicule d'être *obligée* de faire une « déclaration », mais c'est comme ça – et cette situation m'énerve tellement que je commence à me sentir bouillir...

Le toussotement d'Elliot me tire heureusement de mes réflexions. Il a les lèvres pincées et la bouche tordue d'un côté. Je n'aime pas cette grimace, parce que je sais ce qu'elle signifie : quelque chose le contrarie.

— Tu n'as vraiment *aucune* nouvelle de Noah depuis la mi-août ?

Je hausse les épaules.

— Aucune.

— Brooklyn Boy nous laisse tomber ? Je n'arrive pas à le croire.

Je hausse encore les épaules. Dès qu'il est question de Noah, c'est à peu près la seule réaction dont je sois capable. Si je pense trop longtemps à son silence, toutes les émotions que j'essaie de retenir vont remonter à la surface.

— La seule chose que j'ai, c'est ce texto.

Je sors mon téléphone et lui montre le message.

— Tu vois ?

Noah : Désolé, Penny. Je n'y arrive plus. Je quitte la tournée pour prendre un break. Je te tiens vite au courant. Nx

Je ne sais pas ce que veut dire « vite » pour Noah, mais son message remonte à plus d'un mois et depuis je n'ai aucun signe de lui. Au début, je l'ai bombardé de textos, de Tweet et d'e-mails. En vain. Alors, plutôt que passer pour la fille prête à tout pour rester en contact avec son ex, j'ai tout arrêté. N'empêche, chaque fois que je pense à son silence, ça me fait un coup.

— En tout cas, reprend Elliot, tu as bien fait de clarifier les choses. Les gens vont te laisser tranquille, maintenant. Et c'est tant mieux !

— Exactement.

Je glisse au bord de mon lit pour attraper la brosse à cheveux qui traîne sur mon bureau et je vais devant la coiffeuse. Tandis que j'essaie de discipliner mes boucles auburn encore illuminées par le soleil de l'été, je regarde les photos accrochées autour du miroir ; il y a des selfies de moi avec Leah Brown, d'autres avec Elliot et Alex, et même un avec Megan, mais la plupart disparaissent sous les photos que j'ai découpées dans mes magazines préférés − autant d'inspirations pour mon book − et mon programme de révision du bac, soigneusement surligné et colorié, histoire de savoir exactement où j'en suis. Ma mère s'amuse à répéter que je passe plus de temps à peaufiner mon code couleur qu'à vraiment réviser, mais ça me donne l'impression de maîtriser au moins un truc. J'ai si peu de prise sur le reste − Noah, mon avenir, la photo, même mes amis, qui se préparent tous à la vie après le lycée. J'ai peut-être décroché une méga-longueur d'avance avec mon stage chez François-Pierre Nouveau, un des plus célèbres photographes au monde, j'ai l'impression de faire du surplace pendant que tout le monde s'active autour de moi. Qu'est-ce que je fais *maintenant* ?

— Tu crois qu'il a trouvé une autre fille ?

Elliot me regarde par-dessus ses lunettes avec un air que j'identifie sans peine : le style goguenard, du genre « telle que je te connais, ça va chauffer ». Je le sais, parce qu'il adore me provoquer.

— Elliot !

Il n'a aucun mal à éviter la brosse que je lui jette à la figure.

— Ben quoi ? Il est célibataire, *tu* es célibataire. Il est temps de sortir un peu, Pen. Le monde est vaste, il ne se limite pas à Brooklyn !

Il me fait un de ses clins d'œil exagérés, et je lève les yeux au ciel. S'il y a une chose qui me perturbe plus que le silence de Noah, c'est bien l'idée qu'il puisse sortir avec quelqu'un d'autre.

Je préfère changer de sujet.

— Comment va Alex ?

Elliot écarte les mains et s'exclame :

— À la perfection, comme d'habitude !

Je souris.

— Vous êtes trop mignons, tous les deux.

— Je t'ai dit qu'il a quitté sa boutique de fringues vintage ? Il travaille dans un restaurant, maintenant.

Son visage rayonne de fierté.

— J'ai hâte d'être à la fin de l'année pour m'installer chez lui. Enfin, j'y passe déjà le plus clair de mon temps... quand je ne suis pas ici, bien sûr.

Il sourit, mais je vois bien que le cœur n'y est pas. Je me penche vers lui pour lui serrer la main.

— Tes parents finiront par accepter, El...

Depuis des semaines, c'est des disputes non-stop chez les Wentworth. Parfois, on les entend crier à travers le mur de ma chambre sous les toits ; c'est toujours hyper embarrassant.

C'est au tour d'Elliot de hausser les épaules.

— À mon avis, ce qu'ils devraient faire, c'est surtout mettre un terme à *leur* calvaire. Tout le monde serait plus heureux s'ils se séparaient pour de bon.

— Penny !

La voix de ma mère qui résonne dans l'escalier me fait sursauter. Je tourne mon téléphone pour regarder l'heure et, pour le coup, je bondis sur mes pieds.

— Mince ! Dépêche-toi, Elliot, on va être en retard ! Je ne peux pas louper mon premier cours.

Je jette mes derniers livres dans mon sac et, au moment de vérifier mon allure dans le miroir, je m'aperçois que je n'ai démêlé qu'un seul côté de ma tête avant de jeter la brosse. J'attrape un élastique sur ma table de nuit et je rassemble mes cheveux – boucles et nœuds – dans un chignon approximatif.

La capacité d'Elliot à recouvrer sa bonne humeur me stupéfie toujours. Quand je me tourne, il est de nouveau le garçon joyeux et pétillant que je connais bien. Il passe son bras sous le mien et me fait un grand sourire.

— Prête pour la course au pain au chocolat ?

— Ça marche !

On dévale l'escalier en riant et en se bousculant comme des gamins.

— Qu'est-ce que c'est que ce chahut ? nous gronde gentiment ma mère alors qu'on atterrit sur la dernière marche pour lui arracher, d'un même élan, les deux pains au chocolat qu'elle tient à bout de bras. Et n'oublie pas, Penny : retour à sept heures pour l'anniversaire de Tom.

19

— Pas de problème !

Je suis déjà à la porte et parfaitement consciente d'avoir du chocolat partout sur le menton – un barbouillage peu digne d'une jeune fille bien élevée de seize ans ! Je ne risque pas d'oublier l'anniversaire de mon frère, mais je sais pourquoi ma mère me le rappelle : j'ai pris l'habitude de traîner dans Brighton avec Elliot après les cours. Je le prends en photo un peu partout pour compléter mon book. Pour moi, c'est le modèle idéal : il est tellement à l'aise qu'il n'a jamais peur de poser au beau milieu de la rue, même s'il y a plein de monde pour l'observer.

— Je devrais ouvrir un blog, moi aussi, m'a-t-il dit un jour. Je pourrais publier toutes ces photos ! Même celles que tu n'aimes pas sont géniales.

— Oui, tu devrais le faire, ce serait super aussi pour tes créations de vêtements.

« Je vais y penser », m'a-t-il répondu, mais il n'a jamais été plus loin. À mon avis, l'*idée* d'avoir un blog l'amuse bien plus que celle d'en avoir un pour de bon : il serait obligé de s'en occuper ! Il lève les yeux au ciel chaque fois qu'il me voit encore penchée sur mon écran, mais il sait bien que ça ne marche pas autrement. De mon côté, depuis ma longue période d'interruption l'an dernier, je suis plus que jamais déterminée à faire fonctionner le mien.

Dehors, la fraîcheur de l'air me rappelle, même si on est encore en septembre, que l'automne n'est plus très loin. C'est ma saison préférée ; les feuilles se parent de belles couleurs dorées avant d'être emportées par le vent, et la lumière, débarrassée de la brume de chaleur estivale, semble d'une pureté incroyable. Tout a l'air un peu plus vif et plus clair – c'est une sensation de renouveau idéale pour débuter une nouvelle année scolaire. Et le renouveau, c'est justement ce qu'il me faut.

Je me serre contre Elliot et glisse mon bras sous le sien.

— On va être obligés d'abréger la séance photo, ce soir. Et comme Alex a changé de boulot, on ne va plus pouvoir lui emprunter de fringues marrantes !

Cette réflexion me rappelle ma photo préférée d'Elliot : il porte, en plus de ses vêtements habituels (un jean skinny et un tee-shirt bordeaux sous un gilet à grosses mailles), un grand chapeau de pirate avec une immense plume qui dépasse. Perché sur un seau renversé qu'on a trouvé sur la plage, on dirait un genre de flibustier légendaire ; mais un flibustier qui aurait un sacré sens de la mode !

— On n'a qu'à se rabattre sur la garde-robe de ta mère, lâche Elliot avec un soupir dramatique.

J'éclate de rire. C'est vrai que ma mère a gardé une tonne d'accessoires bizarres et incroyables de ses années de théâtre.

À l'arrêt de bus, il me plante une bise extravagante sur chaque joue – un truc qu'il a rapporté de Paris et largement perfectionné pendant son stage au journal *CHIC*.

— À plus, *trésor*. Et surtout, essaie de ne pas trop t'en faire à propos de Noah, d'accord ?

Je ne peux pas m'empêcher de rougir.

— D'accord.

Le lycée n'est pas très loin de l'arrêt de bus mais, dès que mon ami a disparu, sa compagnie me manque. Comme si j'avais un bras ou une jambe en moins. Je suis amputée d'un Elliot, et je me sens bancale. Je me demande ce que je vais devenir s'il s'installe à Londres avec Alex, l'an prochain. J'en ai déjà la gorge nouée...

Mon téléphone vibre et, malgré ce que j'ai dit à Elliot, je pense aussitôt à Noah. Le texto n'est pas de lui, mais de Kira.

Kira : Où es-tu ???

Je regarde l'heure : plus que cinq minutes avant le début du cours d'histoire, et je suis censée faire un exposé avec Kira. Oups.

Je me mets à courir, puis je grimpe quatre à quatre le perron du lycée, et je franchis la porte comme une bombe. Je ne ralentis que dans le couloir. Deux sixièmes sont penchées sur leur téléphone et gloussent en regardant quelque chose sur *Celeb Watch*. Je sens immédiatement l'angoisse monter : si ça se trouve, c'est moi la cible des commérages. Mais non. Cette fois, il s'agit de Hayden, des Sketch, qui vient de rompre avec sa petite copine, Kendra. Une des deux filles lève la tête et plisse les yeux – je me rends tout de suite compte qu'elle ne me reconnaît pas, c'est juste que j'ai l'air bizarre de rester plantée là, à les regarder.

Je file sans demander mon reste. Plus personne au lycée ne se tourne sur mon passage. Je pousse un soupir de soulagement. Noah et moi, c'est désormais et officiellement de l'histoire ancienne. Je suis redevenue une fille normale, avec une vie normale dans un lycée quelconque.

C'est ce que je veux depuis que j'ai quitté la tournée, non ?

L'irruption de Kira m'empêche heureusement de répondre à cette question.

— Penny ! ENFIN, tu es là !

Elle m'attrape le bras et, comme elle m'entraîne rapidement vers la salle de classe, notre exposé et le cours normal des choses, je me laisse faire.

Chapitre Deux

— **A**ttends ! J'en prends juste une dernière.
— Penny, il est sept heures moins cinq…
— Je sais, mais la lumière est parfaite.

Je prends une dernière photo d'Elliot devant le ciel qui s'assombrit. Cette fois, nous ne sommes pas à la plage, mais à Blakers Park, tout à côté de chez nous et à proximité d'une rangée de jolies maisons couleur pastel. L'avantage d'habiter sur la colline, c'est que nous avons, depuis nos chambres respectives et mitoyennes sous les toits, une vue splendide sur le parc et la mer à l'horizon. Nous avons passé un nombre incalculable de soirées ensoleillées dans ce parc, assis au pied de la tour de l'horloge à lire et faire des photos. Aujourd'hui, Elliot fait des acrobaties. Il prend des poses exagérées, enchaîne les sauts sur le ciel déjà étoilé, figure des ponts imaginaires en se cambrant en arrière. Je le photographie allongée dans l'herbe. Sur la dernière image, j'ai réussi à saisir le soleil couchant sous l'arche de son dos, et le résultat est épatant. Les rayons estompent tous les détails, mais ils donnent à Elliot l'air d'une créature éthérée, comme si la lumière irradiait de lui.

— C'est bon, j'ai fini, dis-je en posant mon appareil.

Je m'assois et je prends mon téléphone. Aucun texto anxieux de ma mère, j'en déduis que Tom est probablement en retard.

— Je peux voir ? me demande Elliot en se laissant tomber dans l'herbe à côté de moi.

Je lui montre la série qu'on vient de faire.

— Waouh, Penny, ces photos sont géniales ! À mon avis, elles dépassent même tout ce que tu as fait jusque-là. Elles ont intérêt à figurer dans l'expo.

— Oh, elles en seront même la pièce maîtresse ! Et je vais l'intituler *Elliot et le soleil courbé*.

— Tu devrais peut-être travailler tes titres, P.

— Si tu le dis !

Elliot est convaincu qu'un jour j'aurai droit à une fantastique expo photo – consacrée à mes seules œuvres, bien sûr, pas comme l'an dernier où mes photos étaient exposées avec toutes celles des élèves du cours. Dans son rêve, l'événement se déroule toujours dans une ville prestigieuse, à Londres, New York, ou même encore plus loin, à Shanghai ou Sydney, par exemple. Ses élucubrations me font sourire, mais elles ravivent aussi mon anxiété. À la fin de mon incroyable stage, François-Pierre Nouveau m'a laissé entendre que je pourrais peut-être envisager d'exposer une ou deux de mes photos dans sa galerie, *à condition* qu'elles soient à la hauteur. J'ai envoyé celles d'Elliot à Melissa – la directrice de son agence, avec qui je me suis vraiment bien entendue. Elle m'a répondu qu'elles étaient bonnes, mais qu'il manquait encore quelque chose. « Je ne sens pas *ta* présence dans ces photos, m'a-t-elle dit. Tu y es presque. Travaille, cherche ce qui te passionne vraiment, le sujet qui te fait vibrer ; là, tu feras mouche. Tes photos ont besoin d'être singulières, *typiquement Penny*. »

Comme je ne veux pas la décevoir, j'ai l'intention de travailler, travailler et travailler jusqu'à trouver exactement ce truc qui n'appartient qu'à moi. Parce que mes rêves sont aussi grands que ceux qu'Elliot nourrit pour moi. Je veux faire des photos et ne faire que ça ma vie durant. Et je n'ai jamais eu aussi envie de réussir qu'aujourd'hui.

Quelque chose a attiré mon regard et je tourne brusquement la tête.

— Noah ?

Je n'ai pas pu me retenir, et, même si je n'ai fait que murmurer, Elliot m'a entendue.

— Quoi ? Où ? s'exclame-t-il en plissant les yeux dans la même direction que moi.

Mais il n'y a rien. Et s'il y avait quelqu'un, cette personne a disparu.

— J'aurais juré…

Quoi ? Qu'est-ce que j'ai vu, au juste ? Un bonnet enfoncé sur des longs cheveux noirs ? Une démarche à l'allure familière ? Ça peut être n'importe qui.

— Laisse tomber, dis-je rapidement.

Mais Elliot n'est pas dupe.

— T'inquiète, Penny, je comprends. Moi aussi, j'aimerais qu'il soit là. Mais pour l'instant, si je peux me permettre, c'est Tom qui nous attend. On ferait mieux de rentrer, tu ne crois pas ?

— Si, bien sûr !

Je suis complètement ridicule : Noah est à New York – ou peut-être à Los Angeles – il ne traîne certainement pas dans les rues de Brighton. Si seulement je savais où il est, ce qu'il fait, ça m'empêcherait au moins d'avoir des hallu.

— Alors, tu te dépêches ou quoi ? me lance mon ami.

Il faut grimper pour retourner chez nous, et je me suis laissé distancer. C'est l'inconvénient de Brighton : la ville est tout en collines, et nos maisons sont perchées presque au sommet de l'une des plus hautes d'entre elles.

— Il paraît que mon père prépare une de ses fameuses recettes de lasagnes, ce soir !

— Oh là là ! gémit Elliot. Et qu'est-ce qu'il va mettre dedans, cette fois ?

— Aucune idée ! Tu te souviens de la version hawaïenne, avec de l'ananas ?

— Oui, mais celle-là était réussie ! Je pensais plutôt au coup d'avant. Quand il a découvert que les Mexicains mettent du chocolat dans leurs sauces et qu'il a ajouté une barre de Dairy Milk dans la bolognaise !

— C'était franchement écœurant. Je devrais peut-être lui dire de s'en tenir aux petits-déjeuners.

— Surtout pas ! Ton père adore les expériences culinaires. Ce n'est pas toujours réussi, mais quelle audace ! Qui aurait pensé que parsemer des chips écrasées sur un plat de lasagnes les rendrait si bonnes et croustillantes ? Il devrait breveter cette recette. Gare à toi, Jamie Oliver !

Distraits par ces considérations alimentaires, nous arrivons devant chez moi plus vite que je ne l'aurais cru. Elliot me suit, sans même un regard vers sa maison.

À l'intérieur, une bonne odeur d'herbes aromatiques et de viande grillée nous accueille.

— Quel fumet ! s'exclame-t-il derrière moi.

Mon père fait son apparition dans le couloir de l'entrée, sa toque de chef un peu de travers sur la tête.

— Ce soir, c'est lasagnes à la grecque ! Feta, origan, agneau, aubergines !

— Ce n'est pas plutôt de la moussaka ?

— Pas du tout, me corrige mon père en agitant sa cuillère en bois sous mon nez. Ça reste des lasagnes. Et attendez de savoir ce que je mets dessus...

— S'il te plaît, pas des olives ! je plaide en fronçant le nez.

— Mieux que ça ! Vous avez droit à des... anchois !

Le gémissement d'Elliot se joint au mien.

— Salut, tout le monde !

— Tom !

Je pivote vers la porte au moment où mon frère entre, suivi par sa petite copine, Melanie, et je crie :

— Joyeux anniversaire !

— Merci, Pen-Pen !

Il me prend dans ses bras et m'ébouriffe les cheveux.

— Arrête ! dis-je en m'échappant pour embrasser Melanie. Salut, Mel, comment ça va ?

— Super. Merci, Penny. J'ai hâte de savoir ce que ton père nous a préparé.

J'éclate de rire.

— Tu ne devrais pas être déçue !

Les heures suivantes, entre rires et dégustation gastronomique, me plongent dans un bien-être aussi réconfortant que le vieux chandail de ma mère, celui que j'emporte chaque fois que je dois prendre l'avion. Les lasagnes à la grecque se révèlent délicieuses (même si j'enlève tous les petits poissons rabougris pour les donner à Tom). À la fin du repas, tout le monde est détendu : ma mère raconte son prochain mariage à Melanie (une réception à Soho, organisée autour du thème « cabaret »), Tom et Elliot rient aux blagues de mon père.

Et tout à coup, j'ai une idée. Je me lève pour aller prendre mon appareil photo que j'ai laissé dans l'entrée.

Quand je reviens dans la salle à manger, je tourne l'objectif vers ma famille et je capture leurs rires et leurs sourires. Voilà quelque chose qui n'appartient qu'à moi. Tous ceux que j'aime sont réunis dans une seule pièce.

Je baisse les yeux sur ma photo.

Enfin… *presque* tous.

17 septembre

Voir des fantômes

Merci à tous pour votre soutien après mon dernier post. Désolée d'avoir dû bloquer les commentaires – ça commençait à partir dans tous les sens. Mais on va peut-être mieux s'en sortir, cette fois ? Vous êtes toujours de si bon conseil.

En ce qui me concerne, mon plus gros problème en ce moment, c'est les fantômes. Pas les vrais (enfin, j'espère), mais les ombres, les empreintes que la personne absente a laissées dans ma vie et qui surgissent à tout moment pour me replonger dans les affres d'un questionnement sans fin.

Chaque coin de rue me rappelle un souvenir de lui. Chaque fois que je sors, j'ai beau être sûre qu'il est à des milliers de kilomètres, je n'arrête pas de le voir dans la foule devant moi. Une fois, j'ai même pris en chasse un malheureux garçon pour m'apercevoir, quand il s'est tourné, que ce n'était évidemment pas lui. Seuls ses cheveux noirs étaient les mêmes.

Est-ce que je deviens folle ? Vous connaissez l'adage selon lequel quand on a la chair de poule, c'est que quelqu'un marche sur votre tombe ? Eh bien j'éprouve exactement la même chose : un petit frisson glacial, vaguement inquiétant, et qui me laisse toujours l'impression d'être un peu pathétique. Qu'est-ce que je dois faire pour chasser les fantômes et redevenir comme avant ?

GIRL ONLINE, going offline xxx

Chapitre Trois

Deux jours après mon dernier post, trois sortes de conseils ressortent des commentaires :
1. « Passe un maximum de temps avec tes amis et ta famille » – ça, c'est fait.

2. « Multiplie les distractions : sors, trouve de nouvelles activités et éclate-toi jusqu'à ce que son souvenir s'efface » – là, je peux faire mieux.

3. « Tourne la page, avance » – ça, c'est ce que n'arrête pas de me répéter Elliot, mais franchement, je ne vois pas comment y arriver.

J'ai donc décidé de mettre en application le conseil numéro deux, « sortir », et j'ai accepté l'invitation qui traîne dans ma boîte mail depuis deux semaines. Megan me pousse à venir la voir à Londres. Elle veut me faire visiter l'école d'art dramatique où elle est inscrite depuis la rentrée. C'est une école ultra prestigieuse, et je suis super fière qu'elle y ait été admise. C'est même un tel exploit qu'elle a eu droit à un article dans le journal local, sous le titre : *Une lycéenne de Brighton décroche sa place à l'académie des stars*. Des tonnes d'actrices et d'acteurs célèbres sont passés par l'école de madame Laplage (une réalité que Megan, selon Elliot, « ne manque jamais de nous rappeler »), mais l'endroit n'est pas seulement connu pour ses cours de théâtre. Toutes sortes d'artistes y sont formés : des musiciens, des danseurs, des peintres – et sans doute même des photographes. Megan y est arrivée en terminale mais, comme elle habite sur le campus, elle mène déjà une vie d'étudiante. Et finalement, elle a beau être un peu déjantée et parfois arrogante, elle me manque.

« VIENS ! » clame l'un de ses plus récents textos. « Tu vas adorer ! »

Elliot, en le lisant, a levé les yeux au ciel.

— Elle a sans doute besoin de quelqu'un auprès de qui se vanter de son rôle « principal » dans *Les Misérables* ou dans je ne sais quelle autre pièce qu'elle est en train de répéter.

— *West Side Story*, ai-je précisé.

Elle venait de raconter sur Facebook comment elle avait décroché le rôle de Maria dans le premier gros spectacle de l'école prévu pour Halloween.

« Les répétitions sont intensives, m'a-t-elle écrit dans le texto suivant, mais si tu arrives un samedi après onze heures, on décompresse tous à la cafète, je pourrai te présenter à tout le monde. »

J'ai donc pris mon téléphone et envoyé le message suivant :

Penny : OK, je vais venir.

Elliot a fait semblant d'être atterré, mais j'ai bien vu qu'il était content de me voir bouger, surtout pour faire un truc un peu inhabituel.

La réponse de Megan n'a pas tardé.

Megan : Waouh ! À samedi alors !

Samedi est arrivé, et c'est l'une de ces belles journées de septembre si lumineuses que Londres scintille comme si quelqu'un avait lavé toutes les façades. En descendant du train, je ne peux m'empêcher de penser à tout le chemin que j'ai parcouru ces derniers mois. Avant l'été, je n'aurais jamais pris le train toute seule, encore moins le train puis le métro. Mais à présent, j'ai mon petit arsenal de stratégies pour tenir mes phobies à distance. Je ne les maîtrise pas complètement – je sais qu'elles feront toujours partie de ma vie et qu'elles peuvent surgir à n'importe quel moment –, mais tant que je les accepte, tant que c'est moi qui les tiens à l'œil – et non l'inverse –, je sais aussi que tout ira bien.

L'école de madame Laplage est au bord de la Tamise et Megan m'a donné rendez-vous à la sortie de la station Embankment pour que nous fassions le chemin ensemble.

— Coucou, Penny !

Elle m'attend devant Starbucks, un gobelet de café dans une main. Je ne l'ai jamais vue boire autre chose que des milkshakes ou du Coca, mais c'est une grande fille maintenant !

— J'espère que tu ne m'en veux pas de m'être pris un truc à boire, me dit-elle en me rejoignant. Tu n'aimes toujours pas le café, n'est-ce pas ?

Je secoue la tête.

— Je n'ai pas soif, de toute façon.

— Parfait.

Elle glisse son bras sous le mien et m'entraîne sur le pont à côté de la station. En apercevant la cathédrale St Paul dans la courbure du fleuve, je m'arrête pour prendre une photo. Megan apparaît aussitôt dans le champ de vision et s'adosse à la rambarde.

— Attends, prends une photo de moi devant le National Theatre, dit-elle en me montrant le grand bâtiment de béton à côté de son école. Un jour, quand j'aurai le premier rôle dans une pièce fabuleuse au National, elle vaudra peut-être de l'or !

Son gloussement me met légèrement mal à l'aise, mais je prends la photo quand même.

— Je peux voir ?

Je tourne l'appareil pour lui montrer l'écran. Elle pousse un cri aigu.

— Waouh, c'est génial, Penny ! Tu devrais faire tous mes portraits !

J'ai beau lui rendre son immense sourire, j'ai l'impression que quelque chose cloche. Ce n'est pas son genre d'être aussi enthousiaste et surexcitée. Je veux bien croire que ce soit à cause du café, mais quand même.

— Comment ça se passe, à l'école ? je lui demande en arrivant de l'autre côté du pont.

— Oh, l'école est absolument *géniale*. Il paraît qu'un couple d'Hollywood va y inscrire ses enfants. C'est encore top secret, d'après *Celeb Watch*, mais ça ne m'étonne pas : le cours Laplage est vraiment le seul endroit au monde où apprendre à jouer correctement. Les profs sont incroyables. Il y a même un spécialiste du monologue ! Et tu devrais voir les danseurs... Je n'ai jamais vu autant de beaux mecs à la fois !

Elle me fait un clin d'œil et, tandis qu'elle continue de parler, je constate qu'elle ne répond pas à ma question. Je sais tout sur son école, mais ce que je continue d'ignorer, c'est comment les choses se passent pour *elle*.

L'école de madame Laplage occupe un pan entier de la rue. Si, à l'extérieur, les façades sont restées les mêmes – celles des anciennes maisons édouardiennes, hautes, étroites et bien serrées les unes contre les autres –, l'intérieur a été complètement chamboulé. Beaucoup de cloisons ont été abattues et d'immenses fresques colorées, réalisées par les étudiants d'arts graphiques, ornent les murs. J'aperçois, par le pan vitré d'une porte, le parquet luisant et les miroirs d'un studio de danse.

Megan, sans interrompre son flot de paroles, m'entraîne vers un escalier. On s'arrête au deuxième étage, devant une porte sur laquelle est écrit « FOYER DES ÉTUDIANTS THÉÂTRE ».

— Bon, me dit Megan, ne te mets pas à flipper, Penny, mais je te préviens : certaines filles sont au courant de ton histoire avec Noah, et elles sont hyper jalouses. Ne t'inquiète pas, je me charge de les calmer, mais n'en rajoute pas trop, OK ?

— Heu… oui, évidemment, dis-je en fronçant les sourcils – ce n'est pas tellement mon genre d'en rajouter. De toute façon, tu peux me croire, Noah est bien le dernier sujet de conversation que j'ai envie d'aborder.

— Tant mieux. Bon…

Elle prend une bonne inspiration, comme si elle se préparait à affronter des lions, et ouvre la porte.

En découvrant les lieux, je repense aux salons privés, réservés aux artistes, que j'ai découverts dans les coulisses des salles de spectacle pendant la tournée de Noah – rien à voir avec le foyer des terminales au lycée. Je retrouve la même ambiance ultra décontractée : des filles et des garçons se prélassent, à moitié allongés dans des canapés défraîchis, ou discutent tranquillement, les jambes en travers des accoudoirs de vieux fauteuils club. Quelqu'un joue même de la guitare dans un coin. Et tout le monde est tellement beau que, pour un peu, je me croirais téléportée dans un épisode de *Glee*.

En fait, cela correspond *exactement* à la description que Megan m'a faite – je vais être obligée de dire à Elliot qu'elle ne s'est pas du tout vantée. C'est aussi cool qu'elle nous l'a dit.

Megan attend que j'aie terminé mon tour d'horizon, puis elle m'attrape la main et m'entraîne vers un groupe de filles qui, apparemment, répètent leur texte autour d'une table. Elles n'ont pas l'air de remarquer notre présence, alors je me tourne vers Megan – en me demandant pourquoi elle ne dit rien –, mais son regard reste fixé sur l'une des filles.

— Oh, salut, Megan, finit par lâcher l'une d'entre elles – une grande rousse avec une queue-de-cheval.

Elle lève à peine les yeux et n'esquisse même pas l'ombre d'un sourire.

— Salut, Salena, répond Megan.

Sa voix est tellement étranglée que je n'en reviens pas. Je n'ai jamais vu Megan dans cet état.

— C'est l'amie dont je vous ai parlé, vous savez... Penny Porter.

Cette fois, Salena lève la tête et me regarde avec un grand sourire pétillant et chaleureux.

— Penny ! s'exclame-t-elle en se tournant pour attraper une chaise. Tu veux t'asseoir ?

— Oh, heu...

Je regarde Megan qui, d'une main preste, m'oblige à m'asseoir.

— J'imagine que ça veut dire oui ! dis-je avec un rire embarrassé.

Tandis que Megan fonce de l'autre côté de la pièce chercher la seule chaise disponible, Salena ne me lâche pas des yeux.

— Voici Lisa et Kayla. Elles sont en première année de théâtre, comme moi.

— Oh, comme Megan alors ! dis-je. Enchantée.

Elle opine.

— D'abord, je dois dire que *j'adore* ton blog, Penny.

Je me sens rougir. Je n'arrive toujours pas à croire que de vrais gens lisent pour de vrai mon blog ; pourtant, si j'en juge au nombre de visiteurs, c'est le cas.

— Merci... ça fait un moment que je l'ai.

— Oh, je sais ! Et tu restes tellement authentique.

À côté de moi, Megan acquiesce vigoureusement.

— Et bien sûr, nous sommes écœurées de... enfin, tu sais, ajoute Kayla de l'autre côté de la table.

Elle a d'immenses yeux ronds et des cheveux coupés très court.

Comme je ne vois pas ce que je pourrais dire, je répète un « merci » un peu embarrassé et je me dépêche de changer de sujet.

— Vous devez avoir hâte de jouer *West Side Story*. Megan chante tellement bien ! Elle vous a parlé de la représentation de *Roméo et Juliette* qu'on a donnée au lycée, l'an dernier ?

Salena ouvre la bouche, mais Megan se lève brusquement.

— On ferait mieux d'y aller, Penny, on n'a pas fini la visite. À plus tard, les filles.

Je me lève.

— Ravie de vous avoir rencontrées.

— Nous aussi, Penny. Reviens quand tu veux. J'adorerais te parler de mon blog.

— Oh, oui, bien sûr. Oups !

Megan m'a tiré le bras et je me suis cognée à ma chaise.

— Eh, qu'est-ce qui se passe ? je lui demande quand on s'est éloignées.

— J'en avais marre de parler avec elles ; elles sont gonflantes. Je t'avais dit qu'elles te bassineraient avec Noah et ton blog.

— Je ne les ai pas trouvées si lourdes...

— Peu importe, j'ai encore des tas de gens à te présenter et le reste de l'école à te faire visiter. Tu dois absolument voir la grande scène, les loges et ma chambre.

On est sur le point de quitter le foyer quand une tape sur l'épaule me fait sursauter. Je me tourne pour me trouver nez à nez avec un super beau garçon qui me dévisage. Je pense qu'il veut parler à Megan, mais quand je m'écarte pour le laisser passer, il me retient par le bras.

— Excuse-moi, mais... tu ne serais pas Penny Porter, par hasard ?

Chapitre Quatre

Je cligne des yeux devant l'apparition d'un bon mètre quatre-vingts, aux magnifiques yeux bleu-vert et aux cheveux châtain clair légèrement ondulés, qui me dévisage. Il me sourit, de toute la blancheur de ses dents, en attendant ma réponse. Ce n'est qu'en voyant son sourire commencer à faner que je réalise que je suis en train de le contempler bouche bée. Ou plus exactement, que je contemple le tee-shirt sans manches qui révèle sa superbe anatomie.

Je bredouille quelque chose qui ressemble à « sympa ton tee-shirt », tout en essayant de me rappeler la question qu'il vient de me poser. Je suis sûre qu'il vient de m'en poser une... Seulement... *laquelle* ? À ce stade, j'entends une petite voix qui hurle : « *Articule, Penny, DES PHRASES DANS UN LANGAGE COHÉRENT.* »

— Je veux dire... tu n'as pas froid ?

— Non !

Il lâche un rire léger et me tend la main.

— J'ai l'impression d'entendre ma grand-mère.

Il a cet accent écossais tellement craquant que je suis obligée de me secouer pour revenir à la réalité.

— Je m'appelle Callum. Ravi de te rencontrer, Penny… n'est-ce pas ?

En lui serrant la main, je découvre qu'elle est d'une douceur si incroyable que je baisse les yeux. Ses ongles sont parfaitement coupés, et…

Penny ? Lève la tête !

J'arrive enfin à afficher un sourire (à peu près) normal.

— Oui, Penny, c'est ça ! On se connaît ?

Je le dévisage en me demandant où j'ai pu le rencontrer. Je n'aurais jamais oublié un aussi beau représentant des Highlands…

— On ne s'est jamais vus, mais je te connais. Enfin… je connais surtout tes photos. Tu m'as piqué le stage dont je rêvais chez FPN. J'étais bien obligé de jeter un œil sur ton travail pour savoir qui m'avait doublé. J'ai été impressionné.

Son compliment me fait rougir. Il me connaît grâce à mes photos ? Je n'aurais jamais cru que ce soit possible.

— Qu'est-ce que tu fais là ? poursuit-il. Tu es étudiante ici ? Je ne t'ai vue dans aucun séminaire.

Megan, qui commence à s'agacer, tape du pied ; manifestement, une conversation entre Callum et moi ne fait pas partie de la visite qu'elle a prévue.

— Non, Penny n'étudie pas ici, intervient-elle. Moi, par contre, oui. En théâtre. Megan, enchantée.

Elle s'interpose entre nous et, tout en repoussant ses beaux cheveux bruns d'une main, elle tend l'autre à Callum. Il la lui serre en lui rendant poliment son sourire. Je suis sur le point de reprendre la parole, mais Megan, une fois de plus, s'interpose.

— Je lui fais visiter l'école. J'espère qu'elle viendra me voir souvent. Aussi souvent que les répètes le permettront, bien sûr.

— Bien sûr !

Je fais écho à Megan, mais mon regard est attiré par celui de Callum, comme si c'était un aimant.

— Si je comprends bien, tu es inscrit en photo ? je demande avant que Megan puisse ouvrir la bouche.

— Oui, en deuxième année. C'est cool, comme école, répond-il.

Il recule pour s'asseoir sur le dos d'un canapé, et le monde semble s'effacer autour de lui. Je ne vois plus que l'éclat bleu-vert de son regard, comme si nous étions seuls, lui et moi, les yeux dans les yeux. Ça ne doit durer qu'un quart de seconde, parce que tout se remet en place avec les premières notes d'une mélodie que je connais bien – *Element*, directement sortie de l'album de Noah.

Au même instant, une réflexion me tombe dessus : pendant tout ce temps (OK, la minute qui vient de s'écouler), je n'ai pas pensé *une seule seconde* à Noah. Je me sens électrisée – sensation que je croyais ne plus éprouver depuis notre séparation. Je remarque aussi l'appareil photo que Callum porte en bandoulière, une bandoulière customisée avec des badges et des graffitis. En voyant mon intérêt, il me sourit largement.

— C'est un chouette appareil, non ? Il est d'époque.

Il le fait glisser sur son épaule pour me le montrer. Je manifeste mon admiration par des « Oh ! » et des « Ah ! » impressionnés.

— Tu dois vraiment t'y connaître, dis donc !

— J'adore la photo, c'est sûr, mais seuls les meilleurs d'entre nous parviennent à décrocher un stage chez François-Pierre Nouveau, hein ?

Il me donne une petite tape sur le bras et, en me voyant piquer un fard, il éclate de rire. Je l'imite, mais je me sens nerveuse. Pourquoi Callum « Mac-Canon » me met-il dans cet état ? J'ai l'impression de me revoir à treize ans. Je me secoue et je m'efforce d'avoir l'air plus normal quand je sens le coup de pied de Megan sur mon mollet. Je comprends qu'elle s'impatiente.

— Heu, oui, ravie de t'avoir connu ! À un de ces jours. En attendant, je saluerai François-Pierre de ta part.

Sur ce, je tourne les talons et je m'éclipse en tirant Megan avec moi. Derrière nous, j'entends Callum éclater de rire et, quand je me retourne, il me fait un petit salut de la main.

Cette rencontre me laisse les jambes en coton et je me demande si c'est une réaction normale... C'est peut-être un signe ? Peut-être que je commence, au fond, à oublier Noah ? Peut-être que mon cœur a décidé de sortir de sa léthargie et qu'il s'ébroue avant de réapparaître dans le monde effrayant des garçons ?

Ça fait beaucoup de peut-être, mais c'est mieux que tous les *jamais* accumulés au cours de ces derniers mois.

Megan m'entraîne dans les couloirs, où nous passons de salles de musique en salles de dessin et studios de danse. Je suis impressionnée par le matériel et les moyens à la disposition des étudiants. Espaces de travail, instruments de musique, bibliothèques, rien ne manque. Je comprends pourquoi Megan se vante tellement : elle a vraiment intégré la cour des grands !

Après le tour de l'école, on traverse le campus pour aller vers la résidence des élèves. Ce n'est pas exactement ce à quoi je m'attendais : les chambres sont minuscules, basses de plafond et plutôt sombres. Pas génial pour la photo. Megan partage une salle de bains et une cuisine avec deux filles. La première est danseuse et italienne. L'autre est étudiante en art contemporain et originaire de San Francisco.

La chambre de Megan est dans un état pire que la mienne : il y a des vêtements qui traînent partout et les murs sont couverts d'affiches de théâtre.

Je m'assois au bord du lit collé au bureau.

— Tes colocataires sont sympas ? Tu t'entends bien avec elles ?

Elle tire sa chaise et s'assoit à côté de moi.

— Oui. Enfin, Mariella ne parle pas très bien anglais, alors on a un peu de mal à discuter. Mais comme elle fait de la danse moderne interprétative, je mime ce que j'essaie de lui dire en dansant, ça aide.

Pauvre Mariella. J'imagine Megan, bras et jambes agités de frustration, tentant de mimer la proposition d'une tasse de thé, et je pouffe.

Elle prend son ordinateur et se connecte sur son compte Facebook.

— Je ne vois pas beaucoup l'autre fille. Elle est ultra branchée, passe son temps à Shoreditch[1], et tous ses copains portent la barbe et le chignon. Je ne suis pas sûre d'aimer les mecs à chignon. Qu'est-ce qu'ils y cachent ?

— Leurs secrets ? dis-je en me penchant sur son écran.

Elle promène sa souris sur sa messagerie instantanée alors qu'elle n'a rien reçu. Bizarre. D'habitude, Megan croule sous les notifications. Elle sent ma curiosité et ferme son ordi d'un coup sec.

— Tu sais quoi ? On va retourner au foyer, se prendre un truc à manger et lézarder. Il n'y a rien à faire, ici, c'est mort.

Elle prend son sac à main, le glisse sur son épaule, puis arrange ses cheveux et se remet du rouge à lèvres.

— D'accord.

Je suis surprise du fourmillement qui me prend à l'idée de revoir peut-être Callum.

Le foyer bourdonne d'agitation, mais aucun bel Écossais à l'horizon. En revanche, une nuée de filles et de garçons, tous plus beaux les uns que les autres,

---

1. Nouveau quartier branché du « East London », haut en couleur et épicentre du street art londonien. (NdT.)

entoure le baby-foot (je les trouve étrangement doués pour un passe-temps aussi dépassé) et, comme dans une scène de *Pitch Perfect*, deux groupes de chanteurs se donnent la réplique a cappella. Dire que je ne suis pas très à mon aise est un euphémisme et, tout à coup, le canapé sur lequel je suis installée semble m'engloutir.

Je me demande s'il est trop tard pour déguerpir lorsque je vois arriver Callum. Du coup, je me redresse. Il est accompagné d'un ami, aussi grand et séduisant que lui – version beau brun bouclé –, mais loin d'avoir son magnétisme. Callum se laisse tomber à côté de moi, tandis que son ami s'assoit en face, à côté de Megan.

— Je ne croyais pas te revoir si tôt, me dit-il en souriant.

Il pose son sac sur la table basse et s'adosse tranquillement. Son accent me fait un tel effet que j'ai envie de sortir mon téléphone pour l'enregistrer et le faire entendre à Elliot – je suis sûre qu'il craquera autant que moi.

Je souris.

— D'après Megan, je ne pouvais pas rentrer chez moi sans avoir profité de toutes les ressources de la cafète. Il paraît que les sandwichs grillés fromage-Marmite[2] sont à tomber.

Je soulève celui que j'ai acheté avant de me dire qu'agiter un sandwich au fromage à moitié entamé sous le nez de quelqu'un n'est sans doute pas un

---

2. Célèbre marque britannique de pâte à tartiner. (NdT.)

comportement hyper normal. Du coup, je me dépêche de l'engloutir.

Sauf que je n'ai pas anticipé le résultat : des joues pleines à craquer et ma laborieuse difficulté à mastiquer sans rien montrer du contenu de ma bouche. Génial.

Heureusement, Callum a la délicatesse de détourner le regard. J'en profite pour mâcher aussi vite que je peux et, la dernière miette avalée, juste avant qu'il ne repose les yeux sur moi, j'ai même le temps de chasser un peu de la rougeur qui me brûle le visage. Il est venu avec son book et un dossier A4 rempli de photos noir et blanc. À l'odeur de produit chimique qui s'en dégage, je comprends que celles-ci sortent tout droit du labo de développement.

Je lève les yeux et, tandis que je croise son regard, le bruit des conversations environnantes me paraît plus fort. Je prends une inspiration – *pourvu qu'une crise d'angoisse ne vienne pas ruiner ce moment* – et je soupire.

— Oh, désolé, ça te dérange ? me demande Callum en prenant ma bouffée de stress pour de l'irritation. On a un gros projet à rendre, et je veux qu'il soit parfait.

— Non, je t'en prie, vas-y.

Cette distraction arrive à point nommé, elle va me soustraire à son attention et me permettre de me ressaisir.

Je me concentre sur les photos qu'il étale autour de lui. Ce sont des portraits, et certains sont tellement… hallucinés qu'ils me donnent la chair de poule. Les détails sont incroyables.

— Qu'est-ce que tu en penses ? me demande-t-il. Je ne suis pas sûr que ce soit complètement au point.

— Tu veux rire ? Certaines images pourraient donner des cauchemars ! dis-je dans un rire.

Il rougit.

— Je sais, c'est un peu sinistre, mais elles sont destinées à une expo pour Halloween ! Qu'est-ce que tu utilises comme objectif pour tes portraits ?

Il me sourit de toute l'éblouissante blancheur de ses dents. Je remarque aussi une minuscule tache de rousseur, juste au-dessus de la délicieuse courbure de sa lèvre supérieure, et ça me fait fondre un peu plus. Mais *qui* est ce type ? ai-je envie de hurler. Et d'*où* vient-il ? Il ne peut PAS être humain !

Du calme, Penny. Concentre-toi sur la photo.

Oui, ça, je peux faire.

— Je me sers d'un objectif standard. Je trouve les détails moins écrasants qu'avec un macro, surtout si tu travailles en argentique. Tu préfères quoi, l'analogique ou le numérique ?

— J'aime les deux. Chaque méthode a ses avantages et toutes les deux permettent de faire d'excellentes photos.

Un tube de colle dans une main et ses photos dans l'autre, il tourne les pages de son book en laissant dépasser un bout de sa langue.

— Ça dépend de l'effet recherché, reprend-il. Certaines de mes meilleures photos ont été prises à l'arraché et développées sur Boots. Mon truc, c'est l'instantané.

— Oh, je suis tout à fait d'accord !

J'opine avec enthousiasme avant de me mordre la langue : j'ai complètement oublié Megan ! Elle doit être folle de rage. Je tourne les yeux vers elle et je constate avec soulagement qu'elle est en pleine conversation avec l'ami de Callum. Il est question d'une soirée prévue « dans le bâtiment 4B ». Sa mère serait dans tous ses états si elle savait que sa fille a l'intention de faire la fête en bonne compagnie, mais je ne suis pas du tout surprise.

Ma culpabilité apaisée, je reviens à Callum.

— Comment décrirais-tu cette photo ? me demande-t-il en me tendant le portrait noir et blanc d'une femme âgée qui lève une main devant son visage.

On voit chaque détail des huit bagues alambiquées empilées sur ses doigts. Son regard est triste, mais les coins de sa bouche sont relevés. La moitié de son visage est dans l'obscurité, tandis que l'autre est en pleine lumière.

— Heu... Elle a l'air de dire : « Je ne regrette rien de ma longue existence. »

Je baisse les yeux sur le portrait envoûtant, puis les relève sur Callum. Nos regards se croisent, et je vois ses yeux se plisser tandis qu'un grand sourire étire ses lèvres.

— Mesdames et messieurs, pouvez-vous applaudir la légende la plus tarte que j'aie jamais entendue ?

Il éclate de rire et frappe dans ses mains.

— Eh, il ne fallait pas me demander !

Je hausse les épaules et lui rends son sourire.

— Ce commentaire éloquent et profond est exactement, ma chère, la raison pour laquelle j'étudie ici et pas toi.

Il me fait un clin d'œil amusé auquel je réponds par une mimique faussement outragée.

— Je suis peut-être nulle en légendes, mais je n'ai pas besoin d'une grande école pour apprendre la photo.

La spontanéité de ma riposte me surprend moi-même. Je n'ai aucun sens de la repartie, d'habitude. D'où me vient ce nouveau réflexe ?

— *Touché*[3], Penny Porter, concède-t-il.

Il se déplace légèrement et sa jambe vient effleurer la mienne. Ce contact a beau être anodin, une décharge électrique me traverse le corps. Je ne sais pas s'il l'éprouve lui aussi, mais je vois ses joues rosir tandis qu'il baisse les yeux sur ses photos. Je ne suis peut-être pas la seule à réagir, après tout...

Une vague d'angoisse, aussi soudaine qu'un tsunami, balaie mon tressaillement et me coupe le souffle. Elle est tellement brutale qu'elle me submerge complètement. Tout ce qui était drôle et agréable me paraît terrifiant. J'entends chaque rebond de la balle du baby-foot. La voix des chanteurs m'écorche les oreilles, et l'air est devenu si épais que j'ai l'impression de respirer du coton.

Je cherche, d'un regard paniqué, une issue de secours. Quand j'aperçois enfin une porte, j'attrape mon sac à main et je fonce. Je ne pense ni à Callum

---

3. En français dans le texte.

ni à son ami ou à Megan, je cours comme une folle dans le dédale de couloirs et je ne m'arrête qu'à l'extérieur où j'aspire une grande bouffée d'air frais.

Megan me rejoint presque aussitôt. Elle a déjà assisté à ce genre de scènes et elle n'en fait jamais toute une histoire. Cette fois encore, elle passe un bras réconfortant autour de mes épaules et, malgré tous ses défauts, je lui suis reconnaissante d'être là pour moi.

Elle attend que je sois plus calme et, quand je respire plus normalement, elle hasarde une question :

— Qu'est-ce qui s'est passé ? Callum a dit un mot de travers ?

Elle me dévisage, le front soucieux.

— Non, pas du tout… C'est juste que… Je ne sais pas, ça devenait… un peu trop… Ça va aller.

Je me force à lui sourire et elle me serre la main.

— Tu sais, me dit-elle d'une voix tranquille, il n'y a pas de mal à apprécier quelqu'un d'autre.

Elle vient de mettre le doigt sur l'origine précise de mon angoisse, et je me sens vaciller. Parce qu'une autre voix, tout au fond de moi, me dit qu'il n'y a rien de *moins sûr*.

Chapitre Cinq

Megan s'adosse au coin de l'immeuble et, tandis qu'elle pianote sur son téléphone, je grimpe sur le muret à côté d'elle pour me concentrer sur ma respiration. Quand je me sens mieux, je lève les yeux et je regarde autour de moi. *Où vont les gens ? À quoi pensent-ils ?* Je choisis quelqu'un au hasard, celui avec l'énorme sac à dos : *Est-il en train de faire le tour du monde ?* ou ce couple qui marche main dans la main : *Est-ce leur premier rendez-vous ou sont-ils ensemble depuis des années ?*

Tourner mes pensées vers le monde extérieur, me concentrer sur ce qui peut se passer dans la vie des autres, c'est l'exercice que m'a conseillé ma psy pour m'aider à surmonter mes crises d'angoisse. Il n'y a pas longtemps que je la vois – j'ai commencé en revenant de la tournée – mais j'ai déjà beaucoup progressé. Elle m'a permis de comprendre que, si l'angoisse fait partie de ma vie, elle ne me définit pas pour autant, et les petites ruses qu'elle m'a données (observer les gens, par exemple) m'aident à sortir de la spirale infernale de mes émotions et à dominer les réactions physiques qui s'emparent de moi chaque fois que je commence à paniquer. Mon cœur ne bat plus aussi vite et mes mains ne sont plus aussi moites.

Je me tourne vers Megan.

— Ça va aller, maintenant. Mais, si ça ne te gêne pas, j'aimerais rester deux ou trois minutes toute seule, histoire d'avoir les idées claires avant de remonter.

Elle est plongée, un grand sourire aux lèvres, dans la contemplation d'une vidéo virale qui montre un chiot aux prises avec une plaque de verglas, mais elle éteint son téléphone.

— Pas de problème, Penny. Je t'attends au foyer. Tu sauras retrouver le chemin ?

— Oui.

— OK, à tout de suite, alors.

Elle s'éloigne et, tandis que je retourne au spectacle de la rue, mes yeux tombent sur une fille assise sur un banc qui coupe une conversation téléphonique orageuse en essuyant une larme. Je me demande avec qui elle vient de se disputer. Ses parents ? Une amie ? Son petit copain ? Ce type de scènes me rappelle que tout le monde a ses problèmes et que chacun fait comme il peut pour les résoudre ou les surmonter.

La fille se prend tout à coup le visage dans les mains et, à ma plus grande consternation, je vois se transformer ce que je croyais être une larme isolée en véritable crise de sanglots. Il y a un sac à dos posé sur l'herbe à ses pieds et ses cheveux noirs et brillants sont relevés en deux macarons parfaitement symétriques de chaque côté de sa tête. Elle lève subitement les yeux et nos regards se croisent. J'en dégringole presque du muret. Maintenant, elle sait que je l'observe.

Ma gorge se serre. Elle détourne les yeux et s'essuie les joues, visiblement consciente de l'attention que je continue de lui porter. Je remarque un écusson de l'école de madame Laplage sur son sac à dos, j'en déduis qu'elle y est inscrite. Je descends du muret. Maintenant qu'elle m'a remarquée, je ne peux pas faire comme si je n'avais rien vu et l'ignorer. Il y a de grandes chances pour qu'elle m'envoie balader, mais je suis prête à courir le risque. Elle a peut-être besoin de parler et, parfois, une oreille étrangère fait parfaitement l'affaire.

Au bruit de mes Converse sur le gravier, elle lève la tête. Elle a beau avoir les yeux rouges et gonflés, je suis frappée par sa beauté. Ses yeux en amande sont d'un magnifique brun foncé, et le sourire fragile et hésitant qui flotte sur ses lèvres creuse une minuscule fossette sur sa joue.

J'interprète cette dernière comme un signe de bienvenue.

— Excuse-moi de te déranger, dis-je, mais... ça va ?

Je m'assois à côté d'elle. Son frémissement me fait penser à celui d'un papillon, capable de disparaître à tout instant.

— La honte ! lâche-t-elle en s'essuyant le nez avec le mouchoir qu'elle tient en boule dans sa main. Je déteste pleurer en public. Et encore plus pleurer *devant* l'école. Tout le monde va le savoir, maintenant.

— Tu veux marcher ? T'éloigner un peu d'ici ?

Nous partons en silence vers la Tamise. L'eau a toujours un effet apaisant, en tout cas sur moi. Je préfère le spectacle de la mer à Brighton, mais la Tamise, dans son genre, n'est pas mal non plus.

La fille renifle bruyamment.

— Je ne t'ai jamais vue à l'école, mais s'il te plaît, ne parle de ça à personne.

— Je ne risque pas, je ne suis pas inscrite ici.

— Ah bon ?

— Oui, je suis seulement venue voir une amie. Je m'appelle Penny. Je suis désolée d'être intervenue, mais tu avais l'air d'aller vraiment mal. Tu t'es disputée avec quelqu'un ?

Elle me dévisage un moment. Je dois réussir l'examen, parce qu'elle opine de nouveau, lentement.

— Je m'appelle Posey, dit-elle. Posey Chang. Eh oui, on peut dire que je me suis disputée… J'adore ma mère, mais elle me colle tout le temps la pression. Elle ne comprend pas. J'essayais de lui expliquer que je ne veux pas du rôle qu'on m'a donné dans le spectacle, parce que je ne supporte pas l'idée d'être sur le devant de la scène.

Elle souffle dans son mouchoir et le jette dans une corbeille. Quand elle reprend la parole, elle parle d'une voix si basse que je suis obligée de tendre l'oreille pour distinguer ce qu'elle dit du cri des oiseaux et des conversations des touristes autour de nous.

— Je sais que c'est censé être un honneur de décrocher un rôle aussi important. Je suis ici pour apprendre le chant et le théâtre, après tout, et j'ai toujours aimé ça, mais c'est tellement difficile de se retrouver sur scène, devant le public, et personne ne le comprend vraiment ! Ma mère me dit que je suis ridicule, que je dois réussir à prendre sur moi et qu'il est hors de question que je change de rôle. Le pire, c'est qu'elle a raison. Si je refuse… on risque de supprimer ma bourse, l'an prochain. Tout le travail que j'ai fourni pour arriver jusque-là n'aura servi à rien.

Une nouvelle larme roule sur sa joue.

— Quel rôle joues-tu ? Mon amie fait partie du spectacle, elle aussi. *West Side Story*, c'est ça, non ?

— Oui, c'est ça ! Je joue Maria, le rôle principal.

Je vois un frisson la parcourir.

— Quand on a passé les auditions, j'espérais décrocher un petit rôle, parce qu'il vaut mieux en avoir un que pas du tout, mais je ne voulais pas du premier.

Elle ronge nerveusement ce qu'il reste de ses ongles déjà bien entamés.

— Tu dois être sacrément bonne pour avoir décroché le premier rôle.

J'essaie de masquer ma confusion. Ce qu'elle raconte ne correspond pas à ce que m'a dit Megan, mais je ne veux pas la contrarier – elle est assez bouleversée comme ça. Alors je m'en tiens à l'essentiel.

— Je comprends parfaitement ton appréhension de la scène.

Mon expérience se limite au jour catastrophique où, après une chute malencontreuse, j'ai exhibé ma petite culotte à toute l'école réunie pour le spectacle de fin d'année. Ce n'était pas vraiment du trac, mais j'ai quand même connu l'*effroi* de se retrouver sur scène, l'horreur et la honte absolue de me souvenir subitement que je portais la pire et la plus vieille de toutes mes petites culottes. L'angoisse de Posey est bien plus grave. Être actrice, rêver de monter sur scène et être terrorisée par le lieu même qu'on est censée adorer...

— Tu veux savoir pourquoi je suis sortie de l'école, à l'instant ? je lui demande. À cause d'une crise d'angoisse aiguë. Ça me prend n'importe où et sans prévenir.

— Ah bon ?

Elle me regarde avec des yeux ronds.

— Et comment tu t'en sors ?

— Quand je voyage, je prends le vieux chandail de ma mère. Il me sert de couverture de survie. Mais je ne crois pas que tu puisses en avoir une sur scène !

À mon grand soulagement, elle rit.

— Ce serait bizarre, en effet ! À moins de jouer dans *Les Misérables* et de faire semblant que c'est un haillon.

Elle ferme les yeux et, tout à coup, elle se met à chanter. Je reconnais immédiatement le fameux solo d'Éponine, *On My Own*. Sa voix envoûtante s'élève au-dessus de l'eau. Elle ne chante pas seulement merveilleusement, elle possède en plus une vibration particulière qui transmet si bien toute l'émotion de la chanson que je sens les larmes me monter aux yeux.

Sa voix enfle et enfle jusqu'à atteindre le crescendo, et c'est à peine si elle reprend son souffle ! Je me sens moi-même asphyxiée, tellement je suis impressionnée. Je n'aurais jamais imaginé une telle puissance dans un corps aussi menu ! Quand elle s'arrête et que la dernière note s'efface dans l'air, j'applaudis à tout rompre. Mais je ne suis pas la seule : un petit attroupement s'est formé derrière nous et applaudit vigoureusement lui aussi.

Posey fait volte-face, brusquement rouge comme une pivoine, mais elle esquisse une révérence et salue le public avec un sourire embarrassé. Les gens se dispersent et nous sommes de nouveau seules.

— C'était magnifique, Posey ! Je sais que ça te contrarie, mais... je comprends pourquoi on t'a donné le premier rôle.

Son sourire se fane.

— Merci, Penny. Tu sais, avant, j'adorais chanter en public, mais j'étais seule sur scène, avec un micro et peut-être un piano. Si je ratais, je n'impliquais personne d'autre. Mais là, si je rate le spectacle... Il n'y a pas que moi. Il y a tous les étudiants de l'école, ceux de l'orchestre, les danseurs du ballet, les techniciens son et lumière, sans parler de tous les autres acteurs sur scène. Si je me plante, j'entraîne tout le monde avec moi. C'est pour ça que je ne peux pas le faire. Je n'ai plus qu'à retourner à Manchester.

— Je comprends ce que tu veux dire. Je crois que c'est pour ça que j'aime autant la photo, il n'y a que moi et mon appareil.

Elle me sourit.

— Merci de comprendre, ça fait du bien de parler à quelqu'un qui ne pense pas uniquement que je devrais me secouer et accepter ma chance. Tu me parlais d'une amie. Elle est en théâtre ?

— Oui... elle s'appelle Megan.

— Megan Barker ?

Je secoue la tête.

Posey se mordille les lèvres.

— Je ne la connais pas vraiment. Je ne connais pas grand monde, à vrai dire, mais je sais qu'elle a fait une très bonne audition. C'est une amie d'enfance ? Vous êtes de la même région ?

— Oui, de Brighton.

— Oh, j'ai beaucoup entendu parler de cette ville. J'ai toujours eu envie d'y aller, mais je n'ai jamais eu l'occasion.

— C'est assez loin de Manchester ! je réplique en riant.

— Tu l'as dit !

Elle regarde sa montre.

— Je ferais mieux d'y aller. Je devrais aussi rappeler ma mère. Elle est peut-être dure avec moi, mais elle va s'inquiéter.

Elle rajuste son sac à dos et fait demi-tour.

— Attends ! On peut s'échanger nos adresses mails ? Comme ça, si tu as besoin de parler à quelqu'un...

— Oh, oui, ce serait super.

Elle sort son téléphone et m'ajoute dans ses contacts.

— Tu peux m'appeler quand tu veux, OK ?

Elle me regarde et me serre tout à coup dans ses bras. Je lui rends son étreinte et nous repartons toutes les deux vers l'école de madame Laplage.

Chapitre Six

Quand j'arrive au foyer, Megan m'attend devant la porte. Elle regarde l'écran de son téléphone, les yeux brillants comme des étoiles. Si elle s'est aperçue de mon retard, elle n'a pas l'air de s'en soucier.

— Coucou, Megan ! Tout va bien ?

— Tu veux rire, Pen ? Ça n'a jamais été aussi bien ! Tu te souviens de Luke, le canon ambulant qu'on a croisé tout à l'heure, avec Callum ? Eh bien il m'a demandé mon numéro *et* il vient juste de m'inviter à sa soirée, le week-end prochain !

Elle tourne son téléphone vers moi et me montre un Snap de Luke – torse nu – avec son adresse, une date et une heure écrites dessus.

Ne sachant trop de quelle façon réagir, je me contente d'un « waouh ! » accommodant.

— N'est-ce pas ? me répond-elle, béate. Il est *trop* beau. Toutes les filles de mon cours vont être *ultra* jalouses ! Attention, Megan Barker revient au top !

Elle passe son bras sous le mien et, tandis qu'on repart vers sa chambre, elle pose la tête sur mon épaule.

— C'est mon plus beau jour à Londres, Penny. Merci.

— Heu… Pas de quoi. Mais qu'est-ce que j'ai fait, exactement ?

Elle me tapote le bras.

— Je ne suis pas la seule à avoir de la chance.

— Qu'est-ce que tu veux dire ?

— Callum m'a demandé ton numéro ! J'espère que tu ne m'en veux pas de le lui avoir donné !

— Quoi ? Megan !

Elle redresse la tête et glousse. La lueur rusée et malicieuse que je vois dans son regard me rappelle la Megan que je connais, mais je ne sais pas si je dois me sentir rassurée.

— Ben quoi ? s'exclame-t-elle. Il t'apprécie et tu t'entends visiblement bien avec lui. Je vous ai entendus parler boutique, tous les deux, profondeur de champ par-ci, objectif par-là. Où est le mal ? S'il t'appelle pour t'inviter, tu pourras toujours lui dire non.

J'hésite un peu, mais je finis par hausser les épaules.

— Oui, j'imagine.

— Évidemment ! Cela dit, si j'étais toi, j'accepterais. Parce que Callum McCrae n'est pas seulement une bombe, c'est une bombe *super riche*. Il paraît que sa famille possède un gigantesque domaine en Écosse. Si ça se trouve, il a même un titre.

— Et puis quoi encore ?

Pour le coup, je fais la grimace.

— Mais si c'est vrai, raison de plus pour ne *pas* sortir avec lui. Il doit être imbuvable.

— Et sans doute promis à une comtesse, ajoute Megan en agitant la main comme si elle tenait un éventail. Oh, il connaît certainement la famille royale ! Désolée, Penny, mais finalement je ne crois pas qu'il va t'appeler. Tu n'es pas de son rang.

Elle a beau me donner un coup de coude amusé, je trouve son humour un peu vache.

Dans sa chambre, tandis qu'elle se jette sur son lit pour contempler le Snap de Luke, je m'assois sur la chaise de son bureau et je regarde autour de moi. Je ne peux pas m'empêcher de penser à Posey. Non seulement à sa voix magnifiquement envoûtante, mais au rôle qu'elle dit avoir dans le spectacle.

— Je peux te poser une question, Megan ?

— Bien sûr !

Elle soupire rêveusement.

— Pourquoi est-ce ton plus beau jour à Londres, aujourd'hui ? À part le fait d'avoir été invitée par un super-Apollon !

Elle roule sur le ventre et lâche son téléphone pour poser son menton sur ses mains et me regarder dans les yeux.

— Je ne sais pas, lâche-t-elle au bout d'un moment. Ta venue, sans doute... Ce n'est pas si facile que ça, tu sais.

— Qu'est-ce que tu veux dire ?

Megan n'est pas du genre à se confier, et encore moins à montrer ses faiblesses. Elle a même l'art d'esquiver les questions embarrassantes et ses pirouettes sont plus adroites que celles d'une ballerine.

— Oh, tu sais, les filles sont tellement connes, ici...

— Megan...

Elle pince les lèvres et roule sur le dos. Elle peut s'amuser à faire courir ses pieds sur le mur, je vois ses paupières battre rapidement.

— On ne peut pas dire que je me sois vraiment fait des amis. Ce n'est pas comme à Brighton où j'ai des tonnes de copines. Et tout le monde est tellement doué. Parfois... j'ai l'impression d'être la plus nulle.

Je prends une profonde inspiration.

— Malgré ton premier rôle dans *West Side Story* ?

Elle secoue la tête.

— Je n'ai pas vraiment le premier rôle.

Elle a lâché ces mots dans un murmure et je quitte ma chaise pour m'asseoir à côté d'elle.

— Je fais seulement partie du chœur.

— Pourquoi as-tu menti ? Tu n'as rien à nous prouver, tu sais. Tu as déjà décroché ta place dans cette école ultra prestigieuse, c'est déjà énorme. Tout le monde t'admire.

— Je sais. Seulement je me sens assez nulle ici pour ne pas avoir envie de passer pour une ratée à Brighton.

Elle ouvre les yeux et croise mon regard.

— En plus, ce n'est pas vraiment un mensonge, je suis la doublure du premier rôle – celui de Maria –, et comme la fille qui doit la jouer est une mauviette, elle va se débiner, c'est sûr. J'ai juste anticipé.

— Une mauviette ?

La Posey que j'ai rencontrée ne m'a pas donné l'impression d'être une « mauviette », seulement celle d'être un peu perdue.

— D'après ce que j'ai compris, poursuit Megan, elle a une peur bleue de la scène. Une vraie phobie. Et, comme elle est boursière, si elle refuse de jouer, madame Laplage va certainement la virer. C'est dur, mais si on ne supporte pas la pression ici, comment espérer survivre dans le monde extérieur ? On est là pour faire du théâtre, non ? Pour monter sur scène et *jouer*.

— Mais vous êtes à l'école pour apprendre, justement... Personne ne peut l'aider à surmonter ce problème ?

Elle plisse le front.

— Tu veux que j'aie ce rôle ou pas ?

— Ce n'est pas la question, Megan. Je trouve seulement un peu raide d'être puni, ou condamné, parce qu'on est angoissé. Ce n'est pas sa faute !

À ces mots, elle s'adoucit.

— Ce n'est pas ce que je voulais dire, Penny. Pardon.

Je hausse les épaules et continue :

— Madame Laplage existe vraiment ? Ce n'est pas qu'un nom ?

— Oh, elle existe, tu peux me croire. Et elle est *terrifiante*. On ne la voit pas beaucoup, mais quand elle débarque, soit quelqu'un a de gros problèmes soit il va devenir une star. Elle est connue partout dans le monde pour dénicher les jeunes talents.

— Waouh ! Tu l'as déjà rencontrée ?

Elle secoue la tête.

— Elle ne voit quasiment jamais les étudiants de première année. De toute façon, il ne s'agit pas seulement de savoir qui a un rôle dans quelle pièce... Tu te souviens des filles auxquelles je t'ai présentée en arrivant ?

— Oui.

— Elles ont chacune leur blog et tout le monde les suit à l'école. Alors j'ai lancé le mien, moi aussi, mais personne ne me lit. Je me demande ce qui ne va pas.

— Tu veux que je regarde ?

— Ça ne te gêne pas ?

Elle n'a pas été très tendre avec Posey, mais je sais qu'elle traverse un moment difficile.

— Pas du tout !

— OK.

Elle allume son ordinateur et se connecte à son blog. Sa page d'accueil, comme je m'y attendais, est drôlement chouette, non seulement elle est bien conçue, à la fois claire et accueillante, mais toutes les photos qu'elle a associées sont harmonieuses et bien choisies.

— C'est super, Megan ! dis-je, sincèrement impressionnée.

— Merci... mais je n'ai presque aucun visiteur.

— Et toi, tu vas sur leurs blogs ?

— Mouais...

— Et tu laisses des commentaires, une trace quelconque de ton passage ?

Sa mâchoire se décroche.

— Certainement pas ! Je ne veux pas qu'elles sachent que je suis leurs blogs quand elles ne se donnent même pas la peine de visiter le mien.

— Tu vois, Megan, c'est exactement ça le problème. Si tu t'ouvrais un peu, si tu montrais aux autres que tu t'intéresses à eux autant que tu voudrais qu'ils s'intéressent à toi, ils t'accueilleraient peut-être davantage. Ouvrir un blog, c'est faire partie d'une grande communauté, un peu comme cette école. Il faut s'intéresser les uns aux autres. Et il faut parfois faire le premier pas. Si tu apprécies un de leurs posts, *dis-leur* ! Elles viendront peut-être regarder ce que tu as mis en partage. On donne, on reçoit, c'est un échange, tu comprends ?

— Tu es en train de me dire, alors que tu es *la* célèbre Girl Online, que tu vas sur les blogs des autres et que tu laisses des commentaires ?

C'est à mon tour d'être stupéfaite.

— Tu plaisantes ? Évidemment que je commente les blogs que j'aime, et j'adore ça ! Ça montre à leurs auteurs que j'apprécie les efforts qu'ils ont mis dans leurs posts.

— Hum, ça tient la route.

— Essaie ! Je suis sûre que tu auras plus de visiteurs et que tu te feras des amis.

Elle me sourit.

— Merci d'être venue, Penny. Vraiment.

— Pas de quoi, Meg.

22 septembre

Comment faire connaître son blog ?

C'est toujours un peu décourageant, quand on a passé des heures et des heures penché sur son ordi à perfectionner son dernier post, de n'avoir aucun commentaire en retour. On est tous passés par là : personne ne démarre un blog sous les encouragements d'un public impatient. Mais... tout le plaisir, en fait, est là ! Une amie a décidé récemment de lancer le sien et, comme elle m'a demandé quelques conseils, je me suis dit que je pouvais dresser la liste des tuyaux que je lui ai donnés, au cas où quelqu'un d'autre en aurait besoin.

Alors voilà, si vous cherchez un peu d'aide ou un brin de réconfort, mes suggestions :

1. Lancez une discussion. Terminez votre post sur une question liée à ce que vous venez d'écrire – elle encouragera les gens à vous répondre.

2. Participez. Lancez-vous sur Twitter, prenez part aux discussions, utilisez les hashtags. Faites la promo de votre blog auprès des autres blogueurs. Vous découvrirez que beaucoup d'entre vous ont des tas de points communs, donc toujours un sujet de discussion, et vous vous ferez des amis !

3. Commentez les blogs que vous aimez. Tous ceux qui laissent des commentaires lisent (en général) ceux des autres. En voyant le vôtre, ils sauront que vous aussi avez un blog. Et puis, répétition du point précédent, c'est toujours cool de participer !

4. Faites la promo de votre blog sur les réseaux sociaux. Postez par exemple une photo sur Instagram liée à votre blog. Il y a beaucoup de trafic sur Instagram, et si vous utilisez des hashtags faciles à trouver, il y a de grandes chances pour que les gens arrivent sur votre blog. Pinterest est également génial !

5. Restez simple et naturel. Évitez les messages et/ou les Tweet vingt-quatre heures sur vingt-quatre, sept jours sur sept. Personne n'aime la pression (ou le harcèlement). Alors, amusez-vous et ne soyez pas obnubilé par le nombre de passages sur votre page ! Créer une communauté demande du temps, mais avec un peu de patience et beaucoup de partage vous finirez par avoir beaucoup de lecteurs !

J'espère que ces quelques pistes vous serviront. Les chiffres restent des chiffres. Ce qui compte, c'est le plaisir que vous avez à écrire pour *vous*. Même si le nombre de mes visiteurs tombait à cinq du jour au lendemain, je continuerais à tenir ce blog parce que j'adore ! C'est ma petite évasion et ça me rend tellement heureuse ! C'est le plus important.

Avez-vous lancé un blog dernièrement ? Un de ces conseils a-t-il fait mouche ? (Vous voyez ce que je suis en train de faire, là ? Cf. point numéro 1 – ha ha !!!)

GIRL ONLINE, going offline xxx

Chapitre Sept

L e lendemain matin, en allant avec Megan vers la station de métro, c'est comme si notre conversation n'avait jamais eu lieu. Elle est redevenue elle-même, ne parlant que de son prochain rendez-vous avec Luke, faisant virevolter ses cheveux, vérifiant son reflet devant chaque vitrine. Ce n'est qu'en arrivant devant l'escalier, au moment de nous séparer, qu'elle revient sur le sujet.

— S'il te plaît, ne raconte à personne que j'ai... enfin, tu sais... un peu de mal, ici. Je ne voudrais pas ruiner ma réputation !

— Ne t'inquiète pas, Megan, je ne dirai rien, mais tu n'as pas à avoir honte. Tu t'en sors super bien. Et tu vas te faire des tas d'amis, si tu restes toi-même. Heu... la bonne version de toi-même.

Je ne sais pas si ma précision l'a vexée, mais elle n'en montre rien.

— Toi aussi, Penny. Si Callum t'invite, tu devrais dire oui.

— Je vais y penser.

— Ce sera mieux que passer ton temps à guetter le fantôme de Noah Flynn à chaque coin de rue.

Elle agite mystérieusement les doigts et me fait un petit clin d'œil.

— Moi aussi, je lis *Girl Online*, tu sais. Et je vais suivre chacun de tes conseils.

Elle me serre très fort quand on s'embrasse, et comme elle ne m'a jamais manifesté aussi clairement son affection, je comprends que je dois vraiment lui manquer.

— Tu me manques aussi, je lui dis à l'oreille.

— Tu reviens voir le spectacle en novembre, hein ?

— Bien sûr ! Je ne le raterai pour rien au monde.

— Et si tu as d'autres idées pour relancer ma popularité, dis-les-moi ! Allez, file maintenant, sinon tu vas louper ton train.

Je vérifie l'heure sur mon téléphone. Elle a raison ! Après une dernière embrassade, je dégringole l'escalier et je m'engouffre dans le métro juste avant la fermeture des portes.

Dans le train qui me ramène à Brighton, tandis que je regarde distraitement la banlieue de Londres défiler par la fenêtre, je pense à Megan et Posey, deux filles complètement différentes mais habitées par les mêmes rêves. L'une possède toute la confiance du monde, mais doit se concentrer sur sa technique, quand l'autre a tout le talent et la maîtrise nécessaires, mais aucune confiance en elle.

Être en tournée avec Noah m'a permis de voir beaucoup d'artistes sur scène – les Sketch, Leah Brown et bien sûr Noah lui-même. Ils peuvent avoir des styles très différents, ils ont un point commun : cette incroyable capacité à attirer et retenir les regards sur eux. Charisme ? Don ? Génie ?

Quel que soit le nom qu'on lui donne, ou même son origine, je l'ai vue à travers mon appareil photo. Et ça n'a rien à voir avec la seule célébrité : Elliot en est bourré, par exemple, mais ni Megan ni Posey n'en sont tout à fait là.

La vibration de mon téléphone m'annonce que j'ai reçu un courriel. Il vient de Posey — à ma plus grande surprise —, et je me dépêche de l'ouvrir.

Chère Penny,

Je voulais te remercier d'avoir été là, hier. Je me sens tellement seule dans cette école parfois – mais tu m'as drôlement réconfortée ! Tu comprends que mon angoisse de la scène n'est pas un truc que je peux glisser sous le tapis et simplement... oublier. Tu es la première à ne pas me dire « secoue-toi ! » ou « avance ! » et ça fait beaucoup de bien.
Je sais qu'on a peu de chances de se revoir, puisque je vais rentrer chez moi. Je voulais seulement te dire merci.

Posey xx

Son message me donne encore plus envie de l'aider. Et ça tombe bien, j'ai justement quelqu'un dans mon entourage qui a vraiment fait du théâtre : ma mère. Je me rappelle l'avoir entendue dire qu'elle souffrait d'un trac terrible (au cours de ce qu'elle appelle ses

« années perdues » à Paris). Je suis sûre qu'elle connaît des stratégies pour s'en sortir. Apparemment, les élèves de madame Laplage ne sont pas très tendres envers les plus fragiles d'entre eux. Avec ma mère, Posey aura au moins une oreille compatissante.

Je décide de lui répondre tout de suite.

Salut Posey !

Trop contente d'avoir de tes nouvelles ;)
Que dirais-tu de prendre le train et de venir me voir le week-end prochain ? Ma mère était actrice dans les années 80 à Paris. Pourquoi ne viendrais-tu pas la rencontrer ? En plus, je serais ravie de sortir avec toi. Je te montrerais tous les endroits géniaux de Brighton, comme la jetée, et on pourra faire les boutiques des Lanes.

Penny x

Je n'ai plus qu'à attendre et espérer qu'elle accepte. Je sais que ma mère est capable de l'aider, ne serait-ce qu'en lui disant qu'elle n'est pas la seule à connaître ce genre d'angoisses.

Mon e-mail envoyé, je pose la tête contre la vitre. Les rues de Londres ont laissé place aux collines verdoyantes du sud de l'Angleterre. Pour une fois, il ne pleut même pas !

Mes pensées glissent vers ma récente crise de panique – et Callum, le foyer des étudiants, la nouvelle vie de Megan… Est-ce l'attention de Callum à mon égard qui m'a mise dans cet état ? Ou le fait que ça ne m'a, au contraire, pas dérangée ? C'était

nouveau, excitant. Je crois même l'avoir un peu
dragué, moi aussi. C'est peut-être allé un peu trop
loin un peu trop vite, et je me suis sentie dépassée...
Il y aurait donc une vie après Noah ? Enfin, si je
n'ai pas complètement découragé Callum en fuyant
sans lui donner la moindre explication...

Il a quand même demandé ton numéro à Megan, me
glisse une petite voix.

Mon téléphone recommence à vibrer et je fais
un bond. Si ça se trouve... mais, non, ce n'est pas
Callum. Seulement ma mère.

**Mam's : Tu es déjà dans le train ? Une énorme surprise
t'attend à la maison !!! Xx**

Une énorme surprise ? Elle veut parler... de Noah ?

La fourberie de mon cœur, qui passe d'un garçon
à l'autre sans crier gare, m'arrache une grimace.

Au lieu de me prendre la tête, je sors mon appareil
photo et je passe la fin du voyage à trier les photos
que j'ai prises. Il n'y a pas que les garçons dans la
vie – et cet appareil est exactement ce qu'il me faut
pour m'en souvenir.

Chapitre Huit

Je suis obligée de m'arrêter net en arrivant devant chez moi : assise derrière la baie vitrée, une poupée que je connais bien regarde la rue comme si elle attendait quelqu'un. Elle a toujours son abondante chevelure roux flamboyant, mais elle a changé de vêtements depuis la dernière fois que je l'ai vue ; elle porte aujourd'hui un justaucorps rose vif sous une robe chasuble jaune pétard – un style éclatant qui n'a plus rien à voir avec la robe édouardienne qu'elle avait lorsque je l'ai ramenée chez moi, mais qui est parfaitement raccord avec les cinq ans de son actuelle propriétaire.

Je plisse le front.

Si Princesse d'Automne est là… ça veut dire…

Je n'ai pas le temps de réfléchir davantage, la porte s'ouvre et une silhouette familière surgit sur le perron.

— Penny ! s'écrie-t-elle d'un ton aigu.

— Bella !

La toute petite sœur de Noah dégringole l'escalier pour sauter dans mes bras. Elle noue les jambes autour de ma taille et je la serre contre moi.

— Quel plaisir de te revoir ! Mais dis-moi, tu as drôlement grandi !

— Et toi, tu m'as drôlement manqué, princesse Penny !

— Toi aussi, Bella.

Je l'embrasse sur les cheveux avant de la déposer par terre. Elle me prend la main et m'entraîne vers la maison.

— Dépêche-toi ! Ton papa est en train de me faire des pancakes smileys !

— Oh, sa spécialité !

Je grimpe l'escalier du perron en souriant jusqu'aux oreilles, mais je suis *complètement* désorientée.

Je reconnais tout de suite, dans l'encadrement de la porte du salon, la silhouette qui me tourne le dos. C'est celle, élégante, de Sadie Lee, la grand-mère de Noah. Elle fait demi-tour et m'accueille avec son chaleureux sourire.

— Penny chérie, quel bonheur de te revoir ! Tu as l'air magnifique.

Elle m'embrasse sur les deux joues.

Ses longs cheveux gris sont maintenant coupés au carré et, avec ses pommettes hautes et ses yeux pétillants, c'est la grand-mère la plus classe que je connaisse.

— Ça me fait tellement plaisir à moi aussi. Waouh ! Est-ce que...

Les mots restent bloqués dans ma gorge. Je veux demander si Noah est là, lui aussi, mais je ne veux pas sembler déçue de ne voir qu'elle et Bella.

— Malheureusement, non, me répond Sadie Lee en devinant ma question avec un hochement de tête désolé.

— Oh.

Je ne peux pas empêcher mes épaules de s'affaisser.

— J'en déduis que tu n'as aucune nouvelle de lui non plus ?

Je hoche la tête.

Elle soupire.

— Ce garçon... Enfin, il nous fera signe quand il sera prêt.

Je m'aperçois tout à coup qu'elle n'en sait pas davantage que moi et une bouffée d'inquiétude me serre le cœur.

— Est-ce qu'il va bien ?

— Oui. Son nouveau manager nous a transmis un numéro de téléphone à n'utiliser qu'en cas d'urgence, et la volonté de Noah que nous respections son désir d'un break créatif. Noah a toujours été indépendant. Il est capable de se débrouiller tout seul et il a besoin de solitude. Je le connais bien. Si nous lançons des recherches, ou si nous le bombardons d'e-mails, il fuira encore plus loin, quelle que soit la raison de sa fuite. Il a besoin de tranquillité, alors nous allons le laisser tranquille. Cela dit... je suis heureuse que *nous* puissions nous revoir !

— Moi aussi.

Ma mère surgit à ce moment-là de la cuisine.

— Oh, tu es là, ma chérie ! C'est une surprise, non ?

— La meilleure de ma vie !

Elle se tourne vers Sadie Lee.

— Tu as eu le temps de lui dire ?

— Me dire quoi ?

Sadie Lee éclate de rire.

— Attends, j'allais y venir ! En fait, Penny, si heureuses que nous soyons d'être là, nous ne sommes pas venues uniquement pour vous voir. Ta mère et moi avons un nouveau projet ensemble.

— Oh ? Un autre mariage ? C'est génial ! Il se passe ici, à Brighton ?

— Non, répond ma mère. Mieux que ça. Il s'agit de celui pour lequel on m'a contactée en Écosse.

— Celui qui est prévu pendant les vacances de la Toussaint ?

Cet événement est le plus gros budget de ma mère cette année – presque aussi gros que celui du mariage new-yorkais à l'occasion duquel j'ai rencontré Noah –, et comme il a lieu pendant les vacances de la Toussaint, Elliot, Alex et moi partons avec elle lui donner un coup de main. Ce sera mon premier voyage en Écosse. Elliot est déjà en train de chercher nos tenues de bal – agrémentées d'une touche de tartan écossais, évidemment.

— Exactement, répond ma mère. Et comme Sadie Lee a accepté de prendre en charge toute la partie restauration, Bella et elle seront du voyage !

Mes yeux passent de ma mère à Sadie Lee.

— Alors là, bravo !

Sadie Lee est un traiteur de réputation mondiale. Elle s'est fait connaître grâce à ses incroyables pâtisseries, mais c'est aussi la reine des sandwichs (*tout* devient délectable entre ses mains). Elles vont casser la baraque, toutes les deux !

— Mais comme on a beaucoup de travail, reprend ma mère, et que j'emmène Sadie Lee à la boutique juste après le petit-déjeuner, est-ce que tu pourrais t'occuper de Bella, cet après-midi ?

— Oui ! Oui ! Oui ! piaille Bella en sautant sur place tout en tirant sur mon pull.

— Bien sûr, dis-je dans un grand sourire. On est ravies de se retrouver toutes les deux, n'est-ce pas, Bella ?

La voix de mon père l'empêche de répondre.

— Qui veut des pancakes ?

— Moi, moi, moi ! crie-t-elle avant de foncer dans la cuisine.

Ce n'est qu'en la voyant disparaître que la réalité me tombe vraiment dessus : elles sont bel et bien *là*, chez moi, à Brighton ! Une immense bouffée de bonheur me gonfle le cœur. Rompre avec Noah était déjà très dur, mais ne plus voir sa famille était aussi pénible. Je me suis attachée à elles. Bella et Noah ont le même regard profond et chaleureux, et voir Bella me rappelle bien sûr l'absence de Noah ; pourtant, malgré mon pincement au cœur, je suis heureuse de constater qu'elles se sentent assez à l'aise pour rester amies avec nous.

En parlant d'amis, c'est Elliot – le meilleur d'entre eux – qui me revient brutalement à l'esprit !

— Maman, ça te dérange si je file voir Elliot ? Depuis que je suis partie, comme Alex n'est pas là, il est coincé avec ses parents...

Et je dois absolument lui raconter ma folle journée d'hier. Il va tomber à la renverse quand je vais lui parler de Callum. J'espère qu'il sera fier du pas que j'ai fait pour oublier « Brooklyn Boy ».

— Tu ne veux pas manger un morceau, avant ?

— Non ! J'ai avalé un sandwich dans le train.

— File, alors ! Mais reviens avant onze heures. Ton père ne peut pas s'occuper de Bella plus longtemps.

— Ça marche !

Je l'embrasse rapidement et je serre Sadie Lee dans mes bras avant de me précipiter dehors jusqu'au perron d'à côté.

« ... Peut-être que si *tu* écoutais un peu plus quand on te parle ! »

« *Moi* ? Écouter ? *Tu* ne me laisses jamais EN PLACER UNE ! »

Les cris qui s'élèvent derrière la porte m'arrachent une grimace, et mes doigts hésitent sur la sonnette. Les parents d'Elliot sont encore en train de se disputer. Je recule pour lever les yeux sur la plus haute fenêtre et voir si je peux signaler ma présence à Elliot sans être obligée de passer par ses parents.

Inutile. La porte s'ouvre brutalement et mon ami, le visage rouge et congestionné, se précipite dehors, manquant de me renverser au passage.

— Elliot !

Il tourne la tête et, dès qu'il voit que c'est moi, il me prend dans ses bras.

— Tu viens me sortir de là ? murmure-t-il à mon oreille.

Je le prends par la main et je l'entraîne dans la rue. Je sais exactement où aller.

Chapitre Neuf

Attablé au Starbucks, les mains à peine serrées sur sa tasse de *pumpkin spice latte*, Elliot craque complètement. Les larmes roulent si abondamment sur ses joues que la serveuse, prise de pitié, lui sert une double ration de sirop.

— Je n'en peux plus, Pen. Ils ont commencé à se disputer vendredi soir, ça a duré toute la journée d'hier et ils ont remis ça ce matin. Et tu sais pourquoi ?

J'aimerais mieux ne pas le savoir, mais il continue.

— À cause de la couleur de la cravate de mon père ! Il paraît qu'il ne portait pas la même que celle qu'il avait en partant travailler. Ma mère a voulu savoir pourquoi. Mon père lui a sorti une excuse bidon, du genre qu'il s'était taché avec de la soupe ou je ne sais quoi en déjeunant.

— Heu... ça peut arriver.

— Oui, ça *peut* arriver. Mais on s'en fout, parce que ma mère ne l'a pas cru. Alors ils se sont mis à crier, crier jusqu'au moment où j'ai commis l'erreur, ce matin, de descendre me faire un truc à manger parce que je mourais de faim. Ma mère m'a coincé pour me demander ce que *moi* j'en pensais.

Il s'interrompt le temps d'avaler une bonne gorgée de son café.

— Waouh ! Et qu'est-ce que tu as répondu ?

— Je n'ai pas eu besoin de répondre. Avant même que je sache quoi dire, mon père a hurlé un truc du genre : « C'est à *lui* que tu demandes conseil, alors qu'il n'est même pas fichu d'avoir des relations *normales !* », ce à quoi ma mère a répondu — sur le même ton — que l'homophobie était punie par la loi. Puis elle a changé de tactique pour me demander de quelle couleur était la cravate de mon père ce vendredi matin. J'ai répondu que je n'en savais rien puisque j'étais resté dormir chez Alex. Elle a éclaté en sanglots en disant que je me souciais plus d'Alex que d'eux et que désormais je n'avais plus le droit de passer la nuit chez lui. C'est là que j'ai décidé de partir — et que je suis tombé sur toi.

— Oh, je suis désolée, Elliot.

Il balaie l'air de la main.

— C'est dingue. Mes parents sont passés du stade mutique, surtout-ne-rien-exprimer-qui-se-rapproche-d'un-sentiment-quelconque, au stade explosif permanent. Je n'en peux plus. La tension est tellement palpable que j'ai besoin d'ouvrir les fenêtres chaque fois que je rentre.

Il frissonne.

— Alex est ma seule bouffée d'air, pas question
que je renonce à dormir chez lui. Même si ça signifie
que mes parents me jettent à la porte.

— Tu ne le penses pas.

Je vois ses yeux bleus briller de larmes derrière
ses montures vert bouteille.

— Je ne sais pas. Mon compte Grande Évasion
augmente chaque fois que ma mère se sent coupable.
Elle me donne de l'argent pour se faire pardonner
leurs disputes permanentes. Tu n'imagines pas l'enfer
que c'est devenu, chez moi.

S'il parle de son compte Grande Évasion, c'est
qu'il doit être sérieux. Elliot a toujours des plans
délirants, des plans qui commencent par « si on
allait se balader... » et qui finissent généralement
par des destinations glamour du genre « à Paris ! »,
« à L.A. ! » ? J'ai même eu droit une fois à « au
cirque ! » (mais pas n'importe lequel : le Cirque du
Soleil, bien sûr). J'ai beau lui faire observer que j'ai
juste de quoi me payer un tour de manège, il s'en
fiche. Il a fini par comprendre qu'il avait besoin
d'argent s'il voulait mettre un de ses plans à exé-
cution, d'où le compte d'épargne – au cas où on
s'évaderait vraiment. Je suis affreusement jalouse de
ses économies, mais je suis incapable de mettre le
moindre sou de côté.

Je pose la main sur la sienne et je la serre. Il me
répond par un sourire pâlot.

— Bon, distrais-moi, dit-il. Raconte-moi ta journée avec Mega-Vache.

— Elle n'est pas si vache que ça, Wiki. Et son école est super cool. Elle disait vrai, je n'ai jamais rien vu de pareil, on se croirait dans une émission de télé ! N'empêche...

Il se penche en avant dans l'attente du potin croustillant. Je ne veux pas rompre la promesse que j'ai faite à Megan en lui disant tout le mal qu'elle a à s'intégrer, mais j'ai besoin de son avis sur Posey. Alors, je prends une inspiration et je me lance.

— J'ai eu une petite crise de panique et je suis sortie prendre l'air. C'est là que j'ai rencontré cette fille. Elle est dans la classe de Megan et c'est une chanteuse incroyable, mais elle est terrorisée rien qu'à l'idée de monter sur scène, et elle vient juste de décrocher le premier rôle dans *West Side Story*.

— Le premier rôle ? Attends un peu ! Je croyais que c'était Megan qui avait eu le premier rôle ?

— Elle l'a... en tant que doublure.

— Hein ? Tu veux dire qu'elle ment sur Facebook ?

— Pas exactement, El. Si l'autre fille ne peut pas jouer, comme Megan est sa doublure, elle jouera le premier rôle à sa place. Et je suis coincée. Je voudrais vraiment aider cette fille à dépasser son trac, mais si Megan l'apprend, elle va me tuer.

— Tiens, tiens, tiens, dit Elliot en se balançant d'avant en arrière sur sa chaise. La Mega Star est une Mega Imposture.

— Elliot...

Il éclate de rire.

— Ne t'inquiète pas, je ne dirai rien !

— Il y a autre chose, qui pourrait te faire changer d'avis sur elle. Un truc avec lequel tu seras d'accord.

— Ça m'étonnerait, mais je t'écoute.

— On a fait la connaissance d'un garçon dans le foyer, et Megan lui a donné mon numéro de téléphone.

À ces mots, il plante sa chaise par terre et pose ses deux mains à plat sur la table.

— STOP ! Je veux les détails, Penny Porter. *Tous* les détails. Couleur des yeux, taille, nom, style, occupations ? J'attends.

J'éclate de rire.

— Il s'appelle Callum et il est écossais.

— Ah, je l'aime déjà, dit Elliot en feignant la pâmoison.

— Il est étudiant en photographie chez madame Laplage, il est super grand, blond, les cheveux courts et ondulés, et il a des yeux bleu-vert incroyables. Je crois qu'il est... plutôt pas mal !

— Un mec canon *et* étudiant en photo ? Tu es sûre de ne pas l'avoir rêvé, Penny ?

Parler de Callum me fait rougir, mais je continue.

— Oui ! Mais c'était super bizarre de rencontrer quelqu'un avec qui j'ai autant de points communs. En tout cas de prime abord.

— C'est exactement pour cette raison que tu dois le revoir, Penny. Pour découvrir si ça va plus loin que la surface !

Il me fait un clin d'œil.

— Et je *parrrrie* qu'il fait un usage *merrrrrveilleux* de sa langue ?

— Hein ?

— Son accent, Penny ! *Och aye the noo, lassie*[1], « *Auld Lang Syne* »[2], et tout le bazar.

Son affreuse imitation m'arrache une grimace.

— Il ne parle pas du tout *comme ça*, mais oui, parfois, j'ai besoin de me concentrer pour capter ce qu'il vient de dire ! On dirait qu'il parle une autre langue, mais j'aime bien.

— Oh, c'est tellement romantique !

— Du calme, Elliot. Il ne m'a pas encore appelée.

— Il va le faire.

— Qu'est-ce que tu en sais ?

— Mon intuition, Pen. Waouh, je suis super heureux pour toi !

— Merci, mais n'en parle pas quand on reviendra chez moi.

— Pourquoi ? Tes parents seraient ravis de savoir que tu as rencontré quelqu'un et que tu vas cesser de broyer du noir.

— OK, alors d'abord, je ne sors pas encore avec Callum, il a juste demandé mon numéro ! Ensuite, Sadie Lee et Bella ont débarqué chez nous.

— Hein ? Quoi ? Est-ce que N...

---

1. « *Och aye the noo, lassie* » (« *Oh yes, just now, lassie* » pour la prononciation anglaise, « Oh oui, tout de suite, ma belle » pour la traduction) est plus une parodie de l'accent écossais qu'une expression réellement employée par les Écossais eux-mêmes. (NdT.)

2. Ancienne ballade écossaise reprise et connue en français sous le nom « Ce n'est qu'un au revoir ».

Je le coupe tout de suite.

— Non, il n'est pas là. Sadie Lee est venue pour l'organisation du mariage écossais dans deux semaines. Elle s'occupe de la restauration.

— Et ça te fait plaisir ? me demande-t-il.

— Évidemment ! J'adore Sadie Lee et Bella !

— Mais...

Je soupire.

— D'accord... je pense encore plus à lui. Et je m'inquiète encore plus pour lui. Je me demande ce qu'il fait...

— Je m'en doute, Pen. Mais maintenant, tu as deux projets pour te changer les idées, le projet « Callum » et le projet « Étudiante en détresse ».

— J'espère que ça va le faire, El. Quand est-ce qu'Alex revient ?

— En fin de matinée, Dieu merci !

— Vous voulez venir chez moi ? Vous pourrez m'aider à baby-sitter Bella.

— Pourquoi pas ? Mais on risque d'entendre le concours de vociférations de mes parents à travers les cloisons. On va être obligés de passer en boucle et à fond le disque ringard des années 90 que tu gardes à côté de ton lit.

— Eh ! C'est très bien, les Spice Girls, surtout par une morne soirée d'automne. Mais ne t'inquiète pas, j'ai une idée pour quitter la maison.

Il opine, mais tout à coup, il a de nouveau l'air accablé.

— Je suis désolée, Elliot. Qu'est-ce que tu vas faire ?

Il hausse les épaules.

— Ça ne dépend pas de moi, mais d'eux. J'ai juste hâte de me tirer de là pour de bon.

Nous arrivons chez moi juste avant onze heures, le temps pour Elliot de fêter ses propres retrouvailles avec Sadie Lee.

— Oh, il faut absolument que tu me racontes ton stage, lui dit-elle après l'avoir embrassé. Tu pourrais venir à New York, tu sais ? Tu auras toujours une chambre chez moi.

Les yeux d'Elliot se remettent à briller ; de bonheur, cette fois, pas de tristesse.

— Vraiment ? C'est le rêve *absolu,* New York ! Je pourrais m'inscrire au « Projet haute couture », et croiser Heidi-*Auf Wiedersehen* Klum !

— Excellente idée ! Bon, on doit filer, maintenant. Vous êtes prêt, Rob ? OK, Dahlia ? demande-t-elle à mes parents. Dahlia et moi avons du travail, on aura tout le temps de bavarder bientôt.

Ma mère et Sadie Lee disparaissent dans un tourbillon d'embrassades accompagnées de mon père, chargé de ses clubs de golf pour la partie du week-end.

Quand ils sont tous partis, je m'accroupis devant Bella.

— Alors, ma grande, tu veux savoir où vivent les dragons à Brighton ?

Chapitre Dix

— Dire que j'ai vécu toute ma vie à Brighton et que je n'ai jamais mis les pieds ici ! s'exclame Elliot, stupéfait.

Nous sommes au pavillon de Brighton, une ancienne résidence royale, aussi splendide qu'étrange, située en plein cœur de la ville et l'un de ses monuments les plus pittoresques. Je l'ai visité avec mes parents quand j'étais petite, et j'ai pensé que c'était l'endroit idéal pour emmener Bella, mais j'avais oublié à quel point il est *époustouflant*. Je l'appelais « le palais de Mr Whippy[3] », parce que ses grands dômes blancs me faisaient penser à des nuages de crème glacée.

C'est drôle comme on peut cesser de faire attention aux lieux incroyables qui nous entourent. Moi aussi, j'ai toujours vécu à Brighton, et il y a tellement de choses que je tiens pour acquises et que je ne

---

3. Nom d'un marchand de crème glacée ambulant de la fin des années 50 au Royaume-Uni, décliné depuis à travers le monde. (NdT.)

regarde même plus. Je me fais la promesse silencieuse d'apprécier plus souvent ma ville.

— Tu savais que le pavillon avait servi d'hôpital militaire pour les soldats indiens pendant la Première Guerre mondiale ? me demande Elliot.

Alex le prend par le cou et l'embrasse sur la joue.

— Mon petit Monsieur Je-sais-tout ! Quel frimeur ! s'exclame-t-il.

— Comme si ça ne te plaisait pas, rétorque Elliot.

— J'adore ! réplique Alex. Mais c'est quand même la vérité, ajoute-t-il avec un clin d'œil.

Je les regarde en souriant.

— En voilà au moins un qui apprécie l'étendue de tes connaissances !

— Et savais-tu que la reine Victoria l'a vendu à la ville pour la somme ridicule de cinquante mille livres parce qu'elle n'aimait pas Brighton ? Je ne vois pas ce qu'elle lui reprochait...

Elliot et Alex passent devant nous et suivent, main dans la main, la chaîne des cordons de velours rouge qui balisent le parcours des visiteurs à l'intérieur du pavillon. Je suis si heureuse qu'Elliot ait pardonné à Alex son indécision de l'an dernier – et qu'Alex, de son côté, ait décidé d'assumer leur relation. Avec tout ce qu'il traverse, Elliot a besoin de l'amour constant et rassurant de son petit ami. À la seconde où ils se sont vus, tout le poids qu'Elliot portait sur ses épaules a disparu. Même moi, je ne lui fais plus cet effet-là ! Si un couple est fait pour durer, c'est bien celui d'Alexiot.

Après avoir traversé des dizaines de pièces, on arrive dans les cuisines. D'immenses casseroles de cuivre sont accrochées aux murs et je ne peux pas m'empêcher de penser à toutes les merveilles que ferait Sadie Lee dans une cuisine pareille.

Dans la salle des banquets, je rêve aux réceptions que ma mère et elle pourraient organiser ensemble, si elles en avaient l'occasion. Je devrais peut-être leur suggérer l'endroit...

— Penny, regarde ! s'écrie tout à coup Bella en tirant furieusement le pan de mon gilet.

Je suis la direction de son doigt, qui m'indique un stupéfiant lustre doré, autour de la chaîne duquel s'enroule un sinueux dragon chinois.

— Tu vois, lui dis-je en souriant, je t'avais dit qu'il y avait des dragons à Brighton !

— Waouh..., murmure-t-elle en se rapprochant de mes jambes.

Je lui serre la main.

— Ne t'inquiète pas, ils ne servent qu'à décorer.

L'envie me démange de prendre des photos, mais comme c'est interdit, mon appareil reste sagement enfoui au fond de mon sac à dos.

Alex admire la splendide table dressée, où pas une seule fourchette ne manque.

— Ce type, le propriétaire des lieux... rappelle-moi qui c'était, demande-t-il à Elliot.

— Le prince George, avant d'être George IV, répond Elliot jamais à court de précisions.

— En tout cas, il avait un sacré goût, c'est le moins qu'on puisse dire.

— C'est mon héros, réplique Elliot dans un souffle éperdu d'admiration. C'est tellement... trop. Si je pouvais, j'emménagerais ici.

La visite terminée, nous décidons de nous arrêter au salon de thé. Bella, épuisée par la promenade et le décalage horaire, s'écroule sur mes genoux et, son jus de pomme à peine terminé, s'endort brutalement. Elliot, Alex et moi, qui attendons nos tasses de thé, rions doucement en la regardant.

Elliot se penche par-dessus la table.

— Je crois qu'on est les plus jeunes, glisse-t-il.

Il a raison : la plupart des clients sont bien plus âgés que nous, mais je ne vais pas m'en plaindre ; les scones sont à tomber, ici.

— Ça vous dirait de voir un film, ce soir ? nous demande Alex.

— J'adorerais ! je réponds aussitôt. Mais je dois d'abord demander à ma mère si Sadie Lee reste dîner.

— En tout cas, moi, je suis partant, annonce Elliot. Il y a un film suédois qui vient de sortir et...

— Ah, non !

Alex et moi poussons ensemble ce cri du cœur. Elliot peut se renfrogner, il ne risque pas de nous faire céder.

— Je veux voir le dernier *Avengers*, dit Alex.

— Alors là, pas question ! s'exclame Elliot. Je ne risque pas de me taper un autre navet hollywoodien, sous-produit de BD, en images de synthèse et assourdissant à souhait !

Le choix des films est le seul et unique sujet de désaccord entre eux – alors qu'ils adorent aller au cinéma.

Je lève la main avant que la discussion ne dégénère en affrontement « films d'auteur » versus « blockbusters mondiaux » et je lance :

— Si on regardait ce qui passe, avant de déclarer la troisième guerre mondiale ?

En faisant attention à ne pas réveiller Bella, je sors mon téléphone de mon sac. Par pur réflexe, je clique sur l'icône des e-mails qui m'annonce deux nouveaux messages.

En ouvrant le premier, ma main vole à ma bouche.

— Génial !

— Quoi ? me demande Elliot en se rapprochant.

— C'est Posey, la fille dont je t'ai parlé, elle vient le week-end prochain !

— Super ! Le projet « Étudiante en détresse » est lancé !

Je lui donne un coup de coude.

— Posey n'est pas un projet, El, c'est une nouvelle amie. Tu vas l'adorer. Et elle va t'écraser à SingStar.

Il prend un air offensé.

— *Personne* ne me bat à SingStar.

Alex éclate de rire.

— Parce que personne n'est assez courageux pour t'écouter !

Il se tourne vers moi.

— Qui est Posey ?

Je lui raconte ma visite à Megan et le trac de Posey.

— Waouh ! Rappelle-moi qui est Megan ?

— Celle qui n'appelle Penny que lorsqu'elle a besoin d'elle, réplique Elliot.

— Elle n'est pas si vache, Elliot. Il faut regarder au-delà des apparences qu'elle se donne. Au fond, c'est quelqu'un de vraiment gentil.

— C'est ça, tout au fond, au fin fond des profondeurs du Grand Canyon, oui, marmonne-t-il.

Si je n'avais pas une petite fille de cinq ans endormie sur mes genoux, je lui donnerais un coup de pied.

— Au fait, tu sais que le canyon de Colca, au Pérou, est deux fois plus profond que le Grand Canyon ? demande Alex, l'œil pétillant.

— Tu vois que je ne la trouve pas si vache *que ça* ! réplique Elliot en riant. Mais qui est le Monsieur Je-sais-tout, maintenant ?

Je profite de leur chamaillerie pour répondre à Posey.

Excellente nouvelle !
Je t'attendrai à la gare, samedi, à onze heures. À côté du piano gare (mais attention : je ne joue pas !) x

Maintenant que je sais que je vais revoir Posey, je me sens beaucoup plus heureuse. Il n'y a qu'un petit détail qui me tracasse : dois-je en parler à Megan ? J'hésite un peu, avant de me dire que ce n'est pas elle qui décide de mes amis, alors je balaie mes scrupules.

— On y va ? Oh, j'ai oublié de regarder les séances !

— T'inquiète, réplique Alex en souriant. On vient de le faire et on s'est mis d'accord sur le dernier Disney. Ça te va ?

— Parfait ! Je dois juste vérifier avec ma mère.

Sur mes genoux, Bella gigote et se réveille en bâillant.

— Prête à rentrer à la maison ? je lui demande en écartant les cheveux de son visage.

Son sourire fait apparaître une petite fossette sur son menton et, tout à coup, je suis frappée par sa ressemblance avec Noah. Mais il est temps d'arrêter de voir son fantôme partout, et encore plus grand temps de revenir à la lumière.

J'ai des amis qui m'aiment, de nouveaux amis que j'ai hâte de connaître davantage, et *ça* passe avant le reste — même s'il s'agit d'un garçon merveilleux (de toute façon aux abonnés absents).

Chapitre Onze

Le lendemain, au labo du lycée, je sors mes tirages noir et blanc de leur dernier bain de rinçage et je les suspends soigneusement sur la ligne de séchage. J'ai fait des photos de Bella en train de jouer avec Princesse d'Automne, mais le résultat n'est pas celui que j'escomptais. Heureusement que j'ai eu la bonne idée d'en prendre quelques-unes avec mon reflex numérique. D'habitude, j'adore la chambre noire ; c'est un de mes endroits préférés (même si j'en sors le bout des doigts noirci, parce que j'oublie tout le temps de mettre des gants). Cette fois pourtant, ce n'est pas le cas.

Depuis que j'ai vu le travail de Callum et le niveau de son book, je sais que j'ai des progrès à faire. Je ne peux pas m'empêcher de penser que, par exemple, je ne consacre pas assez de temps ni d'efforts à la photo – surtout si j'ai l'intention d'en faire mon métier. J'ai eu quelques coups de chance, mais la chance ne suffit pas pour réussir. Les mots de Melissa résonnent dans ma tête. « Tes photos ont besoin d'être singulières, Penny, *typiques de toi.* » Celles que je viens de développer sont loin d'avoir une singularité quelconque. L'envie me démange d'allumer la torche de mon iPhone pour les gâcher complètement.

Mais je ne suis pas toute seule, il y a le reste de la classe avec moi, alors je me retiens et je sors de la pièce en serrant les dents.

Mlle Mills lève la tête en entendant la porte claquer (mon agacement a tout de même eu le dessus sur quelque chose).

— Tout va bien, Penny ? me demande-t-elle.

— Oh, pardon, mademoiselle. Oui, ça va...

Elle me regarde d'un air dubitatif et je sens mes épaules s'affaisser.

— Je n'arrive à rien avec la pellicule, dernièrement. Tout ce que j'essaie est... nul. Je ne sais pas ce qui cloche, ou ce que je pourrais bien faire. Et je ne veux pas me reposer sur le numérique ou Photoshop pour ce projet.

Elle me fait signe de m'asseoir sur la chaise en face d'elle. Je m'y laisse tomber en lâchant mon sac à mes pieds.

— Tu t'infliges beaucoup trop de pression, Penny. Ton travail en classe est excellent, et tu dois prendre un peu de recul. Toutes tes photos ne sont pas destinées à faire des couvertures d'album, ajoute-t-elle avec un clin d'œil.

— Je sais bien...

— Mais ?

Je souris. Mlle Mills me connaît si bien. Elle m'a soutenue, l'hiver dernier, quand j'ai bien cru que le monde entier me tombait dessus, et elle a continué cet été, malgré les vacances, pendant la folle tournée de Noah. Elle fait aussi partie des rares personnes qui avaient accès à *Girl Online* quand j'ai bloqué mon compte. Je lui fais une confiance absolue.

— Mais je veux m'améliorer. Je veux avoir un style *à moi*. Quand on voit une de mes photos, je veux qu'on se dise : « Oh, mais c'est Penny Porter ! »

Elle se penche au-dessus de son bureau et pose le menton sur ses mains.

— Le style ne se décrète pas, Penny. Il se développe au cours du temps, et on doit souvent essayer beaucoup de choses avant de réussir à définir le sien. Je crois que tu devrais changer de décor. Brighton est ton terrain de jeux favori et tu as fait de très belles photos ici, mais tes meilleures sont celles où tu t'écartes un tout petit peu de ton cocon.

— Oui, peut-être…

Je cherche où je pourrais bien aller pour élargir mon champ d'action quand un endroit me vient subitement à l'esprit.

— L'Écosse ! Je vais en Écosse pendant les vacances de la Toussaint, je pourrais essayer là-bas.

— Parfait ! Mais n'oublie pas de regarder *au-delà* de l'ordinaire. Tu es douée pour ça. Je crois que c'est à cause de ça que tu te sens un peu perdue en ce moment – tu ne regardes que ce que tu as sous le nez. Prends le temps de te concentrer et ouvre de nouveau les yeux.

Elle recule.

— Je ne m'inquiète pas pour toi, Penny. Tu sais très bien te débrouiller.

— Merci, mademoiselle. Et vous, vous avez des projets sympas pour les vacances ?

— J'aimerais bien ! Mais j'ai beaucoup, beaucoup de travaux à corriger... Heureusement que j'adore mon métier.

— Oh... J'espère que vous pourrez quand même vous reposer.

— Moi aussi, Penny !

Je ramasse mon sac et je sors. En arrivant près des casiers, j'aperçois Kira et Amara qui m'attendent devant le mien.

— Eh, les filles !

— Salut, Penny ! me dit Kira quand je les rejoins. Alors, c'est comment la nouvelle école branchée de Megan ?

Ses yeux pétillent de curiosité.

— Honnêtement, on se croirait dans un épisode de *Glee* ! C'est trop cool, et ça lui va comme un gant.

— Tant mieux. On devrait peut-être aller la voir, nous aussi, suggère Amara.

— Et quand ? Tu as vu tout le boulot qu'on a ? gémit Kira.

De toute la classe, c'est la seule qui s'inquiète autant pour ses notes. Je lui pose une main compatissante sur l'épaule et de l'autre je sors mon téléphone qui vient de vibrer.

Je suis tellement surprise par le message que je découvre que je pousse un cri.

— Penny ? Qu'est-ce qui t'arrive ?

Je lève les yeux sur Kira.

— Hein ? Rien. Pourquoi ?

— Tu es devenue toute rouge !

— Oh… Heu, en fait, j'ai rencontré un garçon, avec Megan…

Mes deux amies poussent le même cri exactement au même moment – ce n'est pas pour rien qu'elles sont jumelles.

— Vas-y, raconte !

— Il s'appelle Callum et il étudie la photographie à l'école de madame Laplage.

— Il est mignon ? demande Amara.

— Je dirais plutôt… *canon*, je réplique en sentant, cette fois, le rouge me monter aux joues. Megan lui a donné mon numéro.

— Et il vient de t'envoyer un texto, enchaîne Kira. C'est génial ! Tu vas le revoir ?

— Et Noah ? demande Amara.

Sa sœur lui donne un coup de coude.

— D'où tu le sors, celui-là ? Tu crois que c'est le moment de rappeler son existence à Penny ?

— Non, je sais, mais j'adore Pennoah.

Elle se tourne vers moi.

— J'étais sûre que vous deux, c'était pour la vie, me dit-elle en haussant les épaules d'un air désolé.

— Pennoah ? Qui nous a jamais appelés comme ça ?

Je suis sidérée et je mime un haut-le-cœur tellement ce surnom me paraît dégoulinant de sucrerie.

Amara éclate de rire.

— On l'a lu quelque part et on l'a trouvé tellement drôle qu'on l'a adopté.

— Heureusement qu'il n'a pas été repris ! je m'exclame en faisant la grimace. Mais bon, pas de souci, Noah et moi, on sera toujours amis... enfin, si j'ai un jour de ses nouvelles. Quant à Callum, il a l'air super sympa, mais pour l'instant, je ne le connais pas vraiment.

— Oublie ma stupide sœur, dit Kira. C'est une excellente nouvelle. Fonce, mais n'oublie pas de revenir nous raconter.

— OK, OK, laissez-moi d'abord le temps de répondre !

Je relis son message.

Callum : Salut, Penny, c'est Callum – on s'est rencontrés à l'école de madame Laplage, tu te souviens ? J'adorerais te revoir et parler photo. Tu es libre quand ?

Je prends une bonne inspiration et tape rapidement ma réponse.

Penny : Salut ! Cool d'avoir de tes nouvelles. Je ne suis pas libre ce week-end. Peut-être le suivant ?

J'appuie sur la touche « envoi », surprise du peu d'importance que j'ai accordé à la rédaction de mon texto – surtout si je compare aux affres dans lesquelles m'a plongée ma première réponse à Noah. J'espère que c'est à cause de l'expérience, et pas parce que je ne ressens pas grand-chose des picotements et du vertige qui me prenaient quand j'écrivais à Noah.

Mon téléphone se remet à vibrer. Kira dresse aussitôt les sourcils.

— Waouh ! Il doit être hyper motivé pour réagir aussi vite ! James prend des siècles pour me répondre.

James est un joueur de rugby, beau gosse, élève d'un autre lycée et actuel objet d'amour de Kira.

— C'est bon signe, dit Amara. Ça veut dire qu'il ne joue pas au plus malin, lui. Qu'est-ce qu'il dit ?

Je lis son message à voix haute.

Callum : Super ! Laisse-moi le temps d'organiser quelque chose d'un peu plus palpitant que le foyer. Je t'envoie un texto dès que j'ai trouvé l'endroit x

Kira serre les deux mains sur son cœur.

— Oh ! Un *vrai* rendez-vous ! Je me demande où il va t'emmener.

— Je n'en ai aucune idée.

Mais en même temps que je parle, c'est une autre réflexion qui me vient en tête : *Quel que soit l'endroit que prévoit Callum, ce ne sera jamais aussi bien que mon premier rendez-vous avec Noah.* Je maudis la perfidie de mon cœur, quand mon téléphone recommence à vibrer.

Callum : Apporte ton appareil photo. Je veux voir la grande Penny Porter en action x

Ce dernier message libère un million de papillons au creux de mon estomac. Callum n'est pas Noah, mais il me réserve peut-être des surprises, après tout.

Chapitre Douze

Je repère le béret vert vif de Posey au milieu de la foule sur le quai et je lui fais signe de la main. J'ai passé la moitié de la semaine à me demander si elle allait vraiment venir et l'autre à me demander *comment* ça allait se passer – ce n'est pas évident d'arriver chez quelqu'un qu'on n'a rencontré qu'une fois – mais je me secoue. Tout va bien se passer. Nous avons échangé des dizaines de messages sur WhatsApp et bavardé comme si on se connaissait depuis toujours.

Je me trouve exactement où je lui ai dit : à côté du piano installé au milieu du hall et à la disposition de tout le monde. Elle franchit les barrières de contrôle et avance vers moi avec un sourire timide.

Elle s'arrête, en respectant une distance prudente.

— Salut, Penny, dit-elle.

— Salut ! Ton voyage s'est bien passé ?

— Ça va.

Ses yeux papillonnent autour de nous, sur le marchand de fleurs, les stands de sandwichs, les cafés.

Apparemment, elle a du mal à me regarder. Elle doit être aussi stressée que je l'étais, alors je me dépêche de la mettre à l'aise.

— Il y a un endroit que tu veux voir en premier ? La jetée ? Les Lanes ?

Elle hausse les épaules.

— Oui, bien sûr ! dis-je en l'entraînant dehors. Comment pourrais-tu me répondre ? Tu n'es jamais venue à Brighton !

Devant son silence, je regrette de n'avoir pas demandé à Elliot de m'accompagner. Il sait, mieux que personne, comment rompre la glace.

— C'est la mer ? me demande-t-elle tout à coup, les yeux écarquillés.

Nous sommes tout en haut de Queen's Road, une longue rue qui descend jusqu'à la plage. Je suis contente qu'il fasse beau, car Brighton n'est jamais plus belle qu'illuminée par le soleil de septembre, et il est difficile de ne pas tomber sous son charme quand elle rayonne comme ça.

— Oui ! Tu veux descendre au bord de l'eau ?

Elle opine en se mordillant les lèvres.

— J'adore l'océan.

— Moi aussi !

Je la prends par le bras et nous descendons d'un pas léger. L'atmosphère a changé ; nous bavardons facilement maintenant, comme si la gêne n'était qu'un obstacle que nous avions réussi à franchir.

— Au fait, lui dis-je, j'ai eu des nouvelles de Callum. Il m'a invitée.

Je lui ai raconté mon histoire avec Noah et elle sait tout de ma rencontre avec Callum.

— Ça te fait plaisir ? me demande-t-elle.

— Franchement, je ne sais pas... Ça continue de me faire un peu bizarre.

— Bah, c'est normal. Mais il a l'air sympa, tu devrais lui donner une chance. Au pire, il arrive quoi ?

C'est agréable de parler avec quelqu'un qui ne me connaît pas seulement comme « la petite amie de Noah ». Avec elle, je n'ai pas l'impression de le trahir en envisageant la possibilité de sortir avec quelqu'un d'autre.

Arrivées sur le front de mer, nous inspirons l'air salé à pleins poumons, et Posey pousse un cri en découvrant la plage de galets.

— C'est confortable ? me demande-t-elle. J'ai vu des photos de la plage bourrée de monde en été, mais je ne savais pas qu'il y avait autant de cailloux ni qu'ils étaient si gros !

— On s'habitue ! Trouver la bonne position pour bronzer est un peu le massage aux pierres chaudes « spécial Brighton », mais ça va.

Sur la jetée, nous achetons une grosse barbe à papa floconneuse et rions de voir nos langues devenir toutes bleues ; puis nous achetons des jetons pour les auto-tamponneuses. J'avais presque oublié le bonheur de traîner avec une copine.

Les joies du parc d'attractions épuisées, nous allons chez mon marchand de glaces préféré – *Boho Gelato* – où nous nous offrons deux cônes de mon parfum favori : *carrot cake*. La glace est si moelleuse et tellement crémeuse qu'elle est encore meilleure que le gâteau.

Dans les jardins du pavillon royal, nous rions aux larmes devant le manège assidu et pompeux des pigeons occupés à séduire des pigeonnes indifférentes et devant les ruses d'une bande d'écureuils chapardeurs, bien décidés à voler leur nourriture à une classe de primaire venue pique-niquer.

Nous nous promenons ensuite dans les Lanes, où nous écumons les vitrines des bijouteries anciennes, admirant les bagues Art déco des années 30 et les colliers de perles et de diamants des années 50. Nous choisissons nos bagues de fiançailles (même si nous sommes très loin d'un événement pareil) puis nous nous rabattons sur la confiserie où nous achetons des anneaux en gélatine.

— La boutique de ma mère est juste à côté. Elle a hâte de te rencontrer. Mais je te préviens, elle est un peu... excessive.

Posey éclate de rire.

— Oh, j'ai l'habitude des mères excessives, crois-moi !

Quand on arrive devant la boutique, la devanture arrache un cri à Posey. Cette semaine, le thème est consacré à la moisson. Tout est dans les tons de bronze, rouge et or, exactement comme les feuilles d'automne. La robe présentée dans la vitrine est en soie pourpre, avec de longues manches évasées – tout à fait le style de robes qu'aurait pu porter Lady Marianne au Moyen Âge. À ses pieds se trouvent un panier rempli de pommes et une corne d'abondance en roseau tressé qui déborde de richesses automnales : des marrons luisants dans leur bogue, des feuilles de chêne et de châtaignier, et toutes sortes de courges et de citrouilles orange et jaunes.

— C'est la boutique de ta mère ? Elle est géniale !

— Oh, merci ! Tu dois être Posey ! s'exclame ma mère qui vient d'ouvrir la porte pour raccompagner une cliente. À bientôt, Chantal !

Sa cliente partie, elle nous invite à entrer.

J'adore venir à la boutique de ma mère. C'est une caverne d'Ali Baba bourrée de trésors éblouissants. Je fais le tour avec Posey, ma mère nous montre ses accessoires déco les plus intéressants et nous raconte leur histoire.

— Ah, dit-elle en arrivant devant un immense chapeau orné de plumes rouges et noires. Celui-ci, je l'ai apporté de Paris. Je le sors chaque fois que quelqu'un demande un thème Moulin-Rouge…

— Penny m'a dit que vous faisiez du théâtre à Paris dans les années 80, c'était comment ? demande Posey.

— Ah, Montmartre… C'était le bon temps, répond ma mère en soupirant. Paris était différent à cette époque, je me sentais tellement bohème. On ne se voyait pas comme des acteurs, mais comme des troubadours, et nous jouions avec le même bonheur sur scène ou dans la rue.

— On dirait un rêve, dit Posey.

— Posey étudie le chant et le théâtre chez madame Laplage, comme Megan. Elle a été sélectionnée pour le premier rôle de *West Side Story*.

— Le premier rôle ? C'est magnifique ! s'exclame ma mère en battant des mains. Parle-moi de la production. Vous jouez la version originale ?

— Oui, mais abrégée, malheureusement.

Ma mère, dans un geste dramatique, lève la main à son front.

— Abrégée ! Le pire cauchemar d'un auteur !

— Je sais, répond Posey, chagrinée. Mais ça reste un bon spectacle. Enfin, ça le restera, quand Megan aura pris la relève.

— Pardon ? demande ma mère, interloquée.

Posey baisse la tête et je pose la main sur son épaule.

— Posey est terrorisée à l'idée de monter sur scène. Je me disais que ça pouvait peut-être l'aider, si tu en parlais avec elle ?

— Oh, oui, bien sûr. J'étais tellement stressée moi-même qu'il m'arrivait de vomir avant de pouvoir jouer. Je peux te montrer quelques trucs de respiration, si tu veux. J'ai fini par abandonner le théâtre, conclut-elle, un brin mélancolique.

Une précision qui n'aide pas Posey, je le vois bien ; aussi je glisse un regard suppliant à ma mère.

— Mais, chérie, *beaucoup* d'acteurs ont ce problème-là, reprend-elle vivement, et ils continuent de jouer ! Les Français appellent ça « *avoir le trac* ». Je me souviens d'une de mes amies, Eloïse… Elle avait *le trac*, justement, jusqu'au jour où elle s'est mise à imaginer le public tout nu…

— Je ne crois pas que j'ai envie d'imaginer mes camarades de classe tout nus, réplique Posey en frissonnant.

— Hum, oui, bien sûr... ce n'est sans doute pas le meilleur moyen. Tu sais quoi ? Je vais reprendre contact avec Eloïse. Elle aura peut-être une meilleure solution.

— Merci, madame Porter, répond Posey poliment.

Tous les espoirs qu'elle pouvait fonder sur ma mère se sont envolés, je le vois bien. Elle a besoin de parler avec quelqu'un qui a connu *et surmonté* son trac.

— OK, merci, maman. On rentre à la maison, maintenant. On se revoit au dîner ?

— Oui, bien sûr ! dit ma mère dans un sourire. J'espère que tu aimes les spaghettis à la bolognaise ?

— J'adore, répond Posey.

Après un dernier tour dans les Lanes, on prend le bus qui nous ramène chez moi.

— Je suis désolée que ma mère ne t'ait pas aidée, dis-je.

Posey me sourit.

— J'ai ce problème depuis si longtemps que je n'espère plus de solution miracle. Ne t'inquiète pas, Penny, je ne suis pas venue à Brighton seulement pour ça. Je m'amuse beaucoup.

— Moi aussi, dis-je en lui rendant son sourire.

Mais je ne suis pas disposée à renoncer.

— J'ai une autre idée. Je tiens un blog depuis quelque temps. Chaque fois que j'ai un souci, je poste dessus et j'obtiens toujours d'excellents conseils. Ça te gêne si je demande leur avis à mes lecteurs ?

Elle hausse les épaules.

— Pourquoi pas ? Mais honnêtement, je ne crois pas qu'il y ait un « remède » ou une « méthode » que je n'aie pas déjà trouvés sur Google.

— Je m'en doute, mais on peut tenter le coup, non ?

— OK. C'est quoi, ton blog ?

— Il s'appelle *Girl Online*. Au début, il était anonyme, puis il y a eu toute cette histoire avec Noah et j'ai fini par être identifiée. Mais ça me va. Certaines personnes que j'ai connues par ce biais font partie de mes meilleurs amis, aujourd'hui, alors qu'on ne s'est jamais vues !

— Tu es courageuse d'avoir un blog. Beaucoup d'élèves en ont un à l'école, mais moi, je n'y arrive pas. Je ne suis pas douée pour l'écriture.

— Contrairement à la chanson ! je réplique en riant.

Nous descendons du bus et, arrivées chez moi, nous grimpons directement l'escalier.

— Waouh ! Ta chambre est géniale ! s'exclame Posey en découvrant mon nid douillet sous les combles.

— Merci. Je l'adore. C'est un genre de TARDIS[1].

— Qu'est-ce que tu veux dire ?

— C'est à cause de tous ces recoins cachés derrière les cloisons, et mon meilleur ami, Elliot, habite dans la chambre juste derrière ce mur. Alors, même si c'est petit, il y a beaucoup plus d'espace qu'on ne croit.

---

1. Machine spatio-temporelle dans la série *Dr Who*.

— Quelle veinarde ! Avant d'aller chez madame Laplage, j'étais obligée de partager ma chambre avec ma petite sœur. Je n'ai vraiment pas envie d'en partir, ajoute-t-elle à voix basse.

Je m'apprête à creuser quand elle pousse un cri.

— Oh mon Dieu ! Tu connais Leah Brown ?

Elle regarde, les yeux écarquillés, la photo de couverture de l'album de Leah, que j'ai épinglée à côté de mon miroir, et la dédicace écrite de sa main.

À Penny, qui a su me voir telle que je suis. Big love, Leah.

— Oui, je la connais, dis-je, un peu gênée. C'est une photo que j'ai faite d'elle à Rome.

— Tu plaisantes ! C'est son dernier album, non ? *Et c'est toi qui as fait la photo ?*

Elle me dévisage, stupéfaite.

— Waouh ! T'es vraiment veinarde ! C'est mon idole.

— Il faut dire qu'elle décoiffe ! dis-je dans un rire. Eh oui, bizarrement, elle a choisi cette photo pour son disque.

Le reste de la soirée se déroule dans les éclats de rire et les histoires. Ma mère bombarde Posey de questions sur le théâtre actuel et nous régale de ses anecdotes parisiennes. J'en apprends plus sur ses dix-huit ans en un seul soir que je n'en ai appris jusque-là – et je ne suis pas certaine d'avoir été préparée à entendre tout ça.

Après avoir raccompagné Posey à la gare, nous regrettons tous qu'elle n'ait pas pu rester plus longtemps. Je me tourne vers ma mère.

— Tu crois qu'elle va s'en sortir ?

— Je n'en ai pas la moindre idée, me répond-elle en soupirant. J'ai connu des actrices qui ont laissé le trac ruiner leur carrière. Eloïse a réussi à le surmonter, mais je ne sais pas comment. J'imagine qu'on trouve la solution au fond de soi. Il n'y a pas de miracle.

De retour dans ma chambre, je rédige un post.

26 septembre

SOS : comment surmonter le trac ?

Vous savez, quand les gens disent qu'ils demandent conseil « pour un ami », mais qu'en fait, ils demandent *pour eux* ? Eh bien cette fois, ce n'est pas le cas. Je pose vraiment, sincèrement la question pour une amie. Une nouvelle amie, en fait, qui a illuminé ma semaine. N'est-ce pas génial quand on rencontre quelqu'un et que ça fait tout de suite « tilt » ? J'adore les premières semaines, celles où l'on passe son temps à échanger des messages, à découvrir quelqu'un dans les moindres détails et à jeter les bases d'une amitié dont on sait qu'elle sera solide. On a l'impression que nos vies s'emboîtent si parfaitement qu'on se demande comment on a pu vivre sans cette personne jusque-là ! C'est comme si elle avait toujours fait partie de votre meilleure bande d'amies, mais que vous ne le saviez pas encore. Eh bien c'est exactement le sentiment que j'ai eu quand j'ai rencontré la fée de la comédie musicale.

Bon, voilà son problème. Elle a décroché le premier rôle dans le spectacle de son école (applaudissements), mais elle a un trac épouvantable. J'ai beau être d'une nature angoissée, le trac, ça ne me dit rien. À moins, bien sûr, de compter la dernière fois que je suis montée sur scène et où je me suis débrouillée pour montrer ma vieille culotte à licornes à tout le public – soyons francs, il y a de quoi effrayer *n'importe qui*. Bref, je voudrais lui donner les conseils dont elle a besoin, pour l'aider, mais j'ai du mal. Je ne sais pas ce que ça fait d'adorer faire quelque chose, mais de se sentir incapable, quoi qu'on fasse, d'aller au bout. Voilà ce qu'elle me décrit : alors qu'elle est sur scène, face au public, et qu'elle s'apprête à chanter, sa langue semble tout à coup avoir disparu de sa bouche. Quand elle comprend qu'aucun son ne va sortir, la panique lui serre la gorge et, subitement paralysée, elle voit le public se transformer en une bande de lions qui commencent à montrer les crocs.

J'aimerais savoir si l'un d'entre vous connaît ou a connu le trac et, si c'est le cas, merci de me donner tous les tuyaux que je pourrais transmettre à mon amie. Je suis sûre que d'autres lecteurs pourront en profiter. Je ne peux pas laisser la fée Musique passer à côté du rêve de sa vie uniquement parce que son cerveau refuse de coopérer au moment où elle en a le plus besoin.

GIRL ONLINE, going offline xxx

Presque aussitôt, je reçois un Tweet de Miss Pégase.

Salut Penny ! Je viens juste de lire ton post sur mon fil BlogLovin... As-tu demandé à Leah Brown comment *elle* a surmonté son trac ? xx

Je relis son message, les yeux écarquillés. Leah ?

Non ! Je ne savais même pas qu'elle avait le trac !

Oh, si ! J'ai lu une interview dans *Teen Vogue*. Elle ne donnait pas beaucoup de détails, mais apparemment, c'était un sacré problème.

Je revois le visage illuminé de Posey quand elle a découvert la photo de l'album de Leah Brown dans ma chambre et qu'elle a su que je la connaissais. Si Leah Brown – *la* plus grande star de la pop féminine actuelle – a connu le trac, alors je peux peut-être faire quelque chose pour Posey.

Les doigts frétillant d'impatience, j'ouvre une nouvelle fenêtre pour rédiger un e-mail.

De : Penny Porter
À : Leah Brown

Leah !!
J'espère que tu vas bien. J'ai vu tes photos de vacances en Australie sur Instagram – incroyable ! (Je suis jalouse !)

Rien de vraiment neuf de ce côté du globe (toujours pas de nouvelles de Noah – j'imagine que tu n'en as pas davantage ?), mais j'ai un petit service à te demander... Je suis devenue amie avec une fille qui prend des cours de théâtre pour faire de la comédie musicale. Elle a une voix *stupéfiante*, mais elle souffre d'un trac terrible. Il paraît que tu as connu ce genre de choses, toi aussi... Aurais-tu des conseils que je pourrais lui transmettre ?

Je t'embrasse fort

Pen xxx

Chapitre Treize

L e lendemain matin, dès mon réveil, j'attrape mon téléphone que j'ai mis à charger sur ma table de nuit. Apparemment, il n'a pas chômé ! J'ai reçu un message de Megan – qui dit seulement « Appelle-moi » –, une tonne de notifications m'avertissant qu'il y a des commentaires sur *Girl Online* et une réponse de Leah. C'est elle que je lis en premier.

De : Leah Brown
À : Penny Porter

Hello !!
Super d'avoir de tes nouvelles ! Mais je n'en ai aucune de N. ☺
En fait, je peux faire mieux que t'envoyer des conseils. Je serai à Londres samedi prochain, pour un enregistrement dans un de mes studios préférés. Pourquoi ne viendrais-tu

pas me rejoindre avec ton amie ? Je serais ravie de te voir et de l'aider, si je peux.

L xxx

C'est encore mieux que ce que j'espérais. Je roule aussitôt de l'autre côté de mon lit et je frappe cinq fois contre la cloison qui me sépare d'Elliot – une partie du code qu'on a mis au point pour signaler qu'on veut se parler et qui est mille fois plus pratique qu'un texto. Comme il ne répond pas, je recommence plus fort. Deux coups étouffés me parviennent enfin. Je vérifie l'heure sur mon téléphone. Dix heures, il n'est donc pas *trop* tôt pour le réveiller, mais je sais qu'il risque quand même d'être ronchon quand il va arriver.

J'enfile le peignoir confortable qui me sert de robe de chambre, j'attache mes cheveux emmêlés par le sommeil, et je réponds à Leah.

De : Penny Porter
À : Leah Brown
Génial !!! J'ai hâte de te revoir. Et mille mercis de réagir aussi vite. T'ai-je déjà dit que tu es la meilleure ?

Px

Il y a quelqu'un que je dois prévenir, maintenant, alors je passe directement sur WhatsApp et, comme elle est en ligne, je lui envoie aussi un message.

Penny : Salut Posey !

Posey : Salut Penny ! C'est trop bizarre, j'étais justement en train de me dire que j'allais t'envoyer un Snap !

Penny : En fait, j'ai un truc à te demander... Es-tu libre samedi matin, vers dix heures ?

Posey : Heu... tu m'inquiètes maintenant ! Mais oui, je suis libre ! J'ai une répète l'après-midi, mais rien le matin. Pourquoi ? !

Penny : Je préfère te faire la surprise, mais je crois que j'ai trouvé quelqu'un qui sera vraiment capable de t'aider pour ton trac. Rendez-vous devant la gare Victoria à dix heures, samedi ?

Posey : Écoute, Penny... c'est vraiment sympa de vouloir m'aider, mais j'ai déjà essayé des millions de trucs pour m'en sortir et aucun n'a donné de résultat. Je suis incapable de monter sur scène, c'est comme ça et je ferais sans doute mieux de l'accepter.

Je ne sais pas trop comment répondre. Je reconnais dans sa façon de parler tout ce que j'éprouve quand l'angoisse me tombe dessus et m'engloutit – la certitude que rien ne changera jamais et que je ne vivrai, à cause de ça, jamais normalement. Et pour Posey, je le sais, ça doit être pire, parce que c'est à sa plus grande passion qu'elle doit son angoisse la plus terrible. Mais si ma psy m'a appris quelque chose, c'est que rien n'est jamais perdu d'avance.

Penny : Tu as peut-être raison. Mais si tu veux quand même tenter le coup, tu viendras ?

C'est à son tour de me faire attendre, et je regarde, dans un mélange stressant d'espoir et d'inquiétude, le mot « écrit » apparaître et disparaître juste sous son nom. Son message arrive enfin.

Posey : OK, je vais venir. De toute façon, ce ne sera pas pire, hein ?

Penny : Cool ! À samedi donc.

— Alors, c'est quoi, la grande nouvelle ?

Elliot, en robe de chambre et en chaussons, est dans l'encadrement de ma porte, l'air endormi et les cheveux en bataille. Il se montre rarement dans cette tenue, et encore plus rarement dans cet état, mais je le trouve trop mignon. Il ferme la porte et vient se laisser tomber sur mon lit.

— Leah vient à Londres la semaine prochaine ! Et comme Miss Pégase m'a appris qu'elle avait connu le trac, je vais lui présenter Posey.

— Une star mondiale vole à ton secours *au pied levé*, me dit-il avec un clin d'œil, il n'y a que *toi* pour obtenir ce genre de miracles. Qu'en pense Megan ?

Je fronce les sourcils.

— Megan ? Quel rapport ?

— Elle va te tuer si elle apprend que tu présentes Leah Brown à quelqu'un d'autre avant elle.

— Oh…

Je repense à son message : « Appelle-moi. » C'est vrai qu'il est plutôt sec, mais elle ne peut pas être *déjà* au courant. Il doit s'agir d'autre chose.

— Et si je l'invite, elle aussi ? Elle ne pourra pas me détester.

Elliot réfléchit puis hausse les épaules.

— C'est vrai. Je suis loin d'aimer Megan...

— C'est un euphémisme.

— ... mais elle n'est pas stupide. Elle préférera te pardonner tout ce que tu veux plutôt que louper l'occasion de rencontrer Leah Brown. Enfin, la connaissant, on peut être sûr qu'elle va s'approprier tout le côté charitable de l'affaire, mais on s'en fout.

— Complètement. Ouf ! Je me sens mieux.

— Je te conseille quand même de la prévenir avant qu'elle ne découvre le pot aux roses. En attendant, je descends voir si ton père nous prépare des pancakes. Le dimanche matin, je suis comme Linda Evangelista : je ne me lève pas à moins de cinq pancakes couverts de sirop d'érable. En plus, je ne suis même pas coiffé, une vraie loque. Seuls les pancakes peuvent arranger le coup.

— Les top-modèles des années 90 dépensaient plutôt des milliers de dollars...

— C'est exactement ce que valent les pancakes de ton père !

Il saute du lit et disparaît dans l'escalier.

Le message de Megan ne me dit rien de bon, mais je ne veux pas envisager le pire avant de lui avoir parlé. Je décide de le faire sur FaceTime.

Elle répond après deux ou trois sonneries. Elle est déjà parfaitement maquillée et ses cheveux, artistiquement coiffés en mèches brillantes et ondulées, encadrent joliment son visage. Comparée à moi, encore en pyjama et tout ébouriffée, elle est drôlement glamour pour un dimanche matin. La seule chose qui gâche son apparence est son expression renfrognée. Mon estomac se serre. Mon intuition était peut-être bonne, après tout.

— Penny, dit-elle, les dents serrées.

— Salut, Megan, je réponds en m'efforçant de garder un ton léger. Qu'est-ce qu'il se passe ? J'ai eu ton message.

— Ouais. C'est quoi, ce post sur ton blog ?

— Quel post ?

— Celui dans lequel tu parles de trac. Qu'est-ce qui te prend ?

— Oh.

Je n'ai pas vraiment raconté à Megan ma rencontre avec Posey – je n'ai pas trouvé l'occasion. Je ne voulais pas la lui cacher, mais je n'étais pas non plus pressée de lui en parler.

— Quand je suis venue te voir à Londres, j'ai fait la connaissance d'une fille. Elle s'appelle Posey...

— Tu veux dire Posey Chang, la fille qui a le rôle principal ?

— Oui... Elle était complètement en vrac, alors je lui ai parlé et j'ai découvert qu'elle avait les mêmes problèmes d'angoisse que moi. Ça nous a rapprochées et j'ai voulu l'aider.

— L'aider en *ruinant* ma vie ?

Je fronce les sourcils.

— Non, je veux seulement...

— Seulement t'assurer que l'actrice dont *je* suis la doublure ne lâche pas le rôle qui m'est destiné ?

— Il ne t'est pas vraiment destiné si...

— Si *quoi* ? me coupe Megan avant de poursuivre sans me laisser le temps de répondre. Qu'est-ce que tu t'imagines ? Je croyais que tu étais mon amie ?

— Je *suis* ton amie, Megan, mais je suis aussi l'amie de Posey, maintenant. Mais peu importe, je voulais te demander quelque chose.

— Je t'écoute, dit-elle en levant les yeux au ciel.

— C'est à propos de Leah Brown. Elle sera à Londres le week-end prochain et elle m'a proposé de la rejoindre à son studio d'enregistrement, samedi. Comme elle m'a dit que je pouvais venir avec des amis, j'ai pensé que si tu voulais m'accompagner...

Comme le soleil qui perce les nuages, un immense sourire éclaire subitement le visage de Megan.

— Je peux venir ? Sérieux ?

Son attitude a changé à une telle vitesse que je ne peux pas m'empêcher d'éclater de rire.

— Si tu ne m'en veux pas à cause de Posey, oui.

— Oh mon Dieu ! Penny, bien sûr que je ne t'en veux pas. Je te pardonne tout ! Promis !

— Attends avant de promettre. J'invite aussi Posey. Ça te semble jouable ?

Une ombre revient sur son visage, et un éclair de colère traverse son regard, mais ils s'effacent et, en un clin d'œil, elle a recouvré sa sérénité.

— Tu es beaucoup trop gentille, dit-elle d'une voix sucrée. Mais... ce n'est pas samedi que tu as rendez-vous avec Callum ?

— Ce n'est pas vraiment un rendez-vous, mais... oui, dis-je en me sentant rougir. Je le vois l'après-midi. Je suis libre toute la matinée. J'ai proposé à Posey de la retrouver à dix heures.

— Excuse-moi, Penny, mais en ce qui concerne Callum, *c'est* un rendez-vous. Et pour ce qui est de Leah, pourquoi ne pas m'envoyer l'adresse du studio par texto ? Je te rejoindrai là-bas avec Posey. C'est plus simple.

— D'accord, mais attention, c'est une surprise pour Posey, alors ne lui dis surtout pas qui on va voir.

— Génial ! J'ai hâte d'être à samedi. Oh mon Dieu ! s'exclame-t-elle tout à coup. Comment je vais m'habiller ? Qu'est-ce qu'on met quand on va voir son idole ? Je dois faire les magasins ! Tu déchires, Miss P.

Sur ce, elle coupe la communication.

Je quitte ma chambre et j'arrive dans la cuisine un peu étourdie.

— Alors, comment ça s'est passé ? me demande Elliot la bouche déjà pleine de pancake.

— Je ne sais pas comment je me suis débrouillée, mais je crois que tout le monde est content, finalement.

Il me dévisage de son air le plus sérieux derrière la monture écaille de ses lunettes et déclare :

— Tu sais que c'est impossible, Penny. On ne peut *pas* contenter tout le monde.

— Oui, je sais, mais il fallait que je trouve une solution. Je ne peux pas m'en empêcher.

Chapitre Quatorze

Entre mes devoirs, mes tchats avec Posey et les dîners en compagnie de Bella et Sadie Lee, je n'ai pas vu défiler la semaine. Depuis la rentrée, je croule sous le travail – même le stress, à cause du bac, n'a rien à voir avec les années précédentes –, mais ça m'a permis au moins de penser à autre chose qu'à la journée de samedi. Parce que, si je n'étais pas angoissée en répondant au texto de Callum, la perspective d'un vrai rendez-vous avec lui me met les nerfs en pelote. En plus, je voudrais que tout se passe à merveille entre Leah Brown, Posey et Megan.

Après avoir longtemps discuté avec Elliot de ma tenue pour aller à Londres, j'ai opté pour un haut rayé noir et blanc, une salopette en jean noir, et le vieux blouson de cuir de ma mère. Côté coiffure, j'ai laissé mes longs cheveux flotter sur mes épaules (à part quelques mèches que j'ai attachées avec des pinces pour ne pas les avoir dans la figure), et côté maquillage, je me suis contentée du minimum habituel auquel j'ai tout de même ajouté une touche de rouge à lèvres mat, histoire d'être un petit peu glamour. (« C'est un rendez-vous d'après-midi, mon cœur, pas une soirée paillettes et tralala », m'a dit Elliot en agitant les mains autour de moi.) Je me suis aussi verni les ongles, en rose corail, mais en voyant leur état en descendant du train, je me dis que j'aurais peut-être dû éviter.

Dans le taxi, je continue de surveiller mon téléphone tout en relisant ma dernière conversation avec Posey sur WhatsApp – elle cherche toujours à savoir ce que je lui réserve.

Posey : Penny !!! Je viens de découvrir sur Google à quel endroit nous avons rendez-vous... dans un studio d'enregistrement ? ! Qu'est-ce que je vais faire là-bas ???

Penny : Attends, comment le sais-tu ?

Posey : J'ai vu l'adresse sur le téléphone de Megan. Argh, je ne suis pas sûre d'en être capable !

Penny : Bien sûr que si !

Posey : De toute façon, je n'ai pas le choix : on est presque arrivées. Et toi ?

Penny : Je suis là dans deux minutes !

Je suis soulagée de me dire qu'elle n'aura pas le temps de faire demi-tour.

— Et voilà, ma belle, me dit le chauffeur en s'arrêtant.

Je n'ai même pas besoin de régler la course, ma mère a enregistré sa carte de crédit sur mon compte Uber parce qu'elle ne veut pas que je me perde dans Londres. Je remercie le chauffeur et je descends.

La rue, bordée d'arbres et de végétation, est incroyablement tranquille et bucolique – on est loin des artères surchargées de la capitale – et la seule chose qui détonne est une longue limousine noire garée un peu plus haut. Sans doute celle de Leah. Il n'y a plus qu'elle pour circuler en limousine aujourd'hui !

Je regarde de chaque côté de la rue, mais je ne vois aucun signe de Megan et Posey, alors je grimpe sur un muret et je profite du soleil automnal sur mon visage.

— Penny ! On est là !

Megan débouche au coin de la rue, suivie de Posey qui porte des lunettes noires et un joli panama incliné sur son visage. Quant à Megan, elle est habillée de neuf de pied en cap, mais avec sa robe moulante ultra courte et ses bottines à talons, on dirait qu'elle va en boîte plutôt que dans un studio.

— Salut, les filles ! dis-je en leur faisant signe de la main.

J'attends qu'elles soient plus près pour descendre de mon muret et les embrasser.

— Alors, vous êtes prêtes ?

Posey soulève ses lunettes.

— Je ne sais pas ! On va voir, dit-elle en regardant la porte du studio derrière moi.

Le bâtiment ressemble à n'importe quelle maison londonienne – enfin, à n'importe quel hôtel particulier : une haute et magnifique bâtisse de trois étages, toute blanche, derrière une grille de fer forgé aux élégants fleurons dorés. Le seul indice montrant qu'il s'agit bien d'un studio d'enregistrement de renommée mondiale est la plaque de verre indiquant « Octave Studio » fixée juste au-dessus du bouton de la sonnette.

J'appuie et je réponds à la voix grésillante qui m'interroge :

— Penny Porter avec ses amies. Nous avons rendez-vous.

La grille s'ouvre et nous montons les marches du perron. Nous sommes accueillies par une fille qui n'a pas l'air beaucoup plus âgée que nous – mais qui a l'air *beaucoup* plus cool dans son vieux blouson de cuir, son tee-shirt noir et son jean clouté. Megan tire nerveusement l'ourlet de sa robe.

— Salut, tu es Penny ? me demande la fille.

Je secoue la tête.

— Super, je m'appelle Alice. Je suis réceptionniste. Elle vous attend, mais elle est déjà dans le studio pour vérifier l'installation. Vous pouvez y aller, c'est juste en bas de l'escalier, au bout du couloir. Vous ne pouvez pas vous tromper.

— Merci, dis-je avec un sourire qui, je l'espère, me donne l'air plus assuré que je ne le suis vraiment.

— Attends, me dit Posey. On va rencontrer quelqu'un ?

Ses yeux brillent d'excitation.

— Peut-être.

Je ne peux pas m'empêcher de sourire. Avant, l'idée de rencontrer Leah Brown en personne m'aurait fait frémir d'impatience et d'intimidation, mais aujourd'hui, je trépigne seulement de joie. Malgré son emploi du temps surchargé, elle est devenue une excellente amie depuis la tournée. Elle vit dans un autre univers, mais elle n'est pas coupée du monde ni trop snob pour redescendre sur terre de temps en temps.

Les murs de l'escalier sont couverts de visages célèbres – dont un magnifique portrait noir et blanc de Leah Brown. J'essaie de ne pas trop le regarder, de peur de me trahir.

En bas des marches, je reconnais Talia, l'assistante personnelle de Leah. Elle m'embrasse sur les deux joues.

— Bonjour, ma belle !

Comme je l'ai prévenue que c'était une surprise pour Posey, elle me fait un clin d'œil en ajoutant :

— Par ici.

J'attrape la main de mon amie pour qu'elle soit la première à découvrir ce qui l'attend. Nous poussons la porte du studio et là, derrière la vitre, chantant de tout son cœur, se trouve Leah Brown.

— Non ! lâche Posey dans un souffle.

Elle me serre si fort la main que je commence à ne plus sentir mes doigts.

Leah est splendide, comme toujours. Elle n'a rien fait de particulier (parce que les jours d'enregistre-

ment elle n'attache aucune importance à son allure
– il n'y a que la musique qui compte), ses longs
cheveux blonds sont simplement relevés en chignon ;
pourtant, elle est éblouissante.

Megan pousse un cri perçant et se jette à mon cou.

— C'est vraiment Leah Brown ? C'est dingue !

— Oui, c'est elle ! je réponds en riant.

Mes deux amies sautillent sur place et je glousse
comme une gamine.

Notre agitation attire le regard de Leah qui nous
fait signe de la main. Puis, son échauffement terminé, elle enlève son casque et avance vers la porte
insonorisée pour nous rejoindre.

— Oh mon Dieu ! je peux faire un Snapchat ?
me demande Megan.

Avant que je ne puisse répondre, Talia intervient.

— Aucun réseau social dans le studio, dit-elle. En
fait, aucune photo ni aucun enregistrement d'aucune
sorte. D'habitude on prend les téléphones, mais…

— C'est inutile, cette fois ; nous sommes entre
amies, n'est-ce pas ? demande Leah en arrivant à
côté de nous. Et les amis de Penny sont mes amis.

— Leah ! Je suis tellement heureuse de te revoir !

— Moi aussi, Penny !

On s'embrasse en riant.

— Voici Posey et Megan, les deux amies inscrites
à l'école d'art de madame Laplage.

— Ravie de vous rencontrer !

Elle tend les bras et les embrasse aussi – bien
qu'elles soient raides comme des statues. Leah a
l'habitude de faire cet effet sur les gens.

— Madame Laplage ! s'exclame-t-elle avec admiration. Je connais quelques chanteurs qui sont passés par là. C'est une excellente opportunité.

— Oh, oui, c'est génial, dit Megan qui se remet de l'embrassade plus vite que Posey.

D'un mouvement de tête, elle fait voler la cascade de ses cheveux bruns derrière ses épaules.

— Nous bénéficions d'un *véritable* enseignement là-bas, une formation qui nous servira pour toute notre carrière.

Un léger pli creuse le front de Leah. La grossièreté de Megan me coupe le souffle. Est-ce qu'elle critique la façon de chanter de Leah – à peine deux secondes après l'avoir rencontrée ?

Mais le pli s'efface avant que Megan n'ait le temps de le remarquer, et le visage de Leah est de nouveau lisse et souriant. Elle se tourne vers Posey, qui tremble comme une feuille, et la prend par la main pour la conduire vers un des canapés. Elle se laisse tomber sur les coussins ; Posey l'imite et je sens la tension disparaître de ses épaules. La capacité de Leah à mettre quelqu'un à l'aise sans avoir à dire un mot me stupéfie toujours.

— Alors, Posey, il paraît que tu souffres d'un trac terrible ? lui demande Leah en allant droit au but.

Posey me regarde, effarée.

— Tu as parlé à *Leah Brown* de mes problèmes de trac ?

— Je...

— Elle me l'a dit, me coupe Leah, parce qu'elle sait que je peux t'aider. J'ai connu ça, moi aussi.

Posey écarquille les yeux.

— Tu as connu ça ?

Leah hoche la tête.

— Oui, j'ai connu ça. Mais avant d'en parler, j'adorerais t'entendre chanter. Tu veux bien ?

— Oh, non… Je ne pourrais pas. Je ne peux pas ! Je suis tellement fan de toi…

Leah balaie cet argument de la main.

— Non, non, pas de ça entre nous. Est-ce que tu as le trac devant un petit groupe de personnes ?

Posey se tord les mains et ses bracelets se mettent à tinter.

— D'habitude, non. C'est seulement sur scène, devant beaucoup de monde…

Leah opine gravement.

— Je comprends. Mais ici, ce n'est pas la même chose. La cabine d'enregistrement est tellement sombre qu'on arrive même à oublier où on est. En plus, la vitre est teintée, on ne voit donc pas franchement ce qui se passe de l'autre côté. Tu veux essayer ?

Posey réfléchit un moment avant d'acquiescer.

— OK.

— Super ! s'exclame Leah en battant des mains. Tu as déjà été dans un studio d'enregistrement ?

Posey fait « non » de la tête.

— Oh, ne t'inquiète pas, c'est très facile. Tu franchis la porte, tu te mets à l'aise devant le micro, tu t'assois sur le tabouret ou tu restes debout, comme tu veux, puis tu mets le casque. Il y a un bouton sur le côté dont tu peux te servir pour parler avec ceux qui sont de l'autre côté de la vitre. Commence quand tu te sens prête.

— OK, dit Posey avant de se mordiller la lèvre.

Elle se lève lentement, puis se dirige d'un pas hésitant dans l'autre partie du studio. Après avoir fermé la porte, elle avance jusqu'au tabouret, qu'elle écarte. Mais quand elle voit le micro, ses yeux s'éclairent.

— Elle a l'air dans son élément, dit Leah avant de se tourner vers nous. Allez, les filles, prenez les deux fauteuils là-bas et mettez-vous devant la table de mixage.

On roule les larges fauteuils ergonomiques du coin de la pièce jusqu'à la table de mixage – un genre de grande table légèrement inclinée pourvue d'un milliard de boutons. Heureusement que mon appareil photo n'en a pas autant, car je serais incapable de m'en servir.

— Impressionnant, hein ? me demande Leah tandis que je contemple les rangées de commandes.

— À qui le dis-tu !

— On en a trois comme ça à l'école de madame Laplage, lâche Megan. *Ultra* haut de gamme et offertes par un ancien élève.

— Eh bien vous avez une sacrée chance. Je n'ai eu droit à un de ces petits bijoux qu'après avoir signé chez Sony ! Avant, j'enregistrais dans ma chambre… Et quand on a trois petits frères, vous pouvez me croire, aucune pièce n'est étanche au bruit !

On entend un bip et une voix à peine audible sort des enceintes.

— Je crois que je suis prête, dit Posey.

Leah appuie sur un des boutons de la table de mixage.

— Super !

On a toutes les yeux braqués sur Posey, debout de l'autre côté de la vitre, mais elle ne nous regarde pas. Elle a les yeux fermés et hoche la tête au rythme de la musique qu'elle imagine. Puis, sans prévenir, elle se lance dans l'interprétation de *Tonight*, la magnifique chanson de Maria, dans *West Side Story*.

Son incroyable timbre de soprano remplit la pièce. On est tellement scotchées par son talent et émues par l'émotion qu'elle dégage qu'on est obligées de s'adosser à nos sièges.

Quand la dernière note s'éteint, Leah bondit de son siège et offre une standing ovation à la chanteuse.

Chapitre Quinze

Posey nous rejoint, les joues toutes rouges d'avoir chanté un morceau si difficile.

— Merci, nous dit-elle alors que nous continuons de l'applaudir.

Même Megan est incapable de retenir son admiration.

— C'était vraiment magnifique ! s'exclame Leah. Tu as un sacré talent, dis donc.

— Merci, répète Posey – mais elle baisse aussitôt la tête. Ça ne change rien à mon problème. Ici, dans cette pièce et seulement devant vous... je n'ai pas peur. Sur scène, c'est une autre histoire.

— Alors bonne chance pour la *vraie* représentation, marmonne Megan.

Elle n'a pas parlé fort, mais je l'ai entendue et je la fusille du regard. Elle lève les yeux au ciel et croise les bras sur sa poitrine. J'aime mieux laisser tomber.

— Raconte-moi ce qui se passe, demande Leah à Posey d'un ton amical.

Elle n'a pas dû entendre Megan, heureusement.

Posey s'assoit sur le canapé et croise les jambes. Je n'ai jamais vu personne se tenir de cette façon, aussi droite qu'un piquet et pourtant tout à fait naturelle. D'un autre côté, cette rigueur est aussi évidente dans son chant. Même moi, malgré mes oreilles inexercées, je sens que chaque note est abordée et traduite avec autant de finesse que de précision.

— Ce qui se passe, reprend Posey. C'est comme… En fait, quand je quitte l'abri du rideau, je n'ai pas l'impression d'aller vers la scène et le public. Je suis sur un morceau de bois au milieu d'une mer infestée de requins. J'avance, mais chaque pas me demande des efforts surhumains, au point que c'est à peine si j'arrive à rester debout. J'ai les doigts qui me picotent, et ma bouche devient complètement sèche, quelle que soit la quantité d'eau que j'ai pu boire avant. Mais le pire, c'est que j'ai la tête complètement vide. Toutes les répétitions, tout le travail que j'ai fourni, les heures passées à mémoriser chaque mot, chaque note, les rythmes et les mouvements… tout a disparu. Comme ça.

Elle claque des doigts.

— Une fois que ça se produit, je ne peux pas revenir en arrière.

Leah a suivi la description de Posey en la ponctuant de brefs hochements de tête.

— Je vois parfaitement ce que tu veux dire. J'ai vécu la même chose.

— Mais ce n'est pas tout, continue Posey d'une voix si basse que je dois me rapprocher pour l'entendre. L'année dernière, j'ai appris et travaillé le rôle de Sandy, dans *Grease*, pour jouer dans le spectacle de fin d'année de l'école. Le soir de la première, je n'ai pas pu le faire. J'étais paralysée – devant *tout le monde*. J'étais tellement bloquée que je ne pouvais plus bouger *du tout*. On a dû, littéralement, m'arracher de la scène et envoyer ma doublure. Elle avait déjà mis son costume de Pink Lady. Ça a créé un horrible désordre et moi, j'ai tout gâché.

Des larmes lui sont montées aux yeux et j'ai du mal à retenir les miennes.

— J'aurais dû tout laisser tomber à ce moment-là et refuser ma place chez madame Laplage.

— Tu sais, une fois, j'ai refusé un rôle à Broadway pour les mêmes raisons. Au bout du compte, le spectacle a obtenu un Tony Awards – j'aurais participé à une expérience incroyable –, et je regrette tous les jours d'avoir pris cette décision. Alors franchement, je sais ce que tu ressens, dit Leah.

— Mais tu montes sur scène et tu chantes tout le temps devant des milliers de personnes ! proteste Posey. Tu as ta propre tournée ! Ne me dis pas que tu continues d'avoir le trac.

— C'est malheureusement le cas. Chaque fois que je monte sur scène, je dois prendre sur moi. Chaque fois, je dois me rappeler que c'est *moi* qui dirige – et pas ma peur. Et tu sais quoi, Posey ?

— Quoi ?

— Tu es faite pour ce métier. Il y a de la passion en toi, une passion aussi forte que ta peur. Et peut-être même plus forte – parce que sinon tu ne serais jamais allée auditionner pour entrer chez madame Laplage. Tu *peux* y arriver. Tu as *besoin* d'y arriver, c'est une question de survie. Tu te dis peut-être que c'est insensé de monter sur scène. Mais ce n'est pas vrai ! Ce qui est insensé, c'est que *tu* ne montes pas sur scène, que *tu* ne joues pas. C'est *ça* qui serait terrible. Trouve ce début de confiance et accroches-y-toi de toutes tes forces, il finira par germer, ce germe deviendra une pousse, cette pousse un arbrisseau et cet arbrisseau un grand et bel arbre de confiance aux mille racines profondément ancrées en toi. Je ne dis pas que tu n'auras plus jamais le trac. Mais qu'à l'abri de cet arbre, tu seras protégée de la tempête.

— Tu en es sûre ? demande Posey dans un souffle.

— Absolument.

— Je n'arrive pas à croire que même toi, l'incroyable Leah Brown, as le trac, reprend Posey en souriant pour la première fois depuis qu'elle a fini de chanter.

— Oh, tu serais surprise de savoir le nombre d'artistes qui en souffrent ! La première fois que j'en ai parlé en public, j'ai reçu un nombre de messages que tu n'imagines même pas. Certains venaient d'acteurs ou de chanteurs les plus célèbres au monde. Dans notre cas – je sais que ce n'est pas valable pour toutes les angoisses – la seule façon de s'en sortir, c'est d'y aller à fond. Tu ne peux pas ignorer ta peur, mais tu peux la dompter ; tu dois aller la chercher, t'en saisir pour t'en servir. Tu peux le faire. Je t'assure.

Posey secoue la tête, mais je vois bien qu'elle n'est pas convaincue, et j'ai de la peine pour elle. À sa place, je serais incapable d'aller au-devant de mon angoisse. Quand la mienne monte, c'est comme une vague. Généralement j'arrive à surfer mais surtout, j'échappe aux regards. Posey, elle, n'a pas d'échappatoire : elle est *obligée* de se donner en spectacle. La scène est le sens même de son art, et c'est *son* talent. J'espère seulement que sa graine de confiance va germer rapidement, parce que sinon je sais qu'elle va la laisser dépérir et mourir.

— Tu veux chanter encore ? lui demande Leah.

Le regard de Posey s'illumine aussitôt.

— Avec plaisir !

— Super. On peut faire un duo, si tu veux. Tu connais *For Good* de *Wicked* ?

— Bien sûr !

Elle bondit sur ses pieds.

— J'adore cette comédie musicale.

— Moi aussi ! Et après, si vous voulez, je vous chanterai quelques titres de mon prochain album. *Top secret*, évidemment, ajoute-t-elle avec un clin d'œil.

— Waouh, génial ! dis-je en battant des mains. On pourra faire quelques photos, ensuite ?

— Bien sûr.

Quand Leah et Posey sont enfermées dans le studio, Megan, restée devant la table de mixage, fait pivoter son siège pour me regarder.

— Tu crois vraiment que ça va être aussi facile que ça pour Posey ?

— Que veux-tu dire ?

— Une séance avec la grande Leah Brown, et hop ! la voilà tout à coup — elle mime les guillemets avec ses doigts — « guérie ».

— Je ne crois pas, non. Ce que je crois, en revanche, c'est que Posey a vraiment quelque chose à partager avec le public — et ce n'est pas le trac qui va l'arrêter. Que ce soit pour ce spectacle ou pour un autre, elle va y arriver. Je pense seulement qu'elle ne doit pas perdre espoir tout de suite.

— Si tu le dis, lâche Megan de haut.

— Eh ! Pourquoi es-tu tellement désagréable ? Je croyais que tu voulais l'aider ?

Elle hausse les épaules.

— Aider une cause perdue ?

Je serre les dents.

— Bon, je vais chercher un endroit plus lumineux pour les photos. Préviens-moi quand Leah commence à chanter ses nouveaux textes, OK ?

— OK.

Une fois dehors, je pousse un soupir de soulagement — être enfermée avec une Megan revêche peut s'avérer pénible. Je monte l'escalier en direction du vestibule lumineux que j'ai repéré en arrivant. Alice est invisible, mais je ne vais pas m'en plaindre : ça me laisse l'occasion d'examiner les lieux tranquillement.

La première chose qui me frappe, c'est la qualité de la lumière — elle se déverse dans la pièce par d'immenses Velux installés au plafond. La blancheur des murs — qui pourrait être trop froide — est tempérée par les nombreuses fougères aux longues feuilles luxuriantes, suspendues dans des pots aux reflets cuivrés.

J'installe mon trépied au milieu de la pièce, en face de deux profonds canapés blancs. Devant eux, une tache de soleil forme un rectangle parfait sur le sol. Je me mordille la lèvre. Je ne suis pas sûre de la lumière – avec autant de surfaces réfléchissantes, elle peut être trop crue sur la peau de Leah et Posey.

J'ai besoin de quelqu'un pour faire un test.

— Alice ?

Je vais vers la réception, mais Alice est introuvable – tout comme Talia. J'envisage un instant d'aller chercher Megan pour me raviser aussitôt ; je n'ai pas envie de l'avoir sur le dos.

Je n'ai plus qu'une solution : le faire moi-même.

L'idée me fait frissonner. Je n'aime pas du tout me trouver devant l'objectif – je préfère nettement rester *derrière*. Mais ce n'est qu'un test, je pourrai supprimer la photo juste après.

En quelques secondes, je règle le déclencheur automatique de mon appareil numérique, puis je sors mon ordinateur de mon sac – s'il y a une chose que je déteste encore plus qu'être devant l'objectif, c'est être obligée de le regarder – et je m'installe sur le canapé. J'ouvre mon ordi et je fais semblant de travailler jusqu'à ce que j'entende le bip qui signale que la photo a été prise.

Évidemment, au lieu de me contenter de faire semblant de travailler, j'ai ouvert mon navigateur et relevé les commentaires de *Girl Online*. J'ai une idée du post que je vais rédiger ce soir, mais avant, je dois savoir comment se termine la rencontre avec Leah. Je n'ai pas non plus parlé de Callum — je ne veux pas anticiper ni tenter le sort, et c'est plus difficile maintenant que je sais que des gens de mon entourage (dont Callum) vont lire et analyser chacun de mes mots. Quoi qu'il en soit, sans m'en rendre compte, je me trouve plongée dans la lecture des commentaires, qui heureusement sont tous encourageants et adorables. J'ai travaillé super dur pour créer cette ambiance et pour que *Girl Online* reste un havre de paix pour mes lecteurs.

Mon blog a été une telle source d'angoisse pendant un moment que j'ai sérieusement songé à le fermer. Mais à présent, je sais tout le bien qu'il m'apporte, et je ne risque pas d'y renoncer. Si seulement Posey pouvait comprendre la même chose à propos de son trac...

Ce n'est qu'en lisant le dernier commentaire que je m'aperçois du temps qui s'est écoulé — beaucoup plus que prévu ! Je me lève et je cours jusqu'à mon appareil photo pour voir le résultat et, en fait, je suis agréablement surprise. Il se dégage de cette photo une impression étrange ; on dirait que le rectangle de lumière sur le sol est l'ombre de l'ordi, ou plutôt son ombre *inversée*, comme si la lumière venait de l'ordinateur lui-même. Côté éclairage, j'avais raison : mon visage tranche un peu trop, mais la blancheur du mur derrière donne une tension inattendue à la scène. Mes yeux sont braqués sur l'écran et si je zoome, on voit le reflet dans mes pupilles. Cette photo a l'air... unique.

Typiquement Penny. Une photo de moi, absorbée dans une autre de mes passions.

Un picotement remonte de la paume des mains jusqu'à mon cœur. Je viens peut-être de découvrir une piste.

Chapitre Seize

E h ! Qu'est-ce que tu fabriques ?
Je lève les yeux en sursautant. Megan est
en haut de l'escalier.

— Je faisais un test lumière pour les photos tout
à l'heure. J'avais des doutes, mais finalement, ça
devrait coller !

— Tu sais où sont les toilettes ?

— Par là, je crois.

— Cool.

Je vérifie rapidement l'installation de mon appareil
photo et redescends dans le studio. Arrivée en bas,
je suis surprise d'entendre Leah finir une chanson
que je ne connais pas. Je m'en veux encore d'être
arrivée trop tard lorsque Megan réapparaît.

— Tu viens de louper une nouvelle chanson de
Leah ! lui dis-je.

— Ah, mince.

Elle s'assoit, pas plus contrariée que ça, et se lance
dans une partie de Candy Crush sur son téléphone.

Je la regarde un instant, puis je me retourne avec un soupir vers Leah et Posey. Je regrette d'avoir invité Megan aujourd'hui. Depuis qu'on est arrivées, c'est bien simple, elle est désagréable.

— J'ai hâte de faire ça un jour, reprend-elle sans se rendre compte de mon agacement. Tu peux demander à Leah de m'écouter, moi aussi ? Elle voudra peut-être me présenter à son manager.

— Tu n'as qu'à lui demander toi-même.

Sur ce, je ferme les yeux pour écouter une autre des nouvelles chansons de Leah. Celle-ci aussi est différente de son travail précédent – elle est moins « pop », avec une sonorité plus grave – mais c'est toujours aussi entraînant. Quand elle reprend le refrain, je me surprends déjà à fredonner les paroles ! Leah sait *exactement* ce qui fait une bonne chanson.

Lorsqu'elle et Posey nous rejoignent, nous l'accueillons, Megan et moi, en applaudissant.

— C'était génial ! dis-je à Leah. C'est toi qui as écrit les paroles de la dernière chanson ?

À ma plus grande surprise, elle a l'air morte de honte.

— Oui... Ça te plaît... Vraiment ? J'essaie de plus en plus d'écrire mes textes moi-même.

— C'est magnifique, Leah, dis-je dans un sourire.

— Tu me rassures ! Parce que Carmen Delaware vient chanter avec moi demain, et je veux être à la hauteur.

Megan quitte subitement son téléphone des yeux.

— Carmen Delaware ? Je croyais que c'était... ta pire ennemie ?

Carmen est une autre star de la pop, mais de la pop anglaise, pas américaine, et elle a émergé à peu près en même temps que Leah.

Leah éclate de rire.

— Tu rigoles ? Carmen et moi, on s'entend super bien. Ce sont les médias qui adorent nous monter l'une contre l'autre. Je n'aurais jamais aussi bien réussi sans elle. Je crois même que c'est à elle que je dois mon petit discours sur l'arbre de confiance !

— Et quand elle a remporté le Billboard Music Awards de la meilleure chanson avant toi ? demande Megan en faisant référence à l'un des derniers gros titres de la presse people concernant Leah. Tu ne l'as pas détestée ? Et sa chanson, *Knock You Down*, elle ne t'est pas destinée ?

— J'espère bien que non ! Elle a été écrite pour son comptable qui a détourné l'argent de ses ventes. Mais c'est beaucoup plus drôle de croire que j'en suis la cible.

Je remarque un dangereux froncement du nez de Megan — qui signifie qu'elle n'est pas convaincue — mais j'interviens avant que la situation ne s'envenime.

— Vous ne voulez pas monter ? J'ai installé mon appareil pour une séance photo.

— Super ! Allons-y !

Pourtant, dans l'escalier, Megan revient à la charge.

— Je n'arrive pas à croire que tu t'entendes bien avec Carmen. Comment peux-tu l'aimer quand elle a tout ce que tu veux, et qu'elle est toujours une marche au-dessus ? Elle a fait sa première tournée solo avant toi, a décroché un disque platine avant toi, remporté cette récompense...

— Waouh, tu en sais des choses sur elle et moi, dis donc.

— Je regarde souvent TMZ, répond Megan avec un haussement d'épaules.

Leah ne dit rien jusqu'à ce qu'on arrive dans le vestibule. Là, elle s'installe tranquillement sur un des canapés, puis tourne son regard bleu acier vers Megan. Je connais ce regard et, croyez-moi, *personne* ne veut en être l'objet.

— Je crois que tu as besoin d'une petite leçon, lui dit-elle. Alors, voilà : au lieu de passer ton temps à regarder les gens de travers, à te demander ce qu'ils font, où ils en sont – comme avec Penny, ou Posey, par exemple –, tu ferais mieux de te concentrer sur *ton* chemin. La réussite de Carmen ne me dérange pas et elle ne diminue *en rien* ce que j'ai accompli. Je suis heureuse qu'elle ait autant de succès et j'espère bien qu'elle va continuer à casser la baraque ! Je sais que j'y arriverai moi aussi. Elle m'ouvre la voie, elle n'est pas en train de construire un mur infranchissable pour moi ou pour les autres. L'industrie musicale est un univers coriace. Et nous, les filles, on doit se serrer les coudes. Que ce soit au Top 50, dans la jungle des blogs, ou... dans une école d'art dramatique. N'est-ce pas, Penny ?

— En effet, dis-je fermement.

Heureusement que Leah est capable de remettre Megan à sa place.

Cette dernière serre les mains, et je sens qu'elle cogite à toute allure.

— Je sais tout ça ! dit-elle. Mais ce n'est pas ma faute si c'est un cas désespéré.

Elle tourne les yeux sur Posey.

— Je ne suis pas sûre que tu aies compris grand-chose, constate Leah avec un sourire triste. Mais ça viendra. C'est une question de solidarité, Megan, d'entraide *mutuelle*. Si tu n'es pas soutenue par tes pairs et si tu refuses de les soutenir toi-même, tu n'iras pas très loin dans ce métier. Crois-moi. En attendant, si tu n'es pas disposée à aider ta camarade de promo, je crois que tu ferais mieux de partir.

Megan en reste bouche bée, et deux taches rouges apparaissent sur ses joues.

— Très bien. On n'a pas *tous* besoin de s'accrocher aux basques de quelqu'un pour réussir.

Sur cette déclaration, elle se lève, tourne les talons et disparaît.

J'ai beau ne pas être d'accord avec elle, j'ai envie de lui courir après pour m'assurer qu'elle va bien. Leah me retient par le bras.

— C'est une grande fille, Penny, elle va s'en remettre. Et ne t'inquiète pas pour son retour, Talia va lui appeler un taxi.

Elle se tourne vers Posey.

— Prête pour une séance avec la meilleure photographe actuelle ?

Prendre Leah et Posey en photo se révèle un véritable bonheur, d'autant plus qu'elles ont l'air de s'entendre à merveille.

La séance terminée, et pendant qu'elles bavardent, je ressors mon ordi. Le discours de Leah m'a drôlement inspirée − je sais que je tiens un super-post, court mais ultra réconfortant − et j'ai hâte de transmettre son message à mes lecteurs.

3 octobre

Le succès de quelqu'un d'autre n'est PAS votre échec

Vous est-il arrivé de réussir brillamment un examen et de constater ensuite que la fille assise juste à côté, pourtant moins méritante, avait décroché une *meilleure* note que la vôtre ? Vous avez peut-être pensé que vos efforts, pourtant plus assidus, n'étaient pas reconnus à leur juste valeur...
Avez-vous jamais travaillé dur sur un projet, vous usant jusqu'à la moelle, pour voir ensuite *quelqu'un d'autre* récolter le prix que vous pensiez mériter ?
Avez-vous passé des nuits et des nuits à créer quelque chose dont vous êtes ultra fier pour découvrir, un beau matin, que *quelqu'un d'autre* a inventé quelque chose de mieux, et soi-disant en un rien de temps ?

Ce genre de choses arrive tout le temps et, soyons francs, elles nous rendent affreusement jaloux : nous envions la chance, ou le talent, ou le culot dont sont pourvus *les autres*. Quand on travaille dans le même milieu, qu'on fait les mêmes choses, avec la même passion, mais qu'on n'avance pas aussi vite que nos pairs, leur succès peut vraiment nous démolir. Et pourtant...

Si ma réaction, chaque fois que je tombe sur un blog sympa, est de l'envier (parce qu'il est mieux que le mien) puis de le détester (parce qu'il a plus d'abonnés), qu'est-ce que j'obtiens ? Rien !
Il y a bien assez de place sur Terre pour que *tout le monde* puisse exercer ses talents.
Il y a toujours quelqu'un qui réussit mieux que vous, mais il y a aussi toujours quelqu'un *qui rêve* de réussir aussi bien que vous !

Tout le monde veut réussir, mais le processus n'exige pas de passer par la case « jalousie ». Une chose que j'ai apprise récemment, c'est qu'éteindre la flamme des autres ne rend pas la sienne plus forte ni plus brillante.

Comme le dirait une de mes amies : concentrez-vous sur *votre* chemin, allez à votre rythme, ne regardez pas les autres de travers. Leur succès ne doit pas vous inquiéter ; il ne diminue en rien ce que *vous* accomplissez.

Voilà ma petite réflexion du samedi !
GIRL ONLINE... going offline xxx

En quittant le studio, Posey me serre dans ses bras.
— Merci ! Merci ! C'était vraiment génial, et... je te promets de ne pas abandonner. Même si je ne joue pas dans ce spectacle, si je renonce à ce rôle, je continuerai d'essayer.

Je lui fais un grand sourire.

— Je n'en demande pas plus !

Je regarde l'heure et je m'aperçois que j'ai dix minutes avant mon rendez-vous avec Callum.

— Ça va ? me demande Posey. On dirait que tu as vu un fantôme !

— Non, j'ai juste un... rendez-vous !

Chapitre Dix-Sept

D evant la station St James Park, je tripote nerveusement les bretelles de ma salopette. Je regrette de n'avoir pas choisi de vêtement plus seyant – au moins, je n'aurais pas l'air trois fois plus grosse que je ne le suis. Je n'arrête pas non plus de regarder par-dessus mon épaule – j'ai peut-être encore le temps de déguerpir ? Les souvenirs de mes pires rendez-vous reviennent en force, surtout celui de ma gêne avec Ollie, quand j'étais dingue de lui. Je désigne cette période de ma vie par les initiales « AN » – *Avant Noah*. Penny AN ne brillait *pas* par son aisance. Elle ne connaissait rien aux garçons ni au flirt, elle n'avait jamais été correctement embrassée, et elle filait se planquer dans les coins quand *Angels* de Robbie Williams passait dans les horribles boums auxquelles Megan la traînait.

Une tape sur mon épaule m'interrompt dans mes réflexions avant que je n'aie le temps de prendre une décision.

Je lève les yeux sur un grand sourire un peu bébête. Callum est toujours aussi craquant et, contrairement à moi, il a vraiment l'air d'avoir fait un effort pour aujourd'hui. Il porte un blazer preppy sur une chemise à motifs et un pantalon kaki. Le seul détail un peu bizarre, c'est son gros sac à dos. Mais je reconnais la marque Lowepro, le spécialiste des sacs pour matériel photo. La classe.

— Salut, Penny !

Il se penche et m'embrasse sur la joue – une initiative à laquelle je ne m'attends *pas* du tout.

— Salut, Callum !

Je recule et – comme par hasard – je marche sur le lacet de ma chaussure. Je perds l'équilibre, mais Callum me rattrape par le bras et me stabilise.

— Je te fais *déjà* cet effet-là ! s'exclame-t-il en riant. Qu'est-ce que ça va être à la fin du rendez-vous ?

— Tu ne vas pas tarder à t'apercevoir que la station verticale est parfois périlleuse, chez moi.

— Je veux tout savoir de toi, me dit-il d'un air rêveur.

Ne sachant quoi répondre à ça, je laisse un silence inconfortable s'installer avant de reprendre mes esprits.

— Alors... où va-t-on ?

Il sort, de derrière son dos, un très joli panier d'osier gris tourterelle.

— J'ai pensé, comme il fait un temps splendide, qu'on pouvait pique-niquer au parc. Ça te va ?

Mon soupir de soulagement me surprend moi-même. À croire que je m'attendais vraiment à être déçue par sa proposition, mais ce n'est pas le cas. Au contraire. Quoi de plus rassurant qu'un pique-nique tranquille pour un premier rendez-vous ?

— Excellente idée !

— Parfait !

Il me tend la main et j'y pose la mienne.

Le parc est magnifique à cette époque de l'année. Les feuilles commencent à peine à changer de couleur, et l'air est assez doux pour s'asseoir dehors sans craindre d'attraper froid.

— Ta matinée s'est bien passée ? me demande aimablement Callum.

Sa façon de m'interroger est un petit peu cérémonieuse, mais son accent me fait sourire. J'ai l'impression aussi, à la façon dont il penche sur le côté en marchant, que son panier est plutôt lourd.

— Oh, très bien, merci.

Je ne sais pas pourquoi, mais je préfère rester formelle, moi aussi. J'aimerais mieux passer directement au stade où on se sent tous les deux à l'aise, mais je sais que ce n'est pas si simple.

Sauf avec Noah, me souffle une petite voix dans ma tête.

— J'ai vu une amie qui est de passage à Londres, Leah Brown. Tu la connais ?

Il éclate de rire.

— Leah Brown ! Et tu me balances son nom comme ça ! Moi aussi, j'ai vu un ami, ce matin. Mais ce n'était malheureusement que mon coloc en caleçon.

— Et les vêtements, les gars, vous connaissez ?

— Jamais le week-end ! À moins d'avoir rendez-vous avec une jolie fille. Dans ce cas, l'élégance est de mise. Tu veux te balader autour du lac avant de déjeuner ?

Je suis sur le point de répondre, mais mon estomac me devance en produisant un énorme, et très *inélé-gant*, gargouillis. J'avais oublié que je n'ai rien avalé d'autre qu'une barre de céréales, très tôt, ce matin.

— J'imagine que ça veut dire non ! réplique Callum en riant.

Je serre les dents. Pourquoi mon corps est-il incapable de se conduire normalement dans une situation pareille ? !

— Ça ne te dérange pas ? je demande timidement.

Il me lâche la main pour me prendre par l'épaule et me serrer contre lui.

— Pas du tout, Penny. Que dis-tu de cet endroit, là-bas ?

Il tend le menton vers un coin de pelouse sous un grand chêne au feuillage majestueux et parsemé de couleurs rouge orangé. Ça me semble parfait et vraiment romantique. D'ailleurs, pas très loin, je remarque un couple en pleine séance de photo de fiançailles.

Ils sont assis dans l'herbe, dos contre dos, et leurs deux mains réunies forment un cœur entre eux. C'est mignon, mais ce n'est pas mon style. Je préfère capturer des moments spontanés, ceux qui montrent la complicité naturelle d'un couple et dont la photo ne fait que témoigner.

Par contre, voir le photographe à l'œuvre me donne envie de l'imiter.

— Attends, dis-je à Callum.

Je sors mon appareil et je prends une photo de l'arbre et du couple. Sous cet angle, on ne voit pas qu'ils prennent la pose ni le dessin nunuche de leurs mains – ils ont juste l'air détendus.

— J'aurais dû me douter que tu voudrais immortaliser ce moment !

— J'en ai pour une seconde.

— Non, continue ! J'aime bien te voir au travail. De quel objectif tu te sers ?

Il pose son panier par terre et je lui tends mon appareil.

Il le tourne entre ses mains, examine l'objectif, puis lève le viseur devant son œil.

— C'est du bon matos, mais tu n'envisages pas de passer au 5D Mark III ?

Je souris.

— J'aimerais bien, seulement je suis loin, *très* loin, d'avoir les moyens ! J'adorerais avoir le grand angle 16-35 mm, mais ça représente, disons, trois Noël et un anniversaire.

Il opine puis me rend mon appareil. C'est drôle de parler photo avec quelqu'un qui s'y connaît. Callum est tellement différent de Noah – il serait bien incapable, lui, de faire la différence entre un macro et un zoom.

Nous allons jusqu'au chêne. Callum étend la couverture sur les feuilles mortes, puis je m'assois au bord et je le regarde sortir de son panier et disposer soigneusement devant nous tout un assortiment de sandwichs.

— Waouh ! ça m'a l'air délicieux. Et ça, c'est des scones ?

— Les meilleurs.

— Et peut-on savoir où un jeune Écossais tout juste débarqué de sa province dégote les meilleurs scones de Londres ?

Il me fait un clin d'œil.

— J'ai mes petits secrets.

Après les scones, il sort ce qui ressemble à une demi-bouteille de cava.

— Oh, désolée, dis-je précipitamment, mais… je ne bois pas. En fait, ça ne passe pas très bien avec mes angoisses.

Non seulement je dois passer pour une imbécile, mais en plus j'aggrave mon cas en m'empressant de fournir des explications qu'il ne demande même pas.

— Vraiment ?

— Oui…

— Même si je mélange avec du jus d'orange ?

— Je préfère éviter, si ça ne te dérange pas.

Des picotements remontent le long de mes bras – pourvu qu'il n'insiste pas.

Il hausse heureusement les épaules et remet la bouteille dans le panier, duquel il sort, pour terminer, des assiettes en carton et des couverts. *Il a même pensé à ça !* me dis-je, amusée, en le regardant me préparer une assiette.

— Alors tu étais à Rome, cet été ? reprend-il en me tendant un assortiment parfaitement disposé. J'adore cette ville.

Les sandwichs sont tellement beaux que j'ose à peine les toucher. Mais je me rappelle mon estomac gargouillant, alors j'en prends un, que j'engouffre presque entier, et me retrouve obligée de mastiquer à toute allure avant de pouvoir répondre à sa question.

— Oh, oui, j'étais à Rome et c'était génial. Surtout les glaces !

— J'en déduis que tu aimes voyager ?

— J'aime *être* en voyage, mais pas *voyager*. En fait, l'idée de monter dans un avion, c'est…

Je frissonne malgré la douceur de l'air.

— Tu voudrais claquer des doigts et te retrouver directement sur place ?

— Exactement !

— Je me dis la même chose chaque fois que je rentre chez moi. J'aimerais que l'Écosse ne soit pas si loin. Tu es déjà venue en Écosse ?

— Non, jamais. Mais j'y vais pour les vacances de la Toussaint !

Il écarquille les yeux.

— Vraiment ? Où ? Édimbourg ?

— Non, quelque part dans les Highlands, à Castle Lochland. Tu connais ? Ma mère est organisatrice d'évènements, elle a une boutique à Brighton. Enfin bref, elle organise un méga-mariage là-bas, et je l'accompagne pour l'aider.

— Tu plaisantes, lâche Callum la bouche ouverte.

Je vois un morceau de sandwich que je n'arrive pas à quitter des yeux. Je me secoue.

— Hein ? Non... ma mère est vraiment organisatrice de mariages.

— Non, pas ça. L'endroit. Ma cousine se marie à Castle Lochland à la Toussaint. Jane Kemp, ça te dit quelque chose ?

— En effet, je crois bien que c'est le mariage Kemp-Smithson.

D'habitude, je ne retiens pas ce genre de détails, mais ce mariage est exceptionnel et il est super important pour ma mère.

— Smithson ! C'est ça, s'exclame Callum. J'oublie toujours le nom du marié. Quelle coïncidence ! À moins que ce ne soit le signe du destin.

Il se penche vers moi, sa main se pose sur la mienne...

Je suis sûre qu'il va m'embrasser quand un cri strident nous fait tourner la tête. Je scrute le bord du lac et je comprends : c'est un enfant, un petit garçon, poursuivi par sa mère. Il porte une couronne de papier doré sur laquelle est écrit un grand « 6 », et il est suivi par dix ou onze autres enfants et quelques parents.

— Oh, une fête d'anniversaire !

— Super. Une bande de gamins braillards pour gâcher l'ambiance, marmonne Callum.

Je ne les trouve pas « braillards », mais j'imagine qu'ils ont en effet interrompu un moment, disons, romantique. Puis une goutte d'eau me tombe sur le front. (Ça alors... D'où viennent ces nuages ? À croire qu'ils ont apparu d'un seul coup.)

— En fait, je ne suis pas sûre que ce soit l'anniversaire qui va tout gâcher, dis-je en souriant.

Au même instant, comme si je venais de déclencher une prophétie, des trombes d'eau s'abattent sur nous, et notre magnifique pique-nique est noyé par la pluie.

Chapitre Dix-Huit

Tous les efforts de présentation de Callum sont réduits à néant et, tandis qu'on se dépêche de tout fourrer pêle-mêle dans son panier, le groupe d'enfants braille pour de bon en courant se mettre à l'abri.

Quand nous avons tout ramassé, Callum m'attrape la main.

— Par ici !

J'ai encore une assiette en carton et je m'en sers pour me protéger de la pluie. Nous courons vers la sortie du parc et nous nous engouffrons dans un café juste à côté du métro.

J'ai les cheveux trempés et mon maquillage, pourtant si soigneusement appliqué ce matin, me laisse lui aussi tomber. Je lève les yeux sur Callum. Il a l'air d'être passé entre les gouttes. Ses cheveux sont impeccables. Comment les garçons réussissent-ils ce tour de force ?

Il essuie une goutte de pluie au bout de mon nez et, à ma plus grande surprise, je vois ses épaules s'affaisser.

— Je suis désolé. Le bulletin météo de ce matin ne prévoyait aucune averse.

— Tu n'y es pour rien, et, de toute façon, on ne peut pas toujours compter sur les prévisions météo, hein ?

Je lui fais un grand sourire.

— C'est clair.

Son regard, pourtant, s'assombrit.

— Eh, n'y pense plus – ça va, je t'assure !

Je pose la main sur son bras, mais il se dégage.

— Tu peux me commander un *latte* ? Je vais me sécher aux toilettes.

Il me donne un billet de cinq livres et disparaît.

Je regarde, un peu interloquée, le billet trempé dans ma main, puis je me secoue. La pluie a ruiné ses projets de l'après-midi et il est furax. Je peux le comprendre. Je prends mon tour dans la file d'attente qui s'est considérablement allongée.

— Oh, quel cauchemar ! se lamente une femme derrière moi.

Je me tourne et je reconnais une de celles qui étaient au goûter d'anniversaire.

— Ce n'était pas prévu, si ?

— Apparemment non ! je lui réponds.

— Que vais-je faire d'une douzaine de gamins déchaînés qui espéraient passer l'après-midi dehors ? Vous avez une idée ?

Je hausse les épaules, mais la femme continue.

— Tout ce que j'ai, c'est un gâteau d'anniversaire à moitié trempé. J'imagine que je vais être obligée de le servir ici. Génial ! Comme s'ils n'étaient pas assez excités comme ça...

Je regarde, par-dessus son épaule, le groupe d'enfants agités et je compatis.

— Je peux faire quelque chose ? Vous acheter à boire pendant que vous coupez le gâteau ?

— Oh ce serait super ! Merci.

Elle me donne deux livres.

— Juste un thé pour moi. Dieu sait que j'en ai besoin !

Elle repart à toute vitesse vers les enfants dont l'un – celui qui fête son anniversaire – s'est mis en tête de monter sur une table.

— Lucas, descends immédiatement ! lui crie-t-elle, excédée.

Devant la mine penaude du gamin, j'éclate de rire.

Quand mon tour arrive enfin, je commande un *latte* et deux thés au lait.

— Pour qui est la troisième boisson ?

La voix de Callum, qui vient de réapparaître dans mon dos, me fait sursauter. Il a l'air plus détendu, et ça me soulage.

— Pour la pauvre mère aux prises avec la bande de voyous, là-bas !

— C'est sympa de ta part.

Il prend son gobelet de *latte* entre mes mains et s'en va vers la table la plus éloignée des enfants.

— Si ça ne te dérange pas, je vais d'abord faire un tour aux toilettes, moi aussi.

165

Il secoue vaguement la main, et je prends ça pour un oui.

Après avoir déposé son thé à la mère débordée, qui me remercie d'un sourire chaleureux, je m'engouffre dans les toilettes.

Je me penche au-dessus du lavabo et, sous la lumière vive, je passe en revue mon reflet dans le miroir. J'essuie un peu du mascara qui a coulé de mes cils et j'essaie de redonner un peu de volume à mes cheveux, mais ce qui me perturbe le plus, c'est mon regard. Je n'ai pas du tout l'air... heureux.

Je n'arrive pas à comprendre pourquoi. Callum s'est montré irréprochable – à deux petites exceptions près, l'alcool et la pluie. Mais il n'y est pour rien... J'éprouve quand même un drôle de creux à l'estomac, et il n'a rien à voir avec la faim... Non, le problème, c'est que je ne ressens pas le fourmillement, la petite étincelle à laquelle je m'attendais. En fait, j'ai l'impression que les murs se resserrent sur moi et ce que je voudrais, c'est trouver une bonne raison de rentrer chez moi... Je suis beaucoup trop *soulagée* de me retrouver ici toute seule.

Je pourrais envoyer un texto à Elliot, pour lui demander conseil, mais j'imagine sa réponse : « T'es sérieuse, Penny ? Qu'est-ce que tu fais au téléphone avec moi, alors que tu as rendez-vous avec Callum ? » Je décide de me ressaisir. *Tu n'es pas juste, Penny,* me dis-je en me regardant dans les yeux. *Callum est adorable. Donne-lui au moins une chance.*

Ça marche ! et, mon moral revenu, j'affiche un grand sourire et je sors des toilettes.

— Je croyais que tu t'étais perdue, dit Callum en me voyant.

— Pas du tout !

— En tout cas, tu es très belle. Même mouillée par la pluie.

Il m'effleure la main tandis que je m'assois, et je rougis violemment. J'ai beau ne pas trop savoir où j'en suis, je le trouve absolument craquant, et mes doutes ont l'air de s'être envolés. Suis-je vraiment aussi versatile ?

— Merci, dis-je en baissant les yeux.

Quelqu'un toussote.

— Pardon de vous déranger !

La femme de tout à l'heure a surgi devant nous, et je ne peux pas m'empêcher de remarquer l'éclat de contrariété qui altère la perfection des traits de Callum. La femme, heureusement, n'a pas l'air de s'en rendre compte, et je lui adresse un grand sourire.

— Merci beaucoup pour le thé. En échange, voilà deux parts de gâteau d'anniversaire !

Elle dépose sur la table deux tranches de gâteau au chocolat enveloppées dans une serviette en papier marron et disparaît aussi vite qu'elle est arrivée.

Je prends un morceau.

— Hum, il est délicieux ! Goûte !

Callum hausse les épaules.

— Je ne suis pas franchement gâteau.

— Arrête, il est *trop* bon, et en plus, c'est cadeau !

Je me sens frétiller, c'est l'occasion parfaite de découvrir de quoi Callum est vraiment fait !

Il me dévisage comme si je venais de me lever pour danser la rumba.

— Heu, oui… et alors ?

— Alors ? OK, je t'explique. Dans ma famille, on a une tradition, la Journée Magique et Merveilleuse. On ne l'a pas fait depuis longtemps, mais ça démarre toujours avec un gâteau surprise. Ensuite, on va se balader et on en achète dans toutes les pâtisseries qu'on croise.

— Ça me paraît un peu débile…

Un sourire crispé se dessine sur ses lèvres, suivi d'un gloussement embarrassé.

Du coup, mon enthousiasme retombe. Il s'en rend compte et fait machine arrière.

— Excuse-moi, je ne voulais pas dire « débile », mais plutôt… puéril. Tu sais, les trucs qu'on trouve marrants jusqu'à dix ans, mais après… Enfin, ce que je veux dire, c'est que tes parents ont l'air d'avoir été super cool, mais aujourd'hui, quand on t'offre du gâteau gratuitement, mieux vaut vérifier ce qu'il y a dedans.

— Quelle confiance en l'humanité, dis-moi !

— Eh, on n'est jamais trop prudent. Et on peut faire bien mieux que manger du gâteau. Vu le temps, on peut aller au cinéma. Ça te tente ?

Je jette un coup d'œil à ma montre. J'ai plus d'une heure avant de reprendre le train, mais pas le temps de voir un film. De toute façon, sa réaction à la Journée Magique et Merveilleuse a brisé tout l'élan qui me restait. Quand j'en avais parlé à Noah, il s'était tout de suite joint à la fête. D'accord, c'était *Noah*, mais puis-je vraiment envisager de sortir avec quelqu'un qui ne sait pas profiter des plaisirs (même puérils) de l'existence ? J'en doute. Alors je secoue la tête.

— Je dois prendre le train, mais peut-être... une autre fois ?

Je sursaute. Qu'est-ce qui m'a pris de suggérer une nouvelle rencontre ? Je n'en ai aucune idée... En tout cas, la déception de Callum se transforme subitement en lueur d'espoir.

— La semaine prochaine alors, en Écosse ?

— Oui, pourquoi pas ?

Je regrette immédiatement de lui avoir parlé de ce mariage. D'un autre côté, je vais être tellement occupée à aider ma mère que je n'aurais sans doute pas le temps de le voir. Je vais devoir le décourager gentiment une autre fois, ou l'éviter soigneusement.

— Je te raccompagne au métro.

— Oh... tu n'es pas obligé, vraiment...

— Si. Ce rendez-vous est suffisamment raté comme ça. Ça m'apprendra à vouloir frimer.

Il montre le panier d'un air si triste que ça me fait fondre. Et, sans réfléchir, je lui prends la main.

— Non, c'était super, Callum. Ce n'est pas ta faute s'il s'est mis à pleuvoir. On n'a qu'à recommencer – ça se passera peut-être mieux sur ton territoire !

Il me sourit et je sens mon cœur s'emballer. Je le trouve *incroyablement* craquant. *POURQUOI SUIS-JE AUSSI VERSATILE ?*

Il me prend par l'épaule, et c'est ainsi qu'on sort du café. Mais, comme il continue de pleuvoir, on est obligés de courir jusqu'à l'entrée du métro.

— Je suis vraiment content de te connaître un peu mieux, Penny, me dit-il quand on s'arrête devant le portillon. Maintenant, par exemple, je sais que le gâteau au chocolat est peut-être le meilleur passage vers ton cœur.

Il me fait un clin d'œil et je ne peux que m'entendre murmurer :

— Oui.

Surtout que ses doigts descendent le long de mon bras jusqu'au creux de ma paume.

Mon cœur bat à tout rompre – à croire que je viens de disputer un cent mètres – mais le reste est complètement paralysé. Il me soulève le menton. Mon regard croise le sien et, à ce stade, j'ai arrêté de respirer.

— En Écosse, alors.

— En Écosse.

Il glisse une main derrière mon cou, m'attire de l'autre et, doucement, tout doucement, il dépose un baiser sur mes lèvres.

4 octobre

Premiers émois...

Vous devez croire, en lisant ce titre, que vous avez la berlue (rassurez-vous, j'ai eu, en l'écrivant, la même impression). Mais non, c'est vrai... J'ai eu un rendez-vous... Avec un garçon... Qui n'est pas originaire de Brooklyn.

OK, je vous laisse un peu de temps pour vous remettre...

C'est bon ? Alors, on y va !

N'ayant qu'une poignée de premiers rendez-vous à mon actif, et donc fort peu de premiers émois, je n'ai pas une masse d'expériences sur lesquelles m'appuyer. D'ailleurs, la plupart d'entre elles ont été des désastres absolus. Pour être sincère, après *tout* ce qui s'est passé l'an dernier, ça me faisait tout drôle d'avoir accepté de voir quelqu'un. Mais je me suis dit que je n'avais rien à perdre. Après tout, qu'on ne se revoie plus jamais, qu'on se quitte bons amis ou qu'on se découvre des atomes crochus, comment le savoir à moins de tenter l'aventure ?

J'ai commencé par me dire que ce n'était pas un vrai rendez-vous, mais nombre de mes amis m'ont secouée par les bretelles – et remis les points sur les i. Alors, plutôt que m'obstiner dans le déni, j'ai fini par admettre qu'il s'agissait PEUT-ÊTRE, en effet, d'un plan drague, et que ce n'était PAS un problème. À mon avis, à partir du moment où le mot « drague » pointe son nez, tout devient nettement plus effrayant.

— Et si on se retrouve affreusement *gênés* ?

— Et si on ne sait plus de quoi parler ?

— Et s'il parle la bouche pleine ?

— Et si je me casse la figure (et que je montre – horreur – ma culotte) ?

Vous le savez : les risques sont INFINIS.

J'ai quand même réussi, avant mon rendez-vous, à me retrouver à court de « si ». J'ai épuisé toutes les catastrophes possibles, décliné les pires scénarios.

Au final (je ne sais pas ce que ça va donner), mais j'ai trouvé *sympa* de passer du temps en nouvelle compagnie – on s'est même vu offrir du gâteau gratuitement, alors, tout compte fait, ce n'était pas mal comme après-midi ! Je suis assez fière aussi d'avoir été capable de sortir de mon train-train et de laisser mes scrupules à la maison.

Et vous, êtes-vous aussi stressés avant un premier rendez-vous ? Avez-vous connu des expériences désastreuses ? À vos claviers ! (Je me sentirai moins seule !)

GIRL ONLINE... going offline xxx

Chapitre Dix-Neuf

— E t le baiser, me demande Elliot, c'était comment ?

Il est allongé à plat ventre sur mon lit, le menton dans les mains et les pieds soulevés derrière lui. Je viens de lui raconter — entre le pique-nique, la pluie, le gâteau au chocolat et la réaction de Callum devant la Journée Magique et Merveilleuse —, le désastre relatif de mon rendez-vous.

— Vraiment sympa, dis-je en m'appuyant à la tête de lit.

— *Sympa ?* Beurk, on dirait le baiser d'une limace !

Il fronce le nez d'un air tellement dégoûté que j'éclate de rire.

— Sérieux ? Tu n'as pas mieux que *sympa* ? C'est nul comme compliment. On dirait le commentaire d'une kermesse à... Middlesbrough.

— Tu as déjà mis les pieds à Middlesbrough ?

— Non, mais je n'ai pas besoin, ça sonne bien.

— De toute façon, je n'ai pas dit « sympa », mais « *vraiment* sympa ».

— Waouh, quelle nuance !

Je lève les yeux au ciel.

— Bon, franchement, reprend-il, c'était *seulement* sympa ?

Je hausse les épaules.

— Qu'est-ce que tu veux que je te dise ? Il a tout pour me plaire, la photo, son sourire, ses yeux, son accent, il manque juste... la petite étincelle.

— Ça n'arrive pas toujours du premier coup.

Il a quand même l'air d'en douter.

— Tu vas le revoir ?

— Je n'ai pas vraiment le choix. Imagine-toi qu'il est invité au mariage que ma mère et Sadie Lee organisent en Écosse. C'est celui de sa cousine ! Je vais donc fatalement le croiser là-bas... Mais après, je ne sais pas. On va voir comment ça se passe.

— Décidément, tu as le chic pour combiner tes amours et les mariages ! Toujours pas de signe de Noah ?

Je fais non de la tête. La présence de Sadie Lee et de Bella ne fait qu'augmenter mon désir d'avoir de ses nouvelles. Je brûle de le contacter, de lui dire que les gens pensent à lui. Mais, chaque fois que mes doigts flottent au-dessus de son numéro, je m'oblige à poser mon téléphone. J'ai déjà essayé de l'appeler ; maintenant, j'ai décidé de suivre l'exemple de sa grand-mère et d'attendre qu'il soit prêt. Il veut se barricader ? OK, c'est son choix. Je le trouve plutôt égoïste – et moins il donne de ses nouvelles, plus ça me met en colère –, mais je n'y peux rien.

— Bon, en attendant, je me suis renseigné sur Castle Lochland, reprend Elliot, et ça a l'air génial. Tu crois que c'est trop si Alex et moi on porte des kilts assortis ? J'espère aussi qu'il ne va pas pleuvoir *tout le temps.*

— Des kilts assortis ? Ah non ! Quant à la pluie, je ne crois pas que tu auras le choix.

— Et toi, tu vas devoir me présenter ce Callum ! Je pourrai enfin juger sur pièces et dire si ça compte que son premier baiser était plus « bof » que « waouh ».

— Ce n'était pas « bof », je réplique sur la défensive.

C'est vrai. Ce baiser était exactement tel que j'ai dit... sympa. Il ne m'a pas renversée, d'accord, mais j'ai peut-être placé la barre trop haut ? Tout le reste me crie de lui donner une deuxième chance. Il sera peut-être plus détendu dans son environnement ? Et de mon côté, malgré la présence de Bella et de Sadie Lee, je serai tellement loin de mes souvenirs de Noah que je serai peut-être plus tranquille.

Elliot roule sur le dos.

— Je n'arrive pas à croire que Megan se soit fait virer du studio de Leah. Tu lui as parlé, depuis ?

— Non. J'ai pensé à lui envoyer un message, puis je me suis dit que c'était plutôt à elle de revenir vers moi, cette fois.

— Très juste, Penny. Tu es beaucoup trop gentille avec cette fille. C'est une source de problèmes ambulante. Je ne lui ai toujours pas pardonné sa combine avec *Celeb Watch*, et je trouve complètement dingue que tu l'aies fait. Tu as oublié le *milkshakegate* ? La seule fois où je l'ai trouvée vraiment drôle, c'est ce jour-là, quand on lui a vidé nos verres sur la tête...

Je sens un sourire naître sur mes lèvres, mais j'éprouve aussitôt une pointe de remords, et je retrouve mon sérieux.

— Oui, je m'en souviens, mais je suis sûre qu'elle ne recommencera pas, elle a compris la leçon.

— Tu paries ?

— Il s'est passé autre chose d'intéressant, hier, dis-je en changeant de sujet. J'ai pris une photo, je l'ai envoyée à Melissa et...

Je ferme subitement la bouche. Je me sens gênée, tout à coup. Elliot sait que je cherche un truc « typiquement Penny » pour relever le genre de défi que m'a lancé François-Pierre Nouveau, mais il ne sait pas que j'envoie régulièrement des photos à sa directrice d'agence. J'ai l'impression que celle-ci est peut-être le début de quelque chose, mais je ne veux pas me porter malheur en partageant trop tôt la suite avec Elliot. La suite étant la réaction de Melissa beaucoup plus enthousiaste que toutes les autres.

— *Et....* ? veut savoir Elliot.

Un grand coup de l'autre côté du mur nous fait sursauter.

— Ça vient de ta chambre ? je demande.

Il me regarde, les yeux écarquillés de surprise et d'inquiétude.

— Euh, oui, je crois.

Un autre coup, tellement fort qu'il secoue les cadres accrochés au-dessus de mon lit, nous fait frémir.

— Qu'est-ce qui se passe, El ?

Nous entendons une voix. Une voix de femme. Sa mère. Et elle a l'air folle de rage.

Elliot saute du lit et quitte ma chambre en courant. Je le suis dans l'escalier, en dévalant les marches aussi vite que je peux pour le rattraper. En un instant, on se retrouve au rez-de-chaussée, puis sur mon perron et devant la porte de chez lui. Il se bat avec sa clef, ce qui me laisse le temps d'arriver à côté de lui. J'ai envie de lui dire de se calmer, de ne pas se précipiter tête baissée dans ce qui est en train de se passer, mais quand il est dans cet état, bien décidé à faire quelque chose, je sais que rien ne peut l'arrêter. Surtout pas les conseils de prudence.

Le temps qu'on arrive dans sa chambre sous les combles, je suis hors d'haleine. Et si je n'étais pas déjà complètement essoufflée, le spectacle que je découvre me viderait tout l'air de mes poumons.

Mme Wentworth est en train de saccager la chambre de son fils ! Elle vide ses placards, arrache les cintres, jette ses affaires partout. Les vêtements d'Elliot, d'habitude si bien rangés, soigneusement pliés et classés par couleur et par style, gisent pêle-mêle sur le sol. Sa mère, les yeux brillants, a l'air d'une folle. Elle est tellement guindée d'habitude (c'est d'elle qu'Elliot tient son côté méticuleux), mais aujourd'hui, elle a les cheveux en bataille, sa queue-de-cheval est complètement de travers et même les boutons de son chemisier sont attachés n'importe comment.

Elliot émet un son à peine humain, un bruit qui relève à la fois du cri et du gémissement.

— *MAMAN* ! Qu'est-ce...

— Je sais que tu l'aides à mentir, à me cacher des choses ! Où est-elle ?

— Où est quoi ?

— La preuve ! J'ai fouillé chaque centimètre carré de cette maison, sauf ta chambre, et je n'ai rien trouvé, alors je sais qu'elle est là, quelque part !

— Maman, je n'aide pas papa à cacher quoi que ce soit ! Je ne lui adresse quasiment plus la parole ! Je te rappelle qu'il me déteste, moi et ceux de mon « espèce ». Son psy ne lui a servi à rien.

— Faire croire une chose pour en dissimuler une autre ! C'est *exactement* le genre de manœuvre qu'emploie ton père.

Abandonnant l'armoire d'Elliot, complètement vide, elle tourne ses yeux hagards vers son bureau. Elliot s'interpose, bras écartés.

— Penny, protège ma commode, vite !

Sa mère, s'apercevant de ma présence, se tourne vers moi.

— C'est une affaire de famille, Penny. Rentre chez toi, m'ordonne-t-elle d'un ton glacial.

Les parents d'Elliot sont très gentils avec moi d'habitude. Mais, encore une fois, depuis que nous sommes voisins, c'est-à-dire quasiment depuis toujours, je n'ai jamais vu sa mère dans cet état.

— Penny *est* ma famille, maintenant, réplique Elliot. Elle est certainement beaucoup plus proche de moi qu'aucun de vous deux !

Pour le coup, je ne sais vraiment pas où me mettre. Je regrette de ne pas pouvoir disparaître sous le plancher.

Heureusement, Mme Wentworth me lâche pour se tourner vers son fils.

— Tant que tu partages ce toit, j'ai le droit de fouiller tes affaires, dit-elle.

Je comprends, dans la seconde, qu'elle vient d'aller trop loin.

— Dans ce cas, réplique Elliot d'une voix blanche, CONSIDÈRE QUE JE N'HABITE PLUS ICI ! Viens, Penny, on s'en va.

Il passe devant moi comme une tornade, m'attrape la main et m'entraîne avec lui.

Au moment de sortir, il se retourne.

— Tu peux fouiller dans tous les coins, soulever toutes les lames du plancher, maman, tu ne trouveras rien, parce qu'il n'y a rien. Ce que tu cherches ne se trouve pas dans la chambre de ton fils.

Une fois dehors, malgré la bruine qui s'est mise à tomber, nous ne rentrons pas chez moi. Nous descendons la colline, vers le parc. Quand nous sommes assez loin pour que la mère d'Elliot ne puisse pas nous repérer, il éclate en sanglots. Je l'attire sous un arrêt de bus et je le prends dans mes bras.

— Ça va, Elliot, ça va.

— Non, ça ne va *pas*, dit-il en reniflant.

Je lui donne mon mouchoir.

— Tu penses vraiment ce que tu as dit ? Tu ne vas plus retourner chez toi ?

— Oui. Enfin... si tes parents sont d'accord.

Je reste un instant déconcertée.

— Attends... tu veux vivre avec nous ? Mais... et Alex ?

— J'aime Alex, et je veux vivre avec lui, mais pas maintenant. Quand je le ferai, ce sera pour les bonnes raisons. Pas uniquement parce que chez moi c'est le cinquième cercle de l'Enfer.

— Le cinquième cercle de l'Enfer ?

— Tu ne lis donc rien, Penny ? Ni Dante, ni même Dan Brown ?

Comme je le regarde penaude, il m'explique :

— Le cinquième cercle de l'Enfer, tel qu'imaginé par Dante et décrit dans *La Divine Comédie*, est celui de la colère. Le sentiment dans lequel est en train de sombrer ma maison.

Je lui serre la main.

— Tu vois, même en plein drame, et tout reniflant que tu sois, tu restes le plus génial des intellos que je connais !

Il renifle.

— Merci, Penny Chou. Désolé que tu aies dû voir ça.

Je hausse les épaules.

— Oublie, tu fais partie de ma famille, et toi aussi tu sais tout de moi.

Il soupire et pose sa tête sur mon épaule.

— Ils sont obligés de me faire ça maintenant, pour ma dernière année de lycée ? Ils ne pouvaient pas attendre que je sois parti à l'université, ou n'importe où ailleurs ? Le pire, c'est que ma mère a sans doute raison. Mon père se comporte de façon super bizarre, dernièrement. Il soigne son apparence – je l'ai même surpris à faire de la gym, l'autre jour –, il rentre beaucoup plus tard, accepte de plus en plus de voyages d'affaires. Au début, j'ai cru que c'était à cause de moi qu'il fuyait la maison, pour ne pas avoir à me croiser, ou à me parler, mais je crois qu'il s'agit d'autre chose. À moins que la parano de ma mère ne soit contagieuse.

— La parano *est* contagieuse, je crois avoir lu un truc là-dessus. D'un autre côté, tes intuitions sont plutôt bonnes, d'habitude.

— Enfin, là, elles sont plutôt mauvaises.

— Tes parents sont des adultes, Elliot. Ils vont résoudre leurs problèmes comme des grands.

Il s'essuie les yeux.

— Je le sais, seulement je préférerais qu'ils le fassent sans m'entraîner dans leurs histoires.

— C'est vrai, ce n'est pas juste.

— Ce n'est pas juste, mais c'est comme ça. Je n'aurais jamais cru être si pressé d'aller en Écosse ! Ta mère n'aurait pas pu trouver un mariage à Ibiza, ou dans un endroit moins froid ?

— Eh, tu adores l'Écosse.

— Je sais. Les Highlands sont un des rares endroits où mes parents m'ont emmené quand j'étais petit. Ne me demande pas pourquoi, mais ils s'étaient mis en tête de faire du camping. Ils avaient acheté tout le matériel nécessaire, tente, matelas, sacs de couchage, la totale. Puis, au milieu du trajet, ils ont commencé à se disputer sur la quantité de nourriture déshydratée qu'ils auraient dû emporter. Ils ont fini par laisser tomber, et ma mère a réservé, à la dernière minute, un hôtel hors de prix à Édimbourg. C'est ridicule, mais aujourd'hui, je me dis que c'était plutôt sympa, en fait. On a fait tellement peu de choses en famille...

Il pose la tête contre la paroi vitrée de l'abri de bus. La pluie qui dégouline de l'autre côté me fait le même effet que les larmes qui roulent sur ses joues.

— Au moins, Alex sera là, cette fois. On va pouvoir se fabriquer de nouveaux souvenirs. Je sens que je vais en avoir besoin.

Chapitre Vingt

— S 'il te plaît, on peut s'arrêter ?
On vient de quitter la ville d'Inverness et
je tape avec insistance sur l'épaule de mon
père assis au volant. J'ai survécu au voyage en avion,
de justesse et grâce au vieux chandail de ma mère
(il est tellement déformé qu'on dirait une espèce de
couverture avec des manches !). Je croyais avoir surmonté ma phobie, mais ce vol vient de me rappeler
à quel point je suis loin du compte. Je ne suis pas du
tout sûre d'être un jour celle que j'espère devenir
– un modèle de sérénité face à l'incertitude –, mais
tant que l'angoisse ne m'empêche pas de faire ce
que j'aime, ça me va.

Quoi qu'il en soit, sur la route, mon angoisse n'est
plus qu'un vague souvenir. Nous longeons un lac
immense et scintillant, environné de collines sauvages
aux herbes hautes et dorées. On roule depuis une
demi-heure et je suis complètement subjuguée par
la beauté du paysage écossais.

— Penny, si on s'arrête toutes les cinq minutes, on ne va *jamais* arriver à Castle Lochland !

— Une dernière fois, s'il te plaît ?

— OK, trésor.

Il s'arrête sur le bas-côté rocailleux et je saute de la voiture. Je n'ai jamais fait beaucoup de photos de paysage, mais ici, à chaque virage, la vue est encore plus magnifique que la précédente. Je baisse les yeux sur la dernière photo que je viens de prendre et je souris. La nature est tellement belle que je n'ai pas besoin de filtre ou de retouche : l'image est tout simplement superbe !

J'inspire à pleins poumons l'air pur et frais qui m'entoure. Ce n'est pas le même qu'à Brighton. Là-bas, on sent toujours la présence de la mer. Ici, j'ai l'impression de me régénérer.

Un coup de klaxon de mon père me ramène à la réalité. Je me dépêche de remonter en voiture.

— Désolée, papa, mais c'est tellement beau !

— Tu n'auras qu'à te promener dans les Highlands quand on sera installés au château, me dit ma mère. Tu vas adorer. Pense tout de même à te faire accompagner – ce serait idiot de te perdre.

— D'accord.

Le château est vraiment au milieu de nulle part : plus on s'éloigne de la ville, plus la nature est sauvage et escarpée. Mon père ne m'accorde qu'un seul arrêt supplémentaire, quand on approche d'un cercle de pierres dressées, en haut d'une tourbière. L'ambiance est aussi impressionnante et mystique qu'à Stonehenge. Peut-être même plus, parce qu'il n'y a pas des hordes de touristes partout.

— Fais attention, me dit ma mère en souriant, il paraît que ces sites sont habités par la magie.

— Je veux bien le croire. Parce qu'en dehors d'une force surnaturelle, je ne vois pas qui a pu les construire. Des géants, peut-être... Qui d'autre aurait pu transporter d'aussi grosses pierres dans des endroits aussi reculés ?

— Attends de voir le château, Penny. On risque d'avoir du mal à te ramener à la maison !

— Ça fait des heures que tu me répètes d'attendre ! On est encore loin ?

Mon père consulte la carte. Apparemment, on est tellement loin *de tout* que même le signal GPS n'arrive pas jusqu'ici !

— Pas trop, répond mon père. Disons une demi-heure.

— J'ai hâte.

— Oh là là, dit ma mère en fouillant nerveusement les côtés de son siège, où est-ce que j'ai mis mes notes ?

Elle se penche pour scruter le plancher de la voiture à ses pieds.

Maintenant que nous sommes en Écosse, je sens la tension irradier autour d'elle. Elle stresse toujours avant un gros mariage. Et celui-ci représente un budget si énorme qu'elle a encore plus de listes de choses à faire – et seulement trois petits jours pour en venir à bout. Quelle que soit l'importance du mariage, elle se donne toujours à fond pour que

185

tout soit parfait. Mais avec un événement de cette taille, les préparatifs sont quasi démesurés.

— Ah ! s'exclame-t-elle, soulagée.

Elle a trouvé son carnet et commence à tourner les pages.

Je l'entends passer ses listes en revue à voix basse.

— Tu voudras que je t'aide pour quelque chose, en arrivant ? je lui demande.

— Oh, oui, chérie ! Répondre au téléphone, par exemple. Parce qu'on ne capte pas le réseau, là-bas, tout passe par le téléphone fixe.

— Waouh, le téléphone à l'ancienne ! La classe !

— Il n'y a pas que le téléphone qui est à l'ancienne dans ce mariage, tu peux me croire. Ah, si tu pouvais t'occuper de Bella aussi, pendant que je travaille avec Sadie Lee, ce serait vraiment adorable.

— Pas de problème !

— Formidable. Le reste… je m'en occupe.

Je m'accroche à l'appui-tête et je serre l'épaule de ma mère.

— Ne t'inquiète pas, maman, ça va être magnifique.

— En parlant de magnifique, tu devrais regarder dehors, Penny.

Je me tourne vers la fenêtre. La route, maintenant à peine plus large que la voiture, est bordée d'arbres immenses ; elle baigne sous leur voûte ombragée dans une lumière étrange. Après plusieurs virages, on aperçoit, tout au bout, un pont de pierre qui a l'air d'avoir été construit il y a des siècles.

On continue de rouler et tout à coup, comme un rideau qui s'ouvre, les arbres disparaissent et je découvre le château de Lochland.

— Oh, la vache !

Je me colle à la fenêtre, médusée.

La bâtisse se dresse au milieu d'un immense lac, sur une île rocailleuse reliée au rivage par un seul et interminable pont. Une nappe de brume flotte sur l'eau, si épaisse qu'on dirait que le château repose sur un nuage. Tout autour, dans une explosion de couleurs fauves, s'étend la forêt qu'on vient de traverser.

C'est féerique, exactement comme je l'ai imaginé.

On roule vers le château mais, au dernier moment, mon père tourne le volant et s'en *éloigne*.

— On n'y va pas tout de suite ? je lui demande, surprise et affreusement déçue.

— On ne peut pas passer sur le pont en voiture.

— Argh, un *autre* cauchemar logistique que je vais devoir résoudre, lâche ma mère.

— Alors on va d'abord poser nos affaires là où on loge cette semaine, continue mon père.

— Hum, c'est logique.

Je rumine ma déception mais, quand on arrive devant un petit cottage de pierre, surmonté d'un incroyable toit de chaume, j'oublie toute ma contrariété. Cette maison est adorable ; j'ai hâte de découvrir ma chambre.

Il y a une voiture garée dans le jardin, ce qui signifie qu'Elliot et Alex sont déjà arrivés. Ils sont partis un jour plus tôt, parce que Alex voulait voir le loch Ness – il adore les créatures mythologiques.

Ils ont dû nous entendre, parce que la porte s'ouvre.

— Soyez les bienvenus, gentes dames et gentils-homme ! s'exclame Elliot.

Il porte déjà un béret écossais. À mon avis, ce look passe mieux sur un véritable Écossais, mais il ne s'en sort pas si mal.

— On a du bannock au chaud sur la cuisinière en fonte, et une bonne tasse de thé vous attend à l'intérieur.

— Oh, Elliot, tu es un *trésor*, dit ma mère.

— C'est quoi le « bannock » ? je demande.

— Un genre de pain sans levain… Ça ressemble un peu aux scones, mais c'est écossais, me répond Elliot avec un clin d'œil.

— Oh, j'adore les scones ! dis-je en le serrant dans mes bras. Mais depuis quand sais-tu te servir d'une cuisinière en fonte ?

Nouveau clin d'œil.

— Moi, je ne sais pas, mais Alex, si. Sa famille en avait une quand il était petit. Mon chéri est plein de ressources !

— Et j'ai hâte de goûter le bannock !

— Viens, je vais aussi te montrer ta chambre.

À l'intérieur, tandis qu'il doit baisser la tête pour éviter de se cogner contre les poutres, je découvre un décor aussi simple et romantique que je l'ai imaginé : un grand feu brûle joyeusement dans la cheminée du salon et sa chaleur, combinée à celle de la cuisinière à bois, renforce l'atmosphère douillette qui règne dans la pièce. Une profonde banquette, nichée sous la fenêtre, est couverte de coussins brodés, je m'imagine très bien, lovée au milieu d'eux, à lire un bon roman.

— C'était la maison du garde-chasse, me dit Elliot en montant l'escalier. Elle a été construite au début du XVIᵉ siècle !

— Waouh, impressionnant ! Mais ce n'est pas fait pour les grands, ni même les moyens, dis-je en évitant de justesse une poutre qui sort du plafond.

— Je ne crois pas que l'aménagement de l'étage soit d'origine. La chambre de tes parents, en bas, est beaucoup plus spacieuse. Viens, c'est par là.

Nous sommes vraiment sous les combles et tellement proches du toit que je ne vois pas très bien comment on pourrait installer un vrai lit, je m'attends plutôt à un matelas vers lequel je vais devoir ramper pour m'allonger. Je m'en fiche complètement, mais quand je découvre ma chambre, je pousse un cri de bonheur. Elle est trop mignonne. Un grand tissu blanc accroché au plafond descend de chaque côté du lit, comme si c'était celui d'une princesse. De petites guirlandes vert et rose pâle courent sur les bords. Et le meilleur ? Quand je m'allonge, j'ai une vue parfaite, à travers la lucarne, sur le château au milieu du lac !

— Heureuse ? me demande Elliot en souriant.

— Je n'aurais jamais rien imaginé d'aussi beau, lui dis-je, radieuse. Même si j'avais essayé.

Chapitre Vingt et Un

La bonne odeur de pain tout juste sorti du four me fait saliver. Elle se répand dans toutes les pièces du château, réussit à traverser les épais murs de pierre pour arriver jusqu'à nous, alors que nous nous trouvons dans l'une des plus hautes tours. Bella et moi nous amusons avec un vieux jeu de billes. Elle et sa grand-mère sont installées dans les deux chambres, plus modernes, construites dans le prolongement de notre cottage, mais nous sommes venus tous ensemble au château pour les préparatifs.

Je prends très au sérieux ma mission de m'occuper de Bella pour libérer Sadie Lee. Nous avons déjà presque entièrement exploré le château, mais je dois toujours lui tenir la main au cas où nous croiserions d'effrayantes armures. La première fois, j'ai bien cru qu'elle allait sauter au plafond ! Il faut dire que le mannequin de fer brandissait une hache plus grosse que ma tête.

Personnellement, ce ne sont pas les armures qui me fichent la trouille, plutôt les têtes d'animaux empaillés, vestiges des chasses seigneuriales d'antan, accrochées un peu partout sur les murs. Mais tout le reste est tellement génial que j'ai vite surmonté ma peur. Les gigantesques portraits, par exemple. Rien à voir avec les tableaux assommants que j'ai pu voir dans d'autres châteaux plus près de Brighton. Ceux-ci représentent des hommes costauds et musculeux, vêtus de tartans richement colorés et de grands chapeaux à plume, dressés au milieu d'animaux sauvages des Highlands – grands cerfs, aigles majestueux. Et – merci les kilts –, je n'ai jamais vu autant de jambes nues ! Ces personnages sont tellement impressionnants de réalisme que je m'attends presque à les voir sortir de leurs cadres. J'ai l'impression d'avoir reçu mon invitation à Poudlard et je ne serais pas surprise de croiser Harry, Ron ou Hermione, au détour d'un couloir.

— Tu veux aller voir ce que ta grand-mère est en train de préparer ? je demande à Bella.

— Oui !

Elle ramasse les billes qui ont roulé un peu partout sur les dalles et sous le tapis. Je les range dans leur petit sac que je repose sur le coffre où nous les avons trouvées.

En descendant l'escalier vers la cuisine, nous croisons un bataillon d'assistants de ma mère chargés de décorer chaque recoin du château. Ma mère parle d'un mariage « pile *et* face » : la mariée a demandé que la première partie de la journée soit placée sous le signe de la lumière et de la blancheur avec des tonnes et des tonnes de bouquets de roses blanches (une dépense exorbitante puisque ce n'est pas la saison) et que l'autre, à partir du coucher de soleil, soit entièrement gothique, pour finir sur un bal masqué « Halloween, mais classe ». Passer d'un thème à l'autre en un clin d'œil ne va pas être une partie de plaisir, mais ma mère adore les défis.

Sadie Lee, elle, est penchée sur le gâteau de sa vie. C'est aussi une pâtisserie « pile *et* face » : d'un côté le thème « blanc » (des douzaines et des douzaines de petites fleurs de sucre dégringolent les cinq étages de la pièce montée), de l'autre le thème « obscur » (un glaçage noir avec de minuscules roses rouges dégoulinantes de sang). Comme on ne peut pas voir les deux côtés à la fois, à moins de tourner autour, c'est le gâteau qui va tourner pendant la soirée. Là où les thèmes se rejoignent, le côté blanc donne l'impression de se décoller pour révéler le côté noir.

— Oh, comment vont mes trésors ? nous demande Sadie Lee en nous voyant arriver.

— Très bien ! Mais je crois que Bella est épuisée.

D'ailleurs, comme pour le prouver, la petite sœur de Noah bâille tout à coup à s'en décrocher la mâchoire.

— On dirait que tu as vu juste, réplique Sadie Lee en souriant.

— Je vais la raccompagner, madame Flynn ! propose aussitôt l'une de ses assistantes.

Bella a réussi à enchanter tout le monde, et chacun se bat pour avoir le privilège, et le plaisir, de s'occuper d'elle.

— C'est adorable, Gemma, merci beaucoup. Penny, peux-tu me passer l'embout de cette douille, s'il te plaît ?

Je regarde la collection d'embouts et d'instruments plus ou moins effilés étalés sur un plateau métallique. Parfois, quand Sadie Lee travaille, j'ai l'impression de regarder une chirurgienne plutôt qu'une pâtissière !

— Heu... lequel ?

— Celui en forme d'étoile.

Je le repère et le lui donne.

— Bravo. Tu ne veux pas en prendre un et m'aider pour les décorations ?

— Tu es sûre ? Si je gâche tout ?

— C'est en forgeant qu'on devient forgeron ! Et, ne t'inquiète pas, on prépare des petits cupcakes pour les plus jeunes...

— Oh, je vois, c'est moins grave que la déco du *vrai* gâteau ! dis-je dans un rire.

La voix de ma mère s'élève dans la pièce à côté, plus forte que d'habitude.

— Attention, tout le monde ! dit Sadie Lee. La mariée arrive.

Elle baisse la voix et me fait un clin d'œil.

— Ta mère et moi, on a mis un code au point. Quand la mariée pointe son nez, on parle plus fort que d'habitude pour avertir l'autre ! Personne n'a envie de se faire surprendre par une mariée en colère.

Quelques instants plus tard, ma mère arrive dans la cuisine, suivie par la mariée, Jane.

— Hum, ça sent drôlement bon ! s'exclame la jeune femme.

Je suis surprise : bien qu'elle soit la cousine de Callum, elle n'a pas du tout d'accent. En revanche, elle a la même silhouette svelte et élancée que lui – et je devine, au niveau de sa clavicule, le début d'un tatouage, une rose avec des épines. Je comprends mieux le choix « pile *et* face » du mariage.

Sadie Lee l'embrasse sur les deux joues, en évitant de la toucher avec ses mains pleines de sucre.

— Jane, dit ma mère, voici ma fille, Penny. Elle va m'aider, demain.

— Ah, la *fameuse* Penny !

Ma mère et Sadie Lee me regardent d'un drôle d'air.

— Vous la connaissez par son blog ? demande ma mère.

Jane plisse le front.

— Son blog ? Non, pas du tout. C'est mon cousin qui m'a parlé d'elle. Callum, ajoute-t-elle avec un clin d'œil à mon intention.

Je ne sais plus où me mettre. Je n'ai pas parlé de mon rendez-vous à ma mère – ça me semblait un peu prématuré. Mais maintenant, je me rends compte que j'aurais peut-être dû le mentionner. Oups.

— J'ai rencontré Callum à Londres, quand je suis allée voir Megan. Il est aussi à l'école de madame Laplage.

— Oh !

Les sourcils de ma mère se dressent encore plus. Je sais qu'elle sait que ce n'est pas tout.

— Quelle heureuse coïncidence ! reprend Jane, ravie. Il arrive justement cet après-midi. Il s'est dit que tu voudrais peut-être faire un tour avec lui, découvrir l'endroit où il a grandi. Si tu veux, je peux te déposer en partant.

— Oh... heu...

Ma mère et Sadie Lee me dévisagent en attendant ma réponse. Ce ne serait pas très correct de refuser une proposition de la mariée.

— D'accord, c'est très gentil, merci.

— Parfait ! Rendez-vous devant le château dans une heure, je te conduirai en voiture. Dites-moi, Sadie Lee, comment se présentent les canapés ? Je tiens absolument à ce que le saumon soit de la plus grande fraîcheur...

Sadie Lee entraîne Jane de l'autre côté de la cuisine, me laissant sous le regard interrogatif de ma mère.

— Alors... qui est ce Callum ?

— Bah, quelqu'un que j'ai rencontré... On a eu un rendez-vous et il veut me revoir.

— Oh, voyez-vous ça ! Et Noah ?

Pour le coup, je me sens *vraiment* mal à l'aise. Ma mère a le chic pour poser les questions qui tuent.

— Je n'ai pas de nouvelles de lui depuis des siècles, et puis on est censés être amis, maintenant...

Elle pose une main sur mon épaule.

— Je comprends, chérie. C'est bien que tu rencontres d'autres personnes. Je sais que, quoi qu'il arrive, tu sauras suivre ton cœur.

— Et Sadie Lee, je lui demande, tu crois que ça va la contrarier ?

Je ne peux pas m'empêcher de penser que je trahis toute sa famille.

Ma mère secoue la tête.

— Ne t'inquiète pas. Noah n'est pas un enfant, et il n'est pas plus juste envers toi qu'envers sa grand-mère ou sa sœur. Franchement, j'espère qu'il va vite se ressaisir. Un break créatif... Pff. Si tous les créateurs avaient la chance d'en prendre un. Regarde-moi !

— Merci, maman.

— Bon, puisqu'il ne te reste qu'une heure, voici un certain nombre de choses que tu pourrais faire en attendant...

Je baisse les yeux sur le morceau de papier qu'elle me tend – une liste de tâches qui vont me faire courir d'un bout à l'autre du château –, mais je retiens ma grimace. Ma mère n'a pas besoin de souci supplémentaire, alors je réponds, un grand sourire aux lèvres :

— Ça marche !

Chapitre Vingt-Deux

Avec toutes les missions que m'a confiées ma mère, je ne vois pas le temps passer et je me retrouve très vite dans la voiture de Jane qui, côté bavardage, dépasse largement Kira (pourtant grande pipelette devant l'Éternel). Je pourrais mettre son débit sur le compte de la nervosité prénuptiale, mais je la soupçonne d'être toujours comme ça. Je me demande comment mon intention d'éviter Callum autant que possible s'est transformée en cette expédition, en compagnie de sa cousine, pour le rejoindre...

Je me sens aussi coupable de laisser tomber ma mère en pleins préparatifs ; j'espère que je pourrai me rattraper plus tard. C'est tout de même drôle, ce concours de circonstances qui me ramène à Callum. C'est peut-être un signe, après tout ?

— Tu as grandi en Écosse, toi aussi ? je demande à Jane.

— Parce que tu trouves que j'ai l'accent ? répond-elle en riant. Non, il n'y a plus que la famille de

Callum qui habite ici. Mais j'ai passé tous mes étés à jouer dans les Highlands et tout autour du château. J'ai toujours su que je ferais mon mariage ici. C'est quasi une tradition dans la famille McCrae ! Peut-être qu'un jour, ce sera ton tour, conclut-elle avec un clin d'œil.

J'ai du mal à déglutir. Qu'est-ce que Callum est allé lui raconter sur moi ? J'essaie de m'en tirer par un rire, mais il ressemble à un coassement.

— Alors, tu viens souvent au château ? je reprends.

Elle fait une drôle de tête.

— Souvent ? J'y viens *tout le temps* ! C'est le berceau historique des McCrae, après tout. Il n'y a pas si longtemps qu'il est devenu site touristique. La famille a déménagé, pour s'installer dans un manoir plus récent à quelques kilomètres, mais les parents de Callum continuent d'entretenir le château. Ils sont très impliqués dans les travaux de restauration, et tu verras souvent sa mère faire les visites.

Je la regarde, les yeux écarquillés. La famille de Callum *possède* le château de Lochland ?

— Oh, je ne savais pas.

— J'en déduis que toi et Callum avez encore beaucoup de choses à découvrir l'un sur l'autre ! Mais ça ne doit surtout pas t'influencer ! Callum a les deux pieds sur terre. Tu ne trouveras pas moins snob ni plus pragmatique que lui.

— Oui, je m'en suis rendu compte.

— Ah, on arrive.

On s'engage sur une allée et, en découvrant le « manoir », je manque de m'étrangler. Il est *immense*.

Quatre gigantesques fenêtres s'étirent de chaque côté du perron, lui-même au moins trois fois plus large que le nôtre, il y a trois étages, et la façade de pierre est recouverte de lierre. Je ne vois pas vraiment de différence avec un vrai château. Pourquoi je ne tombe jamais sur un garçon lambda, qui habite dans un endroit normal et qui travaille le week-end chez Starbucks ?

— C'est magnifique, dis-je la gorge nouée.

— *Et* il y a tout le confort moderne. Il y a même une piscine intérieur-extérieur derrière la maison. Je comprends que les parents de Callum aient voulu s'installer là, c'est beaucoup plus facile à entretenir qu'un vieux château plein de courants d'air !

Elle s'arrête devant le perron et donne deux coups de klaxon.

Callum sort de la maison, en grande tenue campagnarde écossaise : casquette de laine, veste de velours côtelé marron, chemise beige, et pantalon kaki enfoncé dans des bottes en caoutchouc vert foncé. Il a l'air de sortir d'un catalogue Barbour. Il ne pourrait pas mieux cadrer dans le décor. Il tient une autre paire de bottes à la main, mais roses. Un vrai gentleman, il vient même ouvrir ma portière.

— Salut, cousine ! lance-t-il à Jane au-dessus de ma tête.

— Salut, Callum, contente de te voir ! Mais je vous laisse, les tourtereaux, j'ai rendez-vous chez l'esthéticienne ! À très bientôt, Penny.

Elle me fait signe de la main et, à la seconde où je claque la portière, elle démarre en trombe.

Je me tourne vers Callum en souriant maladroitement. J'imagine que je suis coincée, maintenant.

Il me tend les bottes.

— Prête pour une balade ?

— Avec plaisir !

Je me tiens à son épaule pour enlever mes Converse et les remplacer par les bottes. La manœuvre est un peu délicate, et les bottes ne sont pas faciles à enfiler, mais une fois que je les ai aux pieds, je suis étonnée de les sentir aussi confortables.

— Elles me vont parfaitement !

— Tant mieux. Viens, c'est par là.

Il s'éloigne, mais je n'ai pas fait dix pas qu'on est arrêtés par un « eh ! » crié dans notre dos.

Je me tourne et je me baisse pour éviter de justesse le ballon de rugby qui fonce au-dessus de ma tête. Il a été lancé par une version de Callum modèle XL, debout sur le perron, en jean et polo.

Callum, qui a attrapé le ballon, le renvoie sans effort à son presque jumeau.

— Qu'est-ce que tu veux, Mal ?

Je sens une pointe d'hésitation dans sa voix.

L'autre pousse un cri et dégringole le perron, immédiatement suivi d'un deuxième larron, aussi grand et aussi blond.

Combien sont-ils ?

Je n'ai pas le temps de poser la question à voix haute : je fais un bond de côté pour éviter d'être renversée par les deux gaillards qui se précipitent sur Callum pour le plaquer à terre et lui ébouriffer les cheveux. J'éclate de rire.

— Ça en fait au moins une qui trouve ça drôle, ronchonne Callum, la tête coincée par le bras de Mal.

Il soupire.

— Ces deux imbéciles, Penny, sont mes grands frères, Malcolm et Henry.

— Salut, Penny, répondent les deux frères à l'unisson.

Malcolm libère Callum et, quand tous les trois se relèvent, que je peux enfin voir correctement les nouveaux venus, je constate qu'ils ne se ressemblent pas autant que je l'ai cru. Malcolm est plus grand et plus carré, son nez a l'air d'avoir été cassé ; quant à Henry, il a les cheveux coupés ras et il est beaucoup plus musclé que Callum. Tout de même, de loin, on peut les prendre pour des triplés.

Des triplés bagarreurs et sportifs, je précise en les regardant se disputer le ballon. L'effort rougit les joues de Callum. Ça me fait sourire, et je sors mon téléphone pour les prendre en photo. Le voir s'amuser avec ses frères est aussi l'occasion de le découvrir autrement.

Au bout d'un moment, c'est un Callum essoufflé qui me rejoint en trottant, laissant ses frères gloussant derrière lui.

— À plus tard ! nous crie Malcolm d'une voix chantante.

— Filons avant qu'ils ne nous entraînent dans une partie de rugby !

— Vite alors, parce que je suis nulle en sport !

On escalade une barrière, et on traverse une prairie d'herbe rase. La campagne s'étend à perte de vue et un vent frais me balaie le visage, je frissonne de plaisir.

— Quelle chance d'avoir grandi ici, dis-je à Callum. C'est tellement beau.

Il sourit.

— Jane t'a raconté ma vie, hein ? J'espère que ça ne change pas ton opinion sur moi.

— Bien sûr que non !

— Oui, évidemment. Tu es sortie avec un phénomène de la pop, après tout. Tu dois être habituée.

Ma mâchoire se décroche.

— Je suis peut-être sortie avec un phénomène de la pop, mais j'espère que *tu* peux t'habituer à fréquenter quelqu'un de normal.

Il s'arrête et me prend la main.

— Pardon, je ne voulais pas toucher une corde sensible. Viens, je voudrais te montrer un truc. Tu aimes les ruines ?

Je le dévisage, mais je ne vois aucune trace de malice. Il est peut-être seulement du genre à faire des blagues pourries – comme traiter Noah de « phénomène », par exemple. Alors j'oublie mon mouvement de colère et je lui souris.

— J'aime bien les ruines, oui.

— Dans ce cas, ça va te plaire.

Nous nous remettons en route. Pendant que je fais attention où je pose les pieds pour ne pas m'enfoncer dans la boue, il continue :

— Il y a un château en ruine sur la côte, à environ un kilomètre d'ici. Enfin, quand je dis « château », c'est plutôt une tour avec quelques tourelles en haut.

Son propriétaire était un pirate et une fripouille légendaire.

— Oh, ça sent le scandale !

— Tu ne crois pas si bien dire ! Troisième fils d'un seigneur local, il savait qu'il n'irait pas très loin par des moyens honnêtes, alors il est devenu pirate. Mais il a hérité et il s'est retrouvé, tout d'un coup, pirate et légitime propriétaire d'un titre *et* d'un domaine. Un changement qui ne l'a pourtant guère transformé. Il a continué à mener des raids, cette fois contre ses voisins, et à terroriser la région. Ses exactions ont pris fin quand il a été vaincu par un clan rival et que son château a été brûlé.

— Waouh ! Quelle histoire ! À t'entendre, on dirait que ça s'est passé hier.

— Ici, on baigne dans le passé, il est partout. En Écosse, on n'a pas besoin de creuser beaucoup pour découvrir une ou deux histoires à te glacer le sang. C'est une des raisons pour lesquelles j'aime tant ce pays. On sent qu'il est resté farouche, qu'il ne faudrait pas grand-chose pour qu'il revienne à l'état sauvage. Ce n'est pas comme à Londres, où l'histoire est soit enterrée, soit tellement bien intégrée au paysage qu'on ne la remarque même plus.

Comme s'il voulait appuyer les propos de Callum, le vent se met à souffler plus fort. Les rafales sont même telles qu'elles me font trébucher. Callum me prend la main, et de l'autre, je serre les pans de ma veste. Mais le vent ne me dérange pas. J'aime sa puissance et même sa *sauvagerie*. Je m'accroche à

Callum et je me serre contre son torse musclé. Ce n'est pas désagréable.

Les vagues s'écrasent au pied des collines, envoyant des gerbes d'écume dans les airs. Quelques goélands passent au-dessus de nous en criant, mais c'est comme si nous étions seuls à des kilomètres à la ronde.

— Là, tu le vois ? me demande Callum en désignant une saillie rocheuse sur la mer.

Je plisse les yeux, mais je ne vois pas grand-chose.

— C'est... ce tas de pierre ?

Il éclate de rire.

— Excellente description ! Tu verras mieux quand on sera plus près. Si ce n'est pas trop embroussaillé, on pourra même grimper à l'intérieur.

— Oh, cool ! Mais c'est quand même un endroit sacrément isolé pour construire un château.

— Bienvenue en Écosse, me répond Callum avec un clin d'œil. Comme je te le disais, l'homme était pirate ; il voulait un bon poste d'observation. La vue est imprenable !

Il aspire l'air à pleins poumons et se tourne vers l'océan. Il semble beaucoup plus à son aise ici que dans le calme de St James' Park.

— Comment as-tu atterri à Londres ?

Il hausse les épaules.

— J'ai toujours aimé faire des photos et j'ai remporté un concours, ici, en Écosse. Je n'ai jamais imaginé être assez bon pour en faire mon métier, mais quand on m'a proposé d'entrer chez madame Laplage — un endroit où ma distraction préférée valait subitement quelque chose — je me suis dit que c'était une occasion à ne pas manquer. Même si ça ne donne rien, et que je doive m'inscrire en droit pour finir dans un bureau, je me serai au moins éclaté avant !

— Je vois ce que tu veux dire. C'est rare de pouvoir gagner sa vie en faisant le métier qu'on aime, et j'espère bien devenir photographe. Jusqu'ici, j'ai eu de la chance, mais je ne peux pas m'empêcher de me dire que ça peut s'écrouler à tout moment.

— J'imagine que c'est ça, la création.

— Sans doute.

Il me prend par l'épaule et me serre contre lui.

— Eh, ce n'est pas une raison pour te laisser décourager ! Tu as eu de la chance, d'accord, mais tu as travaillé, tu t'es donné les moyens de la provoquer. Ce n'est pas le cas de tout le monde. En plus, tu es drôlement douée. Ne sous-estime pas non plus ton talent.

Je lui souris avec gratitude.

— Quand est-ce que tu t'es dit, pour la première fois, que tu voulais devenir photographe ? reprend-il.

Je m'arrête.

— En fait, je ne sais pas trop. Je ne me suis jamais vraiment posé la question. Peut-être le jour où mon amie Megan a eu un Polaroid pour son anniversaire. Elle m'a demandé de prendre des photos de la fête. J'ai adoré voir l'image apparaître, l'attente, ma sensation d'impatience, la découverte. J'avais l'impression… de voir un rêve se réaliser sous mes yeux.

Ça me paraît tellement bidon que je rougis, mais Callum hoche pensivement la tête.

— Moi, c'est quand je suis allé chercher les photos de ma première pellicule. Déposer un petit cylindre noir au magasin et récupérer, une heure plus tard, une enveloppe pleine de souvenirs, c'était magique ! C'était quoi ton premier appareil ?

Je plisse le front en essayant de me le rappeler.

— Un Canon Sure Shot, je crois.

— Moi aussi ! s'exclame-t-il en riant. Tout mon argent de poche passait dans le développement. J'avais hâte de recevoir les tirages ! La plupart des photos étaient floues, ou mal cadrées, mais c'était drôle. Il y en avait aussi quelques-unes de réussies.

Je souris, surprise de découvrir tout ce qu'on a en commun — au moins en termes de photo.

Nous nous remettons en marche plongés dans nos pensées et dans un silence confortable que j'apprécie. Le vent, qui de toute façon balayerait nos paroles, me fouette les joues, et l'air marin me pique les narines.

Quand on arrive près du château, je m'élance, pressée de découvrir les ruines. Les grosses pierres noires sont couvertes de mousse et je m'aperçois que la tour devait être beaucoup plus haute à l'origine.

— Par ici, me dit Callum en se dirigeant sur un côté de l'édifice.

Je le suis vers une fenêtre ou, plus exactement, un trou dans la façade. Il se hisse par l'ouverture et me tend la main.

— Je vais t'aider.

Je prends une bonne inspiration, je tire sur la bandoulière de mon appareil photo pour le glisser dans mon dos, et j'attrape la main de Callum qui me fait passer, sans effort, de l'autre côté.

L'ambiance est bien plus calme qu'à l'extérieur. Le vent souffle rageusement sur les pierres, mais n'arrive pas à les franchir. En revanche, la flore sauvage écossaise a trouvé là son abri : dans l'âpre conquête de la possession des lieux, d'épais buissons de ronces couverts de mûres rivalisent avec de gros bouquets de chardons.

— Waouh, c'est magnifique.

— Je sais, répond Callum en souriant.

Il a sorti son téléphone et cherche quelque chose en ligne. Le contraste est tellement fort entre cet Écossais d'aujourd'hui, penché sur son téléphone, et ces vestiges d'une autre époque envahis par la nature, que je sors mon appareil pour prendre une photo.

— Deux mois à Londres et j'ai oublié à quel point le réseau est nul, ici.

Il hausse les épaules et range son téléphone pour cueillir quelques mûres.

— Goûte, dit-il en me les tendant. Elles sont super bonnes à cette époque.

J'en prends deux au creux de sa paume – le jus me tache déjà les doigts –, et à peine les ai-je posées sur ma langue, je découvre qu'il a raison : elles sont délicieusement parfumées, incroyablement juteuses et sucrées, et juste ce qu'il faut de légèrement piquant. Je les savoure en fermant les yeux.

— Tu sais, si tu veux, tu peux m'accompagner au mariage, en tant que ma cavalière. Jane est d'accord.

J'ouvre aussitôt les yeux et je me dépêche, effarée, d'avaler ce qui reste de mes mûres.

— Oh, non, je ne peux pas. Je dois aider ma mère. Je suis venue pour ça.

— D'accord, mais tu peux quand même venir au bal costumé. Tu n'auras plus grand-chose à faire à cette heure-là. J'insiste.

— Il y a *toujours* quelque chose à faire le jour d'un mariage, et même pendant la soirée, mais bon... je vais voir si je peux m'échapper une heure.

— Tant mieux, dit-il en approchant, parce que ce serait trop dur de te savoir dans les parages et de ne pas pouvoir t'aborder.

Il me soulève le menton.

— Tu as de la mûre, là.

Il essuie délicatement le coin de mes lèvres. Puis il se penche et m'embrasse une deuxième fois.

Je m'en veux de ne rien ressentir du tout.

Chapitre Vingt-Trois

Mon réveil sonne à six heures du matin et j'ouvre péniblement les yeux.

— Debout, belle endormie !

La tête d'Elliot, par l'entrebâillement de ma porte, me paraît beaucoup trop guillerette à cette heure matinale. D'un autre côté, il n'est plus le même depuis le début de la semaine. Il est plus gai, plus lumineux. Bien plus conforme à l'Elliot que je connais. Et comme il m'apporte une tasse de thé, je ne peux pas lui en vouloir longtemps de me secouer avec autant d'énergie.

— Tu es tellement surexcité qu'on croirait que c'est ton mariage ! dis-je en riant.

— Si c'était mon mariage, trésor, il faudrait m'attacher ! Et je n'aurais sans doute pas les moyens de m'offrir une réception aussi démente. Mais qu'est-ce que j'adore aider ta mère ! C'est un génie !

— Je sais, dis-je dans un sourire. N'empêche, on est vraiment obligés de mettre ces costumes ?

Dans le coin de ma chambre, étalée sur un fauteuil, se trouve la monstruosité de velours pourpre que je dois porter toute la journée. Quand ma mère me l'a montrée hier soir, j'ai failli appeler Callum pour accepter son invitation et m'épargner cette tenue. Mais je ne peux pas laisser tomber ma mère, même si elle m'oblige à porter une robe aussi ridicule, quoique « tellement fidèle » au thème du mariage.

Je n'aurais pas dû être étonnée : j'étais habillée en soubrette à New York. Mais mes vêtements étaient en noir et blanc et ils n'étaient pas faits pour attirer l'attention, tandis que ceux-là... Ils vont faire sensation. Elliot et Alex ont le même accoutrement. J'imagine déjà les invités, nous montrant du doigt en murmurant et se bousculant pour prendre des selfies avec nous.

Je n'ai même pas le droit d'apporter mon appareil photo. Jane a engagé un photographe spécialisé ultra connu qui vient avec deux assistants. On n'aura donc pas besoin de moi. Et mon matériel n'est pas exactement assorti à mon costume.

C'est pour maman, pour maman, je me répète en serrant les dents.

— Tu vas être adorable, dit Elliot en voyant ma tête et en suivant mon regard. Ta mère a pensé que tu aurais besoin d'un coup de main pour le corset, alors me voilà !

Un corset ! Je l'avais oublié, celui-là.

— Allons, ne fais pas cette tête, continue mon ami en riant. J'ai *quelque chose* pour te réconforter.

Il sort, je ne sais pas d'où, un masque magnifique, si finement ajouré qu'on dirait une dentelle d'or, et qui s'attache par deux rubans de velours rouge. Je suis stupéfaite et estomaquée par sa beauté.

— Étant donné que tu m'as dit, hier, que tu étais invitée au bal masqué, j'ai pensé qu'il te fallait l'accessoire approprié.

Je le lui prends des mains et l'admire en le tenant aussi délicatement que possible, de peur qu'il ne se désintègre.

— Il est fabuleux... Où l'as-tu trouvé ?

— Oh, tu me connais, j'ai plus d'un tour dans mon sac.

Je pose le masque et je me jette à son cou.

— Merci, Elliot !

— Pas de quoi, Penny Chou. Bon, si on t'habillait, maintenant ?

Il nous faut une bonne demi-heure pour enfiler ma robe et nouer chaque lacet, galon, ruban et lanière qui la composent. Quand nous avons terminé, je ressemble à une véritable jeune Écossaise du XVIIe siècle.

Elliot vient de disparaître pour rejoindre Alex et se préparer à son tour quand ma mère m'appelle.

— Penny ? Tu es prête à partir ?

À l'intonation brusque et anxieuse de sa voix, je comprends qu'elle est sur les dents.

— J'arrive ! je crie en sortant de ma chambre pour dévaler l'escalier aussi vite que mes semelles en tissu me le permettent.

— Oh, Penny, tu es magnifique ! s'exclame ma mère.

Elle n'est pas déguisée. Elle a droit à un ensemble gris tourterelle – son plus élégant costume d'organisatrice –, aussi chic que si elle faisait partie des invités et assez confortable pour passer sa journée à courir dans tous les sens et résoudre les mille et un problèmes qu'elle va affronter.

En revanche, Andrea, son assistante, est habillée comme moi. Notre mission est de nous mêler aux invités, de contribuer, par notre présence, à l'ambiance historique de la fête, mais aussi de repérer – et si possible résoudre – tous les problèmes qui pourraient surgir. Nous sommes, pour résumer, les yeux et les oreilles de ma mère sur le théâtre des opérations.

Dans la chapelle, notre première tâche est d'allumer toutes les bougies – et il y en a beaucoup – sans mettre le feu à nos jupes de velours. Dans la foulée, les invités d'honneur font leur apparition, mais nous sommes trop occupées pour leur prêter attention et, à partir de là, comme toujours, le temps se met à filer à toute allure.

La mariée arrive à la porte... avance jusqu'à l'autel... ils prononcent leurs vœux... le prêtre les déclare mari et femme... et ils repartent vers les applaudissements, les grains de riz et les photographes sur le perron...

Pendant ce temps, nous nous activons sans relâche. J'arrive à me débrouiller pour rester hors de vue de Callum, mais il croise mon regard une fois et je le vois se mettre la main sur la bouche pour s'empêcher d'éclater de rire. J'envisage un instant de lui tirer la langue, mais je me retiens.

Lorsque l'heure du repas arrive et que tous les invités sont installés – et uniquement à ce moment-là – ma mère et son équipe s'accordent quelques instants de repos.

Tout s'est passé à merveille et elle est nettement plus détendue.

— C'est bon, Penny, me dit-elle en souriant. Tu peux aller te changer, maintenant.

Elle attrape un des derniers canapés de Sadie Lee sur un plateau et l'engloutit.

— Tu es sûre ? Tu n'as pas besoin de coup de main pour le changement de décor ?

— Non, tout est parfaitement réglé. Merci beaucoup de ton aide.

Elle m'embrasse.

— Va t'amuser, maintenant. Ne te soucie plus de rien, d'accord ?

Je la serre dans mes bras.

— Merci, maman.

En sortant du château, je m'aperçois que la température a nettement baissé. Je m'engage sur le pont et, en serrant mon tartan de laine sur mes épaules, je me félicite, pour la première fois de la journée, de l'épaisseur des jupons sous ma robe.

Arrivée dans notre petit cottage, je me rends subitement compte que je ne sais pas quoi mettre pour aller au bal masqué. Mes options sont limitées : je n'ai emporté qu'une robe noire toute simple. Elle est mignonne, avec des épaules en dentelle, mais elle n'a rien de renversant. De toute façon, je n'ai rien d'autre. Alors je me débarrasse de mon costume, péniblement, et je l'enfile.

Puis je me souviens du masque qu'Elliot m'a donné ce matin. Je le sors de son emballage de soie et je le mets. Je suis surprise de le découvrir aussi léger sur mon visage ; les rubans sont très doux sur ma peau et j'adore la façon dont l'or adoucit l'auburn de mes cheveux. Je me regarde dans le miroir et j'admire l'effet du masque sur ma robe : on dirait une véritable robe de bal.

Et toi, tu es Fille d'automne.

Je chasse cette réflexion d'un mouvement de tête agacé. Je ne veux pas être « *Fille d'automne* ». Je ne veux pas n'être qu'une rime dans une chanson. Je veux être aimée pour ce que je suis, dans une relation équitable.

Callum est peut-être le bon. Ou pas.

Mais est-ce si grave ? Je veux être capable de faire des erreurs, de me jeter à l'eau sans penser aux conséquences, de me ridiculiser sans éprouver le moindre complexe.

Je passe la main sur ma robe pour défroisser les derniers plis.

— Tu es belle, murmure une petite voix à la porte.

Je me tourne et je souris à Bella.

— Tu n'es pas censée être au lit, jeune fille ?

Elle est en pyjama et les pieds nus, alors je la prends dans mes bras.

— Je n'aime pas ma chambre ; elle me fait peur, bougonne-t-elle.

— Ne t'inquiète pas, je vais t'accompagner.

— D'accord, dit-elle en posant la tête au creux de mon épaule. Je voudrais voir Noah...

Mon cœur se serre, comme si une main l'avait empoigné.

Noah.

Je caresse les cheveux de sa petite sœur.

— Je sais, Bella. Il me manque à moi aussi.

Chapitre Vingt-Quatre

Bella ne tarde pas à s'endormir dans mes bras. Je la porte jusqu'à sa chambre, la dépose doucement dans son lit et, après l'avoir embrassée sur le front, je retourne au salon sur la pointe des pieds. Je salue Gemma, la baby-sitter pour la soirée, et d'un doigt sur la bouche, je lui fais comprendre que Bella dort tranquillement. Elle lève un pouce, puis un deuxième pour me féliciter de ma robe.

Je lui souris et je me dépêche de m'éclipser. Je n'ai plus de temps à perdre, alors j'enfile mon manteau, j'attrape mon écharpe et, bien emmitouflée, je traverse le pont, d'un pas rapide, en sens inverse.

Avec la tombée de la nuit, le décor du château a complètement changé et l'ambiance n'est plus du tout la même. Les bougies blanches ont été remplacées par des cierges noirs et, au lieu des précédentes draperies claires, ce sont des pans de tissu rouge carmin qui sont maintenant tendus sur les murs. Le thème gothique voulu par Jane a pris forme, et je m'attends presque à voir un ou deux fantômes surgir des murs ou les armures se mettre en marche dans un carillon de bruits métalliques. Heureusement que Bella, qui aurait été terrorisée, est bien au chaud dans son lit.

J'entends des violons quelque part et je me dirige vers eux. Plus tard, la grande musique de bal va laisser place au disco, mais pour l'instant l'ambiance est raffinée. En approchant, j'entends les rires des invités mêlés aux envoûtantes sonorités d'une valse. Apparemment, tout le monde s'amuse, et cela me réjouit. Ma mère va être tellement contente et soulagée.

Mais mon plaisir, en franchissant les portes du grand salon, est balayé par la stupeur : il est métamorphosé. Des centaines de bougies, dispersées dans la pièce et installées à différentes hauteurs, répandent une lumière tamisée et créent des ombres féeriques au plafond et sur les murs. De nombreux couples tournoient au milieu de la pièce et ceux qui ne sont pas attirés par le magnifique buffet dressé par Sadie Lee admirent son incroyable gâteau de mariage que les mariés couperont plus tard ensemble.

— Penny, enfin !

Callum sort de l'ombre, le visage dissimulé par un masque vert émeraude. Avec cet accessoire et dans son élégant smoking, il a une allure folle.

— Bonsoir, Callum, dis-je, sincèrement charmée.

— Ta mère a fait un boulot incroyable. Je ne crois pas avoir jamais vu Jane aussi heureuse.

— Oh, je suis contente, je lui dirai.

Il est évident – à sa façon de se balancer légèrement au rythme de la musique – qu'il veut danser, mais c'est trop langoureux. Je ne veux pas d'une danse aussi… romantique. Je regarde autour de moi et repère Elliot et Alex dans un coin.

— Tu veux que je te présente mes amis ?

Il hésite, mais finit par hausser les épaules.

— Bien sûr.

— Super, dis-je en lui prenant la main pour le conduire vers Alexiot.

Ils sont en grande conversation, indifférents à tout ce qui les entoure jusqu'à ce qu'Alex m'aperçoive. Son air brusquement ébahi pousse Elliot à se retourner.

— Penny ! s'exclame-t-il, un immense sourire aux lèvres. J'adore la robe. Quant à toi, tu es… divine !

Il me saisit les bras et m'embrasse sur les deux joues.

— Et qui est ce monsieur ?

Callum lui tend la main et répond plus vite que moi.

— Callum McCrae.

— Ravi de faire ta connaissance, Callum.

Il l'examine de la tête aux pieds et, quand Callum se tourne vers Alex, Elliot en profite pour lever un pouce approbateur dans son dos.

Ma diversion, malheureusement, ne dure pas. Je vois Callum dresser l'oreille à l'instant même où les musiciens enchaînent sur un nouveau morceau. Toujours aussi langoureux.

— Prête pour une danse ? me demande-t-il.

Je réprime un soupir.

— D'accord.

— Tant mieux, parce que j'attends ce moment depuis le début de la soirée.

Il m'embrasse la main et m'entraîne au milieu de la piste.

La musique est lente et, comme je ne sais pas danser la valse et que je me sens maladroite, on finit par une sorte de curieux pas traînant.

— J'ai beaucoup aimé notre balade, l'autre jour, dit-il près de mon oreille.

— Moi aussi.

— J'espère que tu ne vas pas m'en vouloir, Penny, mais je voulais te dire que je t'apprécie beaucoup, poursuit-il en enlaçant ses doigts aux miens. Et j'aimerais bien savoir si c'est... réciproque.

Je me sens rougir sous mon masque et je suis totalement embarrassée. Je vois bien qu'il scrute mon regard, en espérant lire le reflet de ses sentiments... Mais le fait est... que... je n'éprouve pas la même chose.

— Callum, je... Je...

Avant que je trouve mes mots, quelqu'un lui tape sur l'épaule. Il s'arrête, agacé, mais ne me lâche pas la main.

— Vous permettez ? dit l'inconnu.

Je reconnais cet accent.

Mon cœur s'arrête puis se met à battre furieusement.

Ce n'est pas... Ce ne peut pas être...

Mais si.

C'est lui !

Noah Flynn.

Chapitre Vingt-Cinq

— **V**ous permettez ?

La question de Noah résonne à mes oreilles.

— Heu, oui, répond Callum.

Il est trop bien élevé pour refuser, mais ses sourcils sont tout froncés de contrariété au-dessus de son masque. *Le masque !* Je pivote vers Noah. Il porte un masque, lui aussi, un loup de velours noir qui dissimule la moitié de son visage. Callum ne l'a pas reconnu. Enfin, je ne crois pas.

Avant que je retrouve mes esprits, et l'usage de la parole, Callum s'est écarté. C'est désormais Noah qui me prend la main, et c'est son bras qui glisse autour de ma taille. Il m'entraîne avec lui et, à chaque tournoiement, je vois dans les yeux de Callum que celui-ci commence à comprendre...

— Salut, Penny.

La voix de Noah est presque un souffle, aussi doux que son accent américain.

Je pose la joue sur son épaule et, absorbée par la chaleur de son étreinte, je ferme les yeux. Un délicieux frisson, chargé d'électricité, me parcourt de la tête aux pieds. Les couples qui dansent autour de nous semblent s'effacer, puis disparaître, tandis qu'une immense sensation de paix, un soulagement incroyable, m'envahit : il est là, il va bien, rien ni personne ne lui a fait le moindre mal.

— Tu m'as manqué, poursuit-il.

J'avais oublié à quel point lui aussi m'avait manqué.

Pas seulement en tant que petit ami, comme ami aussi : sa compagnie, nos discussions, l'odeur de ses cheveux, la profondeur de son regard, le contact de sa peau... OK, *surtout* comme petit ami. J'avais oublié la perfection avec laquelle ma tête se niche au creux de son cou, le bonheur tellement réconfortant de sentir sa main autour de la mienne, la caresse de ses doigts légèrement rugueuse à cause de la guitare, la façon dont son sourire, avec ses magnifiques fossettes, révèle l'éclat de ses dents. Et comment ses grands yeux marron s'élargissent encore lorsque son visage s'illumine. J'avais oublié son odeur, un mélange de pluie, de cuir, et d'épices ensoleillées.

— Je suis revenu.

La réalité, d'un seul coup – et plus brutale qu'une douche froide –, me tombe dessus. Il est *parti*, sans autre explication qu'un mot bref et laconique, sans répondre à *aucun* de mes messages ou de mes textos. Il m'a égoïstement laissée moisir pendant qu'il disparaissait pour « un break », sans aucune pensée pour sa famille ou pour moi... Et il débarque *comme ça* ? *Pile* au moment où je commence à tourner la page ?

Il me serre les doigts.

— Tu as l'intention de dire quelque chose ?

C'est la goutte d'eau qui manquait.

J'arrête de danser et je me libère de son étreinte. Je scrute son regard en fronçant les sourcils. Mais je suis obligée de détourner les yeux pour ne pas exploser.

— Qu'est-ce que tu fais là ?

Il tend les bras vers moi, comme s'il voulait que j'y revienne, mais je ne bouge pas. À la place, je croise les miens sur ma poitrine.

— Je voulais te voir, dit-il.

Tu parles d'une explication ! Quelque part derrière lui, je sens le regard de Callum braqué sur nous. Le bienheureux brouillard qui m'enveloppait s'est dissipé. Je vois tout clairement, maintenant.

— Après tout ce temps ? Qu'est-ce que tu t'imagines ? Que tu peux débarquer comme une fleur et tout retrouver comme avant ?

Il ouvre la bouche, mais il ne dit rien. Je m'en fiche. C'est une rage pure qui court dans mes veines et me fait frémir. Comment *ose*-t-il ? Il ne m'a jamais vue dans cet état. Il a l'air... choqué.

Une main rassurante me serre l'épaule. Elliot.

— Ça va, Penny ?

Je ne suis capable que de hocher la tête. Il se tourne vers Noah.

— Tu ne devrais pas être là, lui dit-il d'un ton beaucoup plus aimable que le mien.

— Pardon, Penny, je ne voulais pas te blesser, marmonne Noah.

Je ne l'ai jamais vu dans cet état, moi non plus : tellement confus et désolé, tellement inquiet de ma réaction...

Je veux lui dire de simplement s'en aller, qu'on réglera cette histoire quand je serai rentrée, pas au milieu d'un *mariage*. Au même moment, je vois Jane à côté de son gâteau, le doigt pointé sur nous et le visage crispé de colère. Callum est avec elle. Je me sens pâlir.

— On est en train de faire un esclandre, dis-je à Noah, les dents serrées.

— On peut parler ailleurs ?

J'accepte à contrecœur.

— Tu es sûre, Penny ? me demande Elliot.

— Ne t'inquiète pas, ça va, lui dis-je en parvenant même à sourire.

— OK, si tu as besoin de moi, envoie-moi un texto. J'arriverai tout de suite.

— Merci.

Mais on a déjà trop tardé. Un agent de sécurité fonce sur nous, Callum sur ses talons. L'homme tape sur l'épaule de Noah.

— Excusez-moi, monsieur, avez-vous une invitation ?

Noah pivote en sursautant et se redresse.

— Ma grand-mère est chargée de la restauration.

— Alors vous êtes sur la liste du personnel ?

— Non, je....

— Dans ce cas, monsieur, je suis obligé de vous demander de partir. Maintenant.

— C'est justement ce que nous étions en train de faire, dis-je.

Je me tourne vers Noah.

— Viens.

— Tu peux rester, Penny, se dépêche d'intervenir Callum. Il n'y a que cet intrus qui n'est pas désiré.

— Je sais, mais ça ira. Je suis fatiguée, en fait. On se voit demain, d'accord ?

Avant qu'il ne tente de me faire changer d'avis, je fonce vers la porte, puis à travers le château en direction de la sortie. Je ne vérifie même pas si Noah est derrière moi, mais j'entends l'écho de ses pas sur les dalles.

Je pousse la lourde porte de bois de l'entrée principale et je m'engage sur le pont sans m'arrêter. Il pleut – comme par hasard – et le vent souffle, mais en quittant la réception, mon principal souci n'était pas de prendre mon manteau. Je me serre les bras dans l'espoir de me protéger un peu du froid. La pluie ruisselle sur mes cheveux et mon visage, et le bruit du vent m'empêche d'entendre les pas de Noah.

C'est pour ça que je sursaute quand il m'enveloppe dans quelque chose de chaud.

— Tiens, mon blouson, dit-il.

Je m'en débarrasse d'un brusque mouvement d'épaules.

— Non !

J'ai presque hurlé et je pivote pour le regarder aussi crânement que possible.

— Tu ne peux pas débarquer de nulle part et faire comme si tout allait bien ! Tu as disparu, sans la moindre explication, à part ce stupide mot.

— Je sais...

— Tu as ignoré mes messages.

— Je sais.

— Tu as même interdit à ta grand-mère de te contacter. Je sais qu'on ne sort plus ensemble, mais tu aurais pu faire savoir, au moins aux gens qui t'aiment, que tu étais en bonne santé.

— Penny...

— Et qu'est-ce que tu viens faire *ici* ?

Je commence à trembler, d'abord doucement, puis de plus en plus fort. Il pleut des cordes et même le blouson de Noah ne pourrait rien contre les rafales de vent.

— Laisse-moi une chance de t'expliquer, plaide Noah, je te dirai tout.

On se dévisage, face à face, un long moment. Tellement longtemps que ça pourrait durer des heures.

Je finis par détourner le regard.

— C'est bon, dis-je en lâchant un soupir. Allons-nous mettre à l'abri.

Chapitre Vingt-Six

Dans le cottage, tandis que je pousse Noah vers le salon, Gemma lève les yeux de son livre.

— Tu peux rentrer te coucher, lui dis-je. On va rester là et prendre la relève pour Bella.

— OK.

Elle regarde Noah avec curiosité, mais elle ne dit rien. Elle a évidemment entendu parler du célèbre petit-fils de Sadie Lee, mais elle est trop professionnelle pour faire le moindre commentaire.

— À demain, alors, dit-elle en prenant son manteau avant de disparaître sous la pluie.

Le feu est presque éteint dans la cheminée. Noah s'agenouille devant, place quelques bûches et remue les tisons pour faire revenir les flammes. Pendant ce temps-là, je m'assois en frissonnant dans le canapé. J'attrape la couverture de fausse fourrure et je m'enveloppe dans sa chaleur en soupirant.

— Tu veux boire quelque chose ? me demande Noah quand le feu a recouvré sa vigueur. Quel est le remontant préféré des Anglais... une tasse de thé ?

Je fais non de la tête.

— Je n'ai pas envie de thé.

J'enlève mes talons pour glisser mes pieds dans le poil épais du tapis. Je sens le canapé s'enfoncer quand Noah s'installe à côté de moi, mais je ne tourne pas les yeux. Je regarde toujours mes pieds quand il commence à parler.

— Je veux tout t'expliquer, Penny, alors... je vais commencer par le début.

Il s'éclaircit la gorge, soupire et se lance :

— Après t'avoir laissée à Brighton, j'ai repris la tournée, mais ce n'était pas pareil. Je suivais le mouvement. J'avais cette chance incroyable de faire ce que je faisais et de découvrir tout un tas de choses nouvelles, mais ce que je voulais, c'était revenir en Angleterre et être avec toi. Mais je savais aussi que c'était injuste. On s'était mis d'accord pour être amis, tu avais besoin d'espace, tu voulais trouver tes marques, et je devais te laisser ta liberté. Je te le devais, même si je n'arrêtais pas − pas une seconde − de penser à toi. Mon nouveau manager est génial, au passage. Je lui dois une fière chandelle. Tu dois absolument rencontrer Fenella, un de ces jours, ma nouvelle agente. Tu vas l'adorer. Bref, elle s'est rendu compte que je n'étais pas très en forme et elle m'a suggéré d'écrire des textes pendant le voyage, de nouvelles musiques, mais j'en étais incapable. C'était... horrible. Non, pire que ça, c'était terrifiant. Je n'arrivais pas à jouer une note, même pas à réfléchir ; j'avais toutes ces sensations, tous ces sentiments, mais aucune mélodie, aucun mot n'en sortait. Quand Fenella a réalisé que je n'arrivais pas à travailler, elle m'a envoyé des démo d'autres artistes, pour m'aider à faire surgir mon prochain single. Mais je n'avais aucune envie de les écouter. Même sur scène, je commençais à baisser. Puis ça s'est mis à empirer. Un soir, avant un concert, j'ai commencé à boire. J'ai fini tellement bourré que je n'ai pas pu monter sur scène. Ils ont dû inventer une excuse. J'ai compris que ça ne pouvait plus durer, alors j'ai dit à Fenella que j'avais besoin d'un break.

Je lève les yeux et, cette fois, je cherche son regard.

— Je ne savais pas que c'était à ce point. Tu aurais pu me le dire. Même si nous sommes… ne sommes pas…

Je ne sais pas décrire ce que nous sommes, alors je renonce.

— Tu aurais pu m'appeler, j'aurais été là pour toi.

Il sourit.

— Je sais, Penny, je sais, mais ce n'était pas plus juste. Nous avons décidé de nous éloigner l'un de l'autre, parce que nous avions besoin de savoir qui nous étions l'un sans l'autre.

Je pense à mon stage chez François-Pierre Nouveau, à mes allers-retours à Londres sans angoisse. Je pense à mon amitié avec Posey. Je pense aux photos que j'ai faites en essayant de trouver mon style. J'ai beaucoup *grandi*, au cours de ces derniers mois sans lui. Mais c'est aussi grâce à lui. Sans la confiance qu'il m'a donnée, je n'aurais jamais autant avancé, je le sais. Ce n'est pourtant pas le moment de le lui dire. Alors je le laisse continuer.

— J'ai donc quitté la tournée. J'avais besoin d'un endroit où je pourrais trouver l'inspiration – et je ne voulais pas qu'on sache où j'étais. Pas même Sadie Lee. Pas même toi. Fenella était la seule à être au courant, mais elle avait l'interdiction formelle de me déranger, sauf en cas d'urgence.

— Ça a marché ?

— Oui. Enfin, pas au début, car j'étais vraiment dans un sale état. J'ai passé des journées entières, avachi sur le canapé à regarder des séries en boucle, à me demander quelles conséquences mon abandon de la tournée allait avoir sur ma carrière, si on m'inviterait encore à rejoindre un groupe. Puis j'ai eu un déclic. Indigestion de pizzas, trop d'épisodes de *Breaking Bad* d'un coup ? Je ne sais pas. Ce que je sais en revanche, c'est que j'en ai eu marre de me voir dans cet état pitoyable. Je me suis dit que je ne sortirais pas de ma retraite sans avoir pondu au moins cinq bonnes chansons, des chansons qui me plaisaient vraiment. Alors j'ai commencé à écrire, écrire, écrire. J'étais comme halluciné. Je ne pouvais plus m'arrêter. J'étais de nouveau inspiré, créatif, concentré.

Il hoche la tête, heureux de ce souvenir.

— J'ai terminé il y a quelques jours. J'avais une vingtaine de chansons détestables, une dizaine qui me plaisaient, et cinq que j'adorais. J'étais prêt à revenir. J'ai appelé ma grand-mère en premier. C'est là que j'ai appris qu'elle était à Brighton avec Bella. Elle m'a parlé du mariage, m'a raconté cette expédition en Écosse, et je me suis dit que j'allais te faire la surprise.

— Alors ça n'a rien à voir avec Callum ?

— Callum ? Qui est Callum ? Le type avec qui tu dansais ?

J'ai beau n'avoir aucune raison de me sentir gênée, je rougis.

— C'est OK, Penny. Je me doutais que tu risquais de trouver quelqu'un d'autre. Rien ne t'obligeait à m'attendre, exiger le contraire aurait été injuste. Il a de la chance...

— Non, ce n'est pas ça...

Je cherche comment lui expliquer, mais c'est trop compliqué, alors je secoue la tête.

— Et nous, qu'est-ce qu'on est ? Que veux-tu qu'on soit ?

Il me prend la main.

— Ce que tu voudras, Penny. Je veux seulement refaire partie de ta vie, et que tu refasses partie de la mienne. Si c'est en tant que petit copain, génial ! Si c'est seulement en tant qu'ami... je peux vivre avec. En fait... je me suis prouvé que je ne pourrais pas vivre *sans*.

Ce sont les mots que j'espère entendre depuis tellement longtemps, mais je sais aussi qu'on ne peut pas recommencer tous les deux. Tout ce qui nous a séparés la dernière fois — la carrière de Noah, mes propres ambitions, sa célébrité et surtout, la distance —

est toujours là. De ce point de vue, rien n'a changé. Mais être amis ? *Ça, c'est* possible.

Ici, loin du mariage, de la scène et de tous les spectateurs, je me sens plus détendue et ma colère a disparu. Que sais-je de la pression que subit Noah ? Je suis seulement contente qu'il soit là. Il va bien. Il est heureux. Et nous sommes réunis.

— Bien sûr que je veux être ton amie, lui dis-je. Je ne pourrais pas vivre sans, moi non plus.

— Super.

Son sourire est sincère – malgré la déception que je lis dans ses yeux.

— Et si tu veux aller plus loin…

— Je te le dirai, je réplique en souriant.

Et, n'y tenant plus, je le serre dans mes bras. Il me rend mon étreinte et, pendant un instant, l'univers entier me paraît réconcilié.

— Tu restes l'amour de ma vie, Penny, murmure Noah à mon oreille. Pour toujours.

Chapitre Vingt-Sept

En me réveillant le lendemain matin, j'ai l'impression, sous le dais de mon lit, de flotter dans une lumière dorée. Dehors, le ciel est gris-rose et des particules de poussière scintillent dans les rayons de soleil qui parviennent à transpercer la brume. Le cottage est silencieux, comme s'il reprenait son souffle après les événements délirants de la nuit dernière. Il fait froid aussi. Je remonte la couverture sous mon menton et je m'enfonce dans la chaleur douillette du lit. Je n'ai pas envie de me lever tout de suite.

Du coin de l'œil, j'aperçois le masque que je portais hier, abandonné par terre.

Hier.

Une journée qui a filé en un clin d'œil et qui pourtant semble en même temps avoir duré une éternité.

Je n'arrive pas à croire que je dors sous le même toit que Noah. Il est revenu. J'ai presque envie de me pincer tellement c'est incroyable.

Je pense à notre conversation d'hier et une agréable sensation de chaleur me traverse de la tête aux pieds. C'est bon de le revoir et de parler avec lui. Quelque chose pourtant me titille. Est-ce vraiment par hasard qu'il a réapparu pile au moment où je dansais avec un autre ? Il ne pouvait pas savoir que je n'étais pas emballée, que j'allais tout arrêter avant d'aller plus loin. Il ne savait pas ce que j'avais déjà compris, que Callum n'est pas pour moi. Il a dit que c'était OK – et même qu'il s'en doutait – mais ce n'est pas très... loyal.

Comment peut-il penser que je serais prête à... ?

Et même *si* j'étais prête, comment peut-il se permettre de débarquer et de tout ruiner ?

Apparemment, je n'ai pas aussi bien digéré son absence que je l'aurais cru. Je suis contente de le revoir, oui, mais je ne suis pas du tout disposée à renouer autre chose qu'une amitié.

En plus, je n'arrive pas à me défaire de l'impression qu'il ne me raconte pas tout. Il garde quelque chose pour lui. Quelque chose d'important. Un élément qui rendrait toute l'histoire de sa disparition un petit peu moins bancale.

La vibration de mon téléphone m'oblige à sortir le bras de sous ma couette. J'ai reçu plusieurs textos – de Megan, de Callum, de ma mère –, mais le dernier vient d'Elliot. C'est lui que je lis en premier.

Elliot : Réveillée, ma belle petite Écossaise ?

Penny : Oui !!!

Je me redresse au moment où on frappe doucement à ma porte.

— Entrez !

Elliot passe la tête par l'entrebâillement, puis se
faufile à l'intérieur de la chambre comme une petite
souris. Il pose deux tasses de thé sur la table de chevet
et se glisse à côté de moi sous la couette.

— Alors... Comment ça s'est passé ? Raconte !
Pennoah est de retour ?

Je veux lui donner un coup d'oreiller, mais il
l'esquive et me fait un sourire triomphant.

— Ça n'existe *pas* Pennoah ! Ni comme nom,
NI comme concept.

Son sourire s'efface immédiatement pour laisser
place à un froncement de sourcils.

— Tu vas bien ?

— Oui, ça va. C'est moi qui ai pris la décision
de ne pas recommencer.

— Ah bon ? Et son break créatif, il t'en a parlé ?

— En fait, il allait vraiment très mal et il avait
vraiment besoin de cette coupure.

— Aïe, mais tant mieux si ça l'a aidé.

— D'après lui, sa réapparition hier soir n'est qu'une
coïncidence ; il était prêt à revenir.

— Ben tiens ! Il se manifeste juste au moment
où tu danses avec Callum, et juste après que tu me
l'as présenté. Coïncidence ? Mon œil !

Je hausse les épaules.

— C'est ce qu'il dit.

— Hum. C'est à cause de Callum que tu ne veux
pas ressortir avec lui ?

— Non. Franchement, je ne crois pas que Callum soit fait pour moi, et je m'en suis rendu compte avant l'arrivée de Noah. Je vais devoir trouver le moyen de le repousser gentiment.

— Alors ni Callum ni Noah, c'est ça ?

— Oui, c'est ça. Rien que Penny pour l'instant.

— Rien-que-Penny-pour-l'instant, c'est cool. Elle peut compter sur le soutien d'Alexiot. Tu pourrais t'appeler PenPo...

— Je n'ai pas besoin d'un surnom pour mon couple avec moi-même !

— Et pourquoi pas ? Tu pourrais lancer la mode « je m'aime et j'adore vivre avec moi ! » Imagine tous les célibataires célèbres qui pourraient te rejoindre... *LeaBro, TaySwi, HarSty...*

Je lui donne des coups de coussin pendant qu'il énumère des noms connus et on finit dans un fou rire.

— Bon, je reprends quand on s'est calmés, l'Écosse te réussit ?

— À merveille ! On a déjà vu des tas de choses avec Alex et il y en a encore des tonnes à voir. J'ai hâte d'aller à l'île de Skye et découvrir tout ce que l'Écosse a encore à offrir. J'ai discuté avec ta mère aussi. Elle est d'accord pour m'héberger chez vous le temps que les choses se tassent chez moi. J'ai envoyé un texto à ma mère. On ne peut pas dire que cet arrangement lui fasse plaisir, mais elle ne s'y oppose pas. Elle a plus ou moins recouvré ses esprits.

— Tant mieux.

— J'ai seulement besoin de respirer. C'est étouffant, chez moi. Mais bon, assez parlé de moi. Comment vas-tu t'y prendre avec Callum ?

— Je n'en ai aucune idée.

— Je ne l'ai vu qu'un millième de seconde, mais il ne m'a pas donné l'impression du type qui a l'habitude de se prendre des vestes.

— Tu l'as dit.

Je soupire encore quand Elliot, tout d'un coup, se redresse pour renifler comme un limier.

— Ça sent le bacon ? Viens, j'ai une faim de loup !

Les discussions vont bon train dans la cuisine, mais dès qu'on entre, tout le monde se tait et ma mère, mon père, Sadie Lee et Alex se tournent vers moi. Il ne manque que Noah et Bella.

— Bonjour, dis-je aussi joyeusement que possible.

— Tout va bien, chérie ? me demande ma mère.

— Parfaitement bien. Ça n'a jamais été mieux. Oh, papa, tu as fait des œufs ?

Tout le monde ayant constaté que je suis normale – et pas une loque ravagée, ou une hystérique déchaînée –, les discussions reprennent. Mais au fond de moi, c'est une tout autre histoire. Je suis à l'affût du moindre signe de Noah – le bruit de ses pas dans l'escalier, l'apparition de sa tignasse brune au coin de la porte. Mais c'est mon odorat qui (malgré l'odeur de bacon grillé) remporte la palme. L'eau de Cologne de Noah envahit la cuisine avant lui, et mon cœur se met à battre comme un forcené.

— Bonjour, tout le monde, lance-t-il d'un ton aussi décontracté que d'habitude.

— Noah ! s'exclame ma mère en se levant pour l'embrasser avec enthousiasme.

Elle a dû rentrer trop tard, cette nuit, pour avoir eu l'occasion de le croiser.

— Quel plaisir de te revoir. J'espère que tu te sens… régénéré ?

— Oui, merci beaucoup, Dahlia. Mais pour l'instant, j'ai surtout une faim de loup. Qu'est-ce que vous nous avez préparé de bon, Rob ?

Ma mère éclate de rire.

— Assieds-toi, Noah, le petit-déjeuner est presque prêt. Mais j'ai bien peur de ne pas pouvoir me joindre à vous. Je dois filer au château mettre un peu d'ordre et vérifier qu'aucune catastrophe n'est survenue pendant la nuit !

— Tu dois vraiment partir, maman ?

Elle soupire de façon dramatique.

— Hélas, mais je te verrai avant ton départ avec Elliot et Alex.

— J'espère bien !

Noah se tourne vers moi.

— Tu pars ?

— Elliot et Alex ont organisé un circuit écossais pour leur dernier jour, ils m'ont demandé de les accompagner au lieu de rentrer directement à Brighton avec mes parents.

— Oh, ça a l'air sympa.

Oh là là, est-ce que je l'invite ? je me demande avec angoisse.

Mon père parle avant moi.

— Et toi, quels sont tes projets, Noah ?

237

— Bah, je ne sais pas trop. J'ai des choses à voir avec grand-mère, alors je vais rester un peu dans les parages, puis je vais sans doute me mettre en quête d'un studio d'enregistrement, pour travailler quelques titres. J'espérais avoir le temps de discuter avec Penny, mais si elle n'est pas là...

Il rentre déjà à New York ? Mon cœur se serre, mais je ne sais pas si c'est de tristesse ou de soulagement. Je ne sais pas non plus quoi dire. Je suis heureusement sauvée par la vibration de mon téléphone. Je sens le regard de Noah posé sur moi pendant que je lis mon texto.

— Oh, ça alors !

— Quoi ? demande Elliot.

— C'est Posey ! Je crois... je crois que Leah l'a aidée !

Je tourne mon téléphone vers Elliot pour qu'il puisse lire le message.

Posey : Tu ne devineras jamais, Penny ! On a eu notre première répétition, hier et, comme des élèves de dernière année étaient invités, il y avait un public et... j'ai joué ! sans avoir le trac !!!

— Beau travail, Penny ! salue Elliot.

Je réponds à Posey, un sourire jusqu'aux oreilles.

Penny : C'est génial ! Comment as-tu fait ?

Posey : C'est dingue... je me suis servie de la technique de Leah, tu sais, l'arbre ? Eh bien ça a marché ! Avant d'entrer en scène, j'ai imaginé l'arbre en moi et ses racines qui me rattachaient à la scène. Quand ça a été mon tour, je n'ai pas eu peur. Au lieu de m'angoisser à l'idée de décevoir tout le monde, j'ai compris que je n'étais pas toute seule : je faisais partie d'une troupe, j'allais rejoindre les autres, alors j'ai avancé. Je crois que c'est ça qui m'effrayait tellement : penser que toute l'attention était sur moi. Mais un spectacle, c'est collectif, tout le monde est concerné. Écouter Leah m'a aussi permis de comprendre autre chose : en tant que soliste, elle subit bien plus de pression que moi, alors j'étais obligée d'être plus solide et plus courageuse ;)

Penny : Génial que tu aies trouvé la parade ! Mais n'imagine pas que tu n'es pas aussi courageuse que Leah. Elle est unique et toi aussi ! ça veut dire que tu acceptes le rôle ?

Posey : Peut-être !

Penny : Va pour « peut-être », c'est toujours mieux que ce que tu disais jusque-là !

— J'aimerais tellement être avec elle et la serrer dans mes bras !
— Qui est Posey ? demande Noah.
— C'est…
Par *où* commencer ? Comment lui expliquer tout ce qui s'est passé au cours du seul dernier mois ? Je m'aperçois que tellement de choses ont changé pendant qu'il n'était pas là. J'ai du mal à lui parler,

c'est trop difficile... J'ai même du mal à le regarder. Tandis que je lutte pour me ressaisir, tout à coup, les émotions que tout le monde s'attendait à voir tout à l'heure, les émotions que je retiens depuis si longtemps, remontent à la surface.

— Je... C'est...

Mais je ne peux plus rester dans la même pièce que lui. C'est au-dessus de mes forces.

Alors je repousse ma chaise, j'attrape mon manteau à côté de la porte et je cours. Je cours et je continue de courir jusqu'au lac, au bord duquel je m'effondre, à côté du pont.

Tandis que les larmes me piquent les yeux, je me répète obstinément d'être moins stupide : elles sont uniquement dues aux rafales de vent qui soufflent sur l'eau, pas au retour intempestif de Noah. *Tu as eu des mois pour te remettre de cette histoire, Penny Porter.*

Il veut revenir avec toi, dit une autre voix dans ma tête — mais celle-ci moins sensée que l'autre. *Tu devrais être avec lui. Vous êtes faits l'un pour l'autre.*

Mais il t'a tourné le dos, reprend fermement la première voix, *et tu t'en es très bien sortie toute seule. Tu es PenPo, célibataire et fière de l'être, tu te rappelles ?*

Je baisse les yeux sur mon reflet. Mes cheveux flamboient dans le soleil matinal et le vent les agite furieusement. Derrière moi, la forêt explose de tons orange, bronze et rouges.

C'est l'automne et, comme Noah le dit si bien dans sa chanson, je suis sa « fille d'automne »... Quant à savoir si c'est « pour toujours », ça reste à prouver.

Chapitre Vingt-Huit

Quand je reviens au cottage, j'évite la cuisine pour monter droit dans ma chambre. Elliot ne met pas longtemps à pointer son nez.

— Noah est parti avec Bella et Sadie Lee, m'annonce-t-il, si tu veux descendre...

— Merci, Wiki.

La tête baissée, je triture un fil qui dépasse de la couette. Je sens le matelas s'enfoncer sous le poids d'Elliot.

— Écoute, on ne t'en voudra pas, Alex et moi, si tu décides de rentrer avec tes parents. Ces deux derniers jours ont été plutôt raides pour toi. Mais je sais que tu vas t'en sortir.

— Vous ne m'en voudrez pas, vraiment ?

— Absolument, répond-il gentiment.

C'est comme s'il avait lu dans mes pensées. Je ne veux pas rester ici – même si l'idée de rentrer à Brighton me déprime.

Je souris avant de me rappeler mon deuxième souci.

— Et Callum ? Je n'ai pas été hyper cool avec lui…

— Il a cherché à te joindre ?

— Oui, il m'a envoyé un texto pour savoir comment je vais. J'imagine que je lui dois des excuses.

— Tu ne lui dois rien du tout, Penny, mais une explication te soulagerait certainement.

— C'est vrai. Je vais demander à mon père s'il veut bien s'arrêter chez lui avant d'aller à l'aéroport.

Il me serre dans ses bras, puis il s'en va pour me laisser ranger mes affaires. La seule chose que je n'arrive pas à caser dans ma valise (elle est minuscule), c'est la robe que je portais au bal. Alors je la glisse sur mon bras et, après un dernier coup d'œil dans la chambre, je descends l'escalier.

— Tu rentres avec nous, Penny ? me demande ma mère devant la porte de la cuisine.

— Oui, si ça ne vous dérange pas.

— Bien sûr que non !

Elle m'embrasse tandis que mon père prend ma valise pour la mettre dans la voiture.

— On peut s'arrêter chez les parents de Callum, en passant ? Je dois lui parler.

— Pas de problème. Tu as ramassé toutes tes affaires ? On voudrait partir tout de suite.

— Je suis prête.

J'aide mes parents à charger la voiture, puis j'embrasse Elliot et Alex. Je m'en veux de ne pas avoir salué Bella et Sadie Lee, mais je sais que j'aurai l'occasion de les revoir avant leur départ pour New York.

Le trajet jusqu'au manoir des McCrae n'est pas très long, ça ne m'empêche pas d'avoir tout le temps de me ronger les ongles en me demandant ce que je vais dire à Callum. Je dois m'excuser d'avoir disparu de cette façon, mais dois-je le faire de ne pas éprouver les mêmes sentiments que lui ?

Mon père gare notre petite voiture de location entre deux Range Rover rutilantes et me dit qu'ils vont m'attendre ici. Je descends de voiture et, tandis que mes pas crissent sur le gravier jusqu'au perron, je suis soulagée d'avoir le prétexte du décollage imminent pour ne pas m'éterniser.

Je sonne et je recule, les mains enfoncées dans les poches de mon jean.

C'est heureusement Callum qui ouvre la porte.

— Salut, dis-je tout de suite.

— Oh, salut, répond-il.

Il s'appuie au mur et ne m'invite pas à entrer, mais je préfère.

— Je voulais m'excuser pour hier soir. C'était vraiment... n'importe quoi.

Il se détend et décroise les bras.

— Viens par-là, me dit-il en me montrant le côté de la maison, si on entre, mes frères vont nous tomber dessus.

Nous faisons le tour de la maison et je découvre, au-delà du jardin, une vue splendide sur les collines jusqu'à la côte. Nous nous arrêtons à côté d'une antique barrière de bois, de l'autre côté de laquelle paissent des moutons.

— Alors... comment vas-tu ? me demande-t-il.

— Ça va. Je ne m'attendais pas du tout à cette surprise et je n'ai pas hyper bien réagi.

— C'est compréhensible. Débarquer de cette façon, quel culot !

Il serre les poings, mais les relâche aussitôt.

— Et donc, vous êtes ensemble ?

— Non, pas exactement... Enfin, je... Je ne sais pas.

Il s'adosse à la barrière.

— Ça veut dire qu'on peut se revoir ?

Il me regarde, les yeux brillants d'espoir.

C'est le moment – difficile – que je redoutais, mais je sais qu'il vaut mieux aller vite, comme lorsqu'on enlève un sparadrap.

— J'ai besoin de savoir où j'en suis. On peut... rester amis ?

Il baisse la tête.

— J'imagine que je vais devoir m'en contenter, dit-il avant de relever les yeux. Mais... tu vas quand même me filer tes tuyaux sur les portraits, hein ?

Son regard est de nouveau pétillant et il sourit.

— Bien sûr ! dis-je en souriant moi aussi.

Quel soulagement ! Je l'embrasserais presque de me rendre les choses aussi faciles.

— Tu veux faire une balade ? Tu n'as pas vu la petite cascade dont je t'ai parlé...

— Oh, je ne peux pas. On a un avion à prendre et mes parents m'attendent dans la voiture.

Il se rembrunit et, à la façon dont il s'écarte brusquement de la barrière, je comprends qu'il est de nouveau contrarié. Je le serais aussi à sa place. J'ai beau vouloir le décourager, je me rends bien compte que je reste aimable, et finalement j'ai l'impression de le faire marcher.

— OK, dit-il avant de partir vers la maison.

On se sépare sur son perron, et il regarde la voiture s'éloigner en nous saluant de la main.

— Alors, me demande ma mère quand on arrive sur la route, tout s'est bien passé ?

— Oui, super, je réponds en posant la tête contre la vitre.

Avec Callum, c'est simple et direct – il veut me revoir – tandis qu'avec Noah... ?

???

Je ne sais *même pas* ce que j'éprouve !

Et je suis tellement embrouillée que je suis incapable de réfléchir. J'ai besoin de prendre le large. De me concentrer sur ce qui *me* rend heureuse, pas sur le mélodrame qu'est en train de devenir ma vie.

Heureusement, j'ai une idée. Et je vais avoir besoin de Posey pour m'aider à la mettre en œuvre.

Chapitre Vingt-Neuf

De : Melissa.Iwobi@AgenceNouveau.com
À : Penny Porter

Celles-ci sont FORMIDABLES, Penny. Je crois que tu tiens le bon bout. Continue de travailler ! Je sais que tu vas y arriver ;)

Mel xx

PS : j'en ai montré deux à FPN et il a *opiné*, ce qui signifie, comme tu le sais, qu'il approuve la direction que tu prends.

Je ferme le message de Melissa, un grand sourire aux lèvres. Elle m'a donné la petite dose de confiance qui me faisait cruellement défaut – et l'impulsion pour mettre mon plan en action.

J'en ai parlé à mes parents pendant le vol et j'étais tellement préoccupée par la façon dont j'allais m'y prendre que je n'ai presque pas pensé à ma phobie de l'avion. Posey — qui sort tout juste de sa *deuxième* répétition sans trac — m'attend. Je lui ai demandé de m'accompagner à la National Gallery, cet après-midi. C'est là que je veux commencer la nouvelle série photo que j'ai en tête.

— Tu ne veux vraiment *rien* me dire de ton projet ? me demande-t-elle pour la seconde fois.

— Non, c'est trop tôt, dis-je en riant. Mais le moment venu, tu sauras tout. Ce dont j'ai besoin pour l'instant, c'est que tu m'aides à repérer les jeunes collés sur leur téléphone.

— OK.

On traverse Trafalgar Square, bondé de touristes qui se reposent au pied de la colonne de Nelson, ou qui admirent les quatre statues de lion qui l'entourent. On les reconnaît aux énormes appareils photo qu'ils portent autour du cou. Je me demande combien d'entre eux savent se servir de leur impressionnant (et coûteux) matériel. Si je ne deviens pas photographe, je pourrais toujours donner des cours aux amateurs, ou devenir professeur. Puis je pense à toutes les fois où je suis sortie avec mon appareil en bandoulière. J'ai dû passer pour une touriste, moi aussi !

On grimpe les marches de la National Gallery.

— Je reste étonnée de te savoir ici, reprend Posey. Tu n'étais pas censée être quelque part en Écosse ?

— Si, près d'Inverness. Mais le mariage était fini, il fallait bien que je rentre. Je n'avais aucune envie de rester, de toute façon.

Je me mordille la lèvre.

— Noah est revenu.

— Ah bon ?

— Oui, il a débarqué au beau milieu du bal. J'étais choquée. Je n'ai pas pu lui parler, enfin pas vraiment.

— Oh.

Elle voit que j'ai les joues en feu et elle n'insiste pas.

— Si on allait par là ? demande-t-elle à la place.

Elle me montre, dans la première salle, un groupe d'adolescents – apparemment une classe en sortie éducative. On se rend compte, en approchant, qu'ils sont français. Ils sont assis devant une immense peinture du XVIe siècle, représentant une bataille, et ils sont tous penchés sur leurs téléphones portables.

— Pile ce que je recherche ! dis-je à Posey.

À côté de moi, une dame d'un certain âge fixe les élèves d'un air scandalisé. Elle fait « tss-tss » à sa copine et, tandis qu'elles s'éloignent vers la salle suivante, je les entends pester contre « cette génération ».

Elle parle de *ma* génération, celle qui est toujours « vissée » sur un écran.

Sauf qu'en passant de l'autre côté du groupe avec Posey, je baisse les yeux sur un des téléphones et je m'aperçois qu'ils sont branchés sur l'appli de la National Gallery. Ils sont complètement absorbés par le texte concernant la peinture devant eux.

« Cette » génération, en effet. La génération collée à son téléphone pour… communiquer, jouer, se connecter et pour apprendre, aussi.

Une élève croise mon regard et je lui souris. D'habitude, je déteste parler aux inconnus, mais si je veux devenir une grande photographe, j'ai intérêt à surmonter mes scrupules et dominer mes nerfs.

— Salut, tu parles anglais ? je lui demande.

— Oui, je parle anglais, répond-elle sans le moindre accent.

— Heu, je peux prendre une photo de votre groupe ? Je travaille sur un projet au lycée et j'aimerais bien que vous en fassiez partie.

Le visage de la fille, étonnamment, s'éclaire.

— Oh, oui, bien sûr ! *Eh, les mecs, écoutez !* crie-t-elle en se tournant vers ses camarades. *Elle veut prendre une photo de nous...*

Ils commencent tous à se positionner, comme pour un truc officiel, et j'éclate de rire.

— Non, non, pas la peine de poser ! Restez comme vous êtes, comme si je n'étais pas là, OK ?

Ils haussent les épaules et replongent dans leur appli, sans plus se soucier de la drôle de fille avec son appareil. Je prends quelques photos puis je dis « *merci* » à la fille à laquelle j'ai parlé et je pars avec Posey.

— Tu as ce que tu voulais ? me demande-t-elle.

— Je crois.

— Tu ne veux toujours pas me dire de quoi il s'agit ?

Je pose un doigt sur ma bouche et je lui fais un clin d'œil.

— Toujours pas. Mais tu seras la première au courant. Promis.

Elle rit.

— J'espère bien ! Bon, je meurs de soif. On va boire un truc ?

— Ça marche ! Mais pas n'importe où. Il faut fêter le succès de tes répétitions ! Tu as une idée ?

Elle sourit.

— Ça va te sembler débile, mais... chez McDo ?

J'éclate de rire.

On traverse Trafalgar Square à une allure record pour s'engouffrer dans le premier restaurant et, après avoir commandé deux milkshakes, on grimpe sur les tabourets de plastique rouge, du haut desquels, comme à dix ans, on laisse ballotter nos jambes.

— Tu as raconté ta réussite à Leah ? Elle va être super heureuse.

— Pas encore. J'ai trop peur de tenter le diable.

— OK, tu lui diras après le spectacle, alors !

Mon téléphone sonne et, en voyant qui m'appelle, je pousse un cri.

— Qui est-ce ? demande Posey.

— En parlant du loup...

Je tourne l'écran pour qu'elle puisse voir le nom qui s'affiche : « Leah Brown ».

— Waouh, c'est dingue !

— Ne t'inquiète pas, je ne vais rien lui dire. Allô, Leah ?

— Salut, Penny.

Sa voix est abattue.

— Qu'est-ce qui se passe ? Tout va bien ?

Mais j'ai déjà compris que ce n'est pas le cas.

— Ma maison de disques pète un câble. Je dois téléphoner à tous ceux qui sont passés au studio dernièrement.

— Pourquoi ? Que s'est-il passé ?

Un long silence me répond, suivi d'un soupir.

— C'est mon album. Mon single a été piraté et on le trouve partout sur Internet.

Chapitre Trente

Posey est livide, et nos milkshakes abandonnés fondent tristement dans leurs gobelets. Tout de suite après le coup de téléphone de Leah, j'ai appelé Megan pour lui dire de nous rejoindre.

— Je n'arrive pas à y croire, répète Posey pour la centième fois. Qui a pu faire une chose pareille ?

— Je n'en ai pas la moindre idée.

En attendant Megan, je tape « chanson piratée de Leah Brown » sur Internet. J'obtiens des centaines de liens vers un tas de sites de commérage ou de musique. Il semblerait que la fuite ne provient pas d'un site de téléchargement, mais de quelqu'un qui a envoyé un fichier audio par e-mail à un journaliste. S'il s'agissait de n'importe quel autre artiste, la mauvaise qualité de l'enregistrement aurait découragé les gens. Mais cette chanson est tellement différente de ce que fait Leah d'habitude, tellement forte et inattendue, et Leah est tellement célèbre, que le réseau est devenu complètement dingue. Il y a des pages et des pages de liens vers la copie pirate. C'est déjà incontrôlable − la maison de disques de Leah ne pourra jamais rattraper le coup, quels que soient l'argent ou les moyens qu'elle y mettra.

Le seul point positif, c'est les commentaires sur la chanson. Les gens l'adorent − et ils veulent la version complète. J'écoute un extrait, mais je ne reconnais pas ce que Leah nous a chanté quand nous sommes allées la voir au studio. L'étau qui me serrait la poitrine se relâche brutalement, ça ne peut pas être l'une d'entre nous.

— J'espère qu'elle ne pense pas que ça pourrait être moi, dit Posey d'une voix tremblante.

Je lui prends la main.

— Bien sûr que non. Aucune de nous ne ferait une chose pareille.

— Salut, les filles !

Je lève les yeux pour voir Megan arriver, le visage resplendissant. Elle a heureusement l'air d'avoir réactivé son gène « gentillesse » depuis la dernière fois, parce qu'elle nous embrasse, Posey et moi, comme du bon pain.

— Alors, que se passe-t-il de si urgent pour me faire courir jusqu'ici ?

— J'ai reçu un appel de Leah Brown.

Je m'arrête et je prends mon souffle en scrutant le visage de Megan.

— Quelqu'un a piraté une chanson de son prochain album et l'a balancée sur Internet.

Megan grimpe sur un tabouret, la main sur sa bouche.

— Sans blague ? C'est grave ?

— En tout cas, ce n'est plus confidentiel. Elle veut s'assurer qu'on n'y est pour rien.

— Bien sûr qu'on n'y est pour rien. Elle a dit qu'on n'avait pas le droit d'enregistrer.

— Je sais. C'est sa maison de disques qui lui a dit d'appeler tous ceux qui étaient passés au studio au cours des dix derniers jours. Je ne suis pas sûre qu'ils puissent faire grand-chose de plus.

Megan se détend, ses épaules se relâchent, tandis que les yeux de Posey s'emplissent de larmes.

— Eh, pas la peine de pleurer, lui dit Megan gentiment.

— Je ne supporte pas l'idée que Leah puisse penser qu'on aurait pu lui faire une chose pareille. Elle a bien assez de soucis comme ça et elle s'est montrée tellement sympa avec nous.

— Les fuites ne sont pas toujours une mauvaise chose, non ? Le pire, c'est de n'avoir aucune publicité. Avec ça, au moins..., réplique Megan.

Je plisse le front.

— Alors là, je peux t'assurer que ça n'est pas vrai *du tout*.

— OK, OK, mais, hé... ce n'est pas la première chanteuse à se faire pirater ! Et ce ne sera certainement pas la dernière !

— Ça ne rend pas cette fuite moins grave !

— Je ne dis pas que ce n'est pas grave, seulement qu'elle s'en remettra.

J'échange un regard avec Posey et j'opine. Megan a raison. Une chanson piratée ne va pas ruiner la carrière de Leah. Mais je suis bien placée pour savoir à quel point elle s'investit dans son travail, et c'est la première fois qu'elle aborde des thèmes aussi intimes. En plus, comme Noah, c'est une perfectionniste – rien ne doit être diffusé tant que le travail n'est pas jugé accompli.

Mon téléphone recommence à sonner et on se penche toutes les trois sur l'écran. C'est de nouveau Leah. Je fais signe aux filles de se taire pour que je puisse l'entendre parfaitement.

— Allô ?

— Salut, Penny, c'est encore moi. Avec des nouvelles. Pas très bonnes.

— Je t'écoute, dis-je, la gorge complètement nouée.

— Les techniciens ont travaillé l'enregistrement pour le rendre parfaitement clair, et je me rappelle exactement quand je l'ai chantée. C'était pendant *notre* rendez-vous à Londres. J'en suis absolument certaine.

— Mais… Comment est-ce possible ? Je n'ai jamais entendu cette chanson, je t'assure. Elle ne fait pas partie de celles que tu nous as chantées.

Posey devient toute blanche et Megan avale sa salive.

Quant à moi, j'ai le cœur qui bat à toute allure.

— Si, Penny, fais-moi confiance, je l'ai bien chantée ce jour-là. C'était une version particulière. Tu étais peut-être montée installer ton appareil photo ? Quoi qu'il en soit, le fait est que je l'ai chantée quand vous étiez là et que ça doit être une de tes amies.

— Sérieusement ?

Je suis tellement choquée que ma voix tremble.

— Je suis désolée, Leah, désolée...

— Écoute, je dois te laisser. Je dois réfléchir... à ce que je vais faire. Je te rappelle.

— OK, dis-je d'une voix blanche, mais elle a déjà raccroché.

Je regarde mon téléphone, éberluée, puis je lève les yeux sur Posey et Megan. Elles ont toutes les deux l'air coupable et toutes les deux l'air innocent.

— Je... Elle...

Je n'arrive même pas à trouver mes mots.

— Quoi ? veut savoir Megan.

— Leah sait exactement quand elle a chanté cette version de la chanson. C'était pendant qu'on était avec elle.

— Mais je ne l'ai jamais entendue ! se défend Megan.

Je me rappelle maintenant. Elle est montée quand j'étais en train d'installer mon appareil, elle m'a demandé où étaient les toilettes. Ça ne laisse qu'une possibilité.

Mais c'est impossible.

On se tourne toutes les deux vers Posey.

— Je... je n'ai rien f... fait, bredouille-t-elle.

— Sauf que tu étais toute seule en bas, dit Megan. Comment Penny ou moi aurait-on pu enregistrer alors qu'on n'était même pas là ?

Sa voix est dure et je vois les larmes monter aux yeux de Posey, mais je ne peux pas compatir. Tout ce que j'éprouve, c'est... un vide.

Bientôt suivi d'un autre sentiment. Celui d'avoir été trahie.

— Penny, je t'assure, je ne ferais jamais...

— Ça ne m'étonne pas que tu n'aies pas voulu parler de tes progrès à Leah, je la coupe en frémissant quasiment de colère. Qu'est-ce que tu crois avoir gagné en vendant sa chanson à un journaliste véreux ?

Le visage de Posey vire du blanc craie au rouge pivoine et les larmes roulent maintenant sur ses joues.

— Je...

Elle ne termine pas sa phrase. Au lieu de ça, elle attrape son sac, saute du tabouret et s'enfuit en courant.

Je secoue la tête, incrédule et sidérée.

— Waouh ! lâche Megan.

— Je n'aurais jamais cru qu'elle soit capable d'un coup pareil !

— Je sais, c'est dur à croire, dit Megan. D'un autre côté, on ne peut pas dire qu'on sache vraiment qui elle est. Tu ne la connais que depuis quelques semaines...

— Oui, sans doute.

— Et elle est toujours super discrète à l'école, malgré son premier rôle.

Elle hausse les épaules.

— Madame Laplage est une super-école, mais l'ambiance est féroce et, finalement, Posey est comme les autres. Tous les élèves veulent être une star. Arriver en tête de la compétition, avoir un pied dans le milieu, les étudiants de madame Laplage sont capables d'aller très loin pour ça.

— Elle avait beaucoup plus à gagner en étant l'amie de Leah qu'en trahissant sa confiance. Je n'arrive pas à croire qu'on soit aussi stupide !

Je suis vraiment en colère. Pourtant, en dépit de mon exaspération, je ne peux pas m'empêcher de me sentir déstabilisée. Megan a mis le doigt sur une vérité désagréable : alors que je croyais connaître Posey, partager avec elle le genre de liens qui tissent des amitiés solides, je m'aperçois qu'en fait, je ne sais presque rien d'elle.

Je prends mon téléphone pour envoyer un texto à Leah.

Penny : C'est Posey. Elle était seule dans la pièce quand tu chantais.

Elle me répond presque aussitôt :

Leah : Waouh. Elle avait l'air tellement sympa. Je suis avec mes avocats pour décider ce qu'on fait. Je te tiens au courant.

Penny : Encore désolée...

La main de Megan qui se pose sur la mienne me sort de mes ruminations.

— Tu as fait ce qu'il faut, Pen. Il y a toujours des gens pour nuire aux stars comme Leah Brown.

Je me force à sourire.

— C'est vrai.

— Et si on allait faire du shopping à Covent Garden ?

— OK.

— Génial. Je vais te montrer ce maquillage qu'il me faut *absolument* !

Les magasins sont bien le dernier endroit où j'ai envie de traîner, mais j'ai deux heures à tuer avant de reprendre mon train, et ça va peut-être me remonter le moral. Megan m'attrape la main et m'entraîne avec elle dans l'animation du Strand. On file vers l'immense place de Covent Garden, un quartier de Londres que j'adore. Le ciel, pour une fois, est clair et dégagé – une magnifique journée qui me rappelle encore pourquoi l'automne est ma saison préférée.

Un jongleur de rue annonce son spectacle au milieu d'une foule de passants. Sa voix – portée par un micro – résonne contre les immeubles qui nous entourent, et on s'arrête nous aussi pour le regarder. Je suis obligée de me dresser sur la pointe des pieds pour le voir opérer au-dessus de la marée de têtes. Il lance des bâtons enflammés haut dans les airs, les rattrape au dernier moment (du bon côté), et Megan et moi relâchons notre souffle comme les autres spectateurs.

— Viens, me dit-elle après quelques minutes. Filons avant le reste de la foule.

Elle m'amène dans un magasin de maquillage ultra haut de gamme dont les grands miroirs me rappellent ceux que j'ai vus dans certaines loges pendant la tournée de Noah. Les produits sont très largement au-dessus de mes moyens, mais on s'amuse beaucoup à essayer une collection de rouges à lèvres et plein de fonds de teint.

— Essaie cette couleur, je suis sûre qu'elle va *trop* bien t'aller, me dit Megan en ouvrant un tube pour faire un test sur le dos de sa main.

C'est un très joli rose, vraiment, mais le prix est exorbitant.

— Je crois que je vais m'en passer pour l'instant, je lui réponds.

— OK, fais comme tu veux. Moi, je me fais plaisir. Laisse-moi juste le temps de choisir et on s'en va.

Quelques minutes plus tard, elle tend quatre ou cinq produits à une vendeuse, passe à la caisse sans broncher, puis glisse son bras sous le mien pour m'entraîner dehors.

— Alors, me demande-t-elle, que s'est-il passé avec Callum ? Tu devais le revoir en Écosse, non ?

— Oh…

Je ne peux pas m'empêcher de rougir, parce que j'ai beau être allée le voir avant de partir, je m'en veux encore de l'avoir quitté de cette façon.

— Il ne s'est rien passé, dis-je en repoussant ma culpabilité. La plus grande nouvelle, c'est surtout le retour de Noah.

— Quoi ? Attends un peu !

Elle m'arrête au milieu de la rue.

— Noah est revenu ? Et tu l'as vu ? Qu'est-ce qu'il a dit ? Et toi ? Vous vous êtes remis ensemble ?

J'éclate de rire.

— Laisse-moi répondre ! D'abord, *non*, on n'est pas ensemble.

— Ah bon ?

Elle fait la moue.

— Et on ne s'est pas vraiment parlé, parce que je suis revenue ici.

— Tu t'es débinée, tu veux dire.

— Non ! Je voulais faire une surprise à mon...

J'allais dire « amie », mais ce n'est plus le cas maintenant.

— Je voulais faire une surprise à Posey.

— *Et* tu voulais filer.

— D'accord, disons que je ne voulais pas traîner. Entre lui, Callum et le reste, c'était un peu... compliqué.

— Tu m'étonnes ! Je suis contente que tu m'en parles. Je suis sûre que tu vas tout arranger avec Callum. Il comprendra. Le véritable amour passe avant tout.

C'est à mon tour de faire la moue.

— Je ne suis pas sûre qu'un type qui disparaît, et ne donne aucune nouvelle pendant des mois, puisse être qualifié de « véritable amour ».

— Noah et toi, vous êtes faits l'un pour l'autre. Je le sais.

Sa certitude m'arrache un sourire.

— Tu peux rester discrète sur sa réapparition ? Je ne sais pas s'il veut que les gens sachent.

Elle pose un doigt sur ses lèvres.

— Ne t'inquiète pas, je suis une tombe.

— Merci.

— C'est dingue ! Enfin, si tu as besoin d'un conseil, côté Noah, tu sais à qui demander.

Chapitre Trente et Un

La mâchoire d'Elliot se décroche au-dessus de son bol de céréales.

— Hein ? Mais elle avait l'air tellement sympa !

— Je sais.

Je viens de lui raconter le piratage de la chanson de Leah – qu'il a déjà écoutée une centaine de fois.

— Au moins, la chanson est géniale. Je l'adore ! Je parie que tout le monde ne va parler que de ça, au lycée.

— À tous les coups...

— Tu es prête ? J'ai une méga-disserte d'histoire à préparer et je ne voudrais pas rater le début du cours.

— Oui, je suis prête.

On part ensemble et on se sépare, comme d'habitude, au coin de la rue (parce qu'on n'est pas dans le même lycée). Mais la routine a changé maintenant qu'Elliot habite chez moi : elle commence bien plus tôt. Il s'est installé dans la chambre de Tom, et ça me fait encore tout drôle de vivre sous le même toit que lui. J'adore, bien sûr, mais j'aurais préféré que ce soit dans de meilleures circonstances. Mes parents font tout ce qu'ils peuvent pour le mettre à l'aise et l'entourer. N'empêche, il traverse une période difficile.

À l'instant où je franchis la porte du lycée, je reçois un long message de Posey.

Posey : Chère Penny, je suis sûre d'être la dernière personne que tu veux voir et que tu me détestes autant que Megan, mais je voulais te dire que je n'ai jamais fait ce dont elle et toi m'accusez. Tu dois me croire. Je ne sais pas qui a piraté la chanson, mais ce n'est pas moi. J'espère que tu me répondras. Posey x

J'en ai l'estomac qui se retourne. Je voudrais la croire, mais la preuve est tellement flagrante. Je suis bien placée pour savoir que je n'ai rien fait, et l'alibi de Megan est solide : je l'ai vue en haut avec moi. Alors je ferme mon téléphone sans lui répondre.

La matinée se déroule à toute allure, tandis que je m'efforce de ne pas penser à cette histoire. C'est difficile, parce que Elliot a parfaitement raison : tout le monde ne parle que de la chanson de Leah. À la cantine, même Kira et Amara sont sur le coup.

— Si seulement on pouvait l'écouter sur Spotify, se lamente Kira au moment où j'arrive à leur table. Elle serait en premier sur ma playlist !

Les jumelles lèvent en même temps les yeux sur moi.

— Eh, Penny ! Tu es au courant de la dernière de Megan ?

— Megan ?

Je pose mon plateau, un peu déconcertée.

— Oui, elle organise une soirée ! Tu dois avoir une invitation dans ton casier.

Kira sort une enveloppe noire qui scintille sous la lumière des néons. Elle est fermée par un sceau – maintenant brisé – de cire rouge.

— Waouh ! dis-je en sortant le carton.

C'est une invitation pour une soirée Halloween dans une ferme à l'extérieur de Londres.

— Tu peux le dire ! Elle a invité quasi tous les terminales et, apparemment, une bonne partie des élèves de sa nouvelle école. Tu vas venir ? Je suis sûre que ton nouveau copain sera de la partie.

Je dissimule ma rougeur en contemplant l'invitation. Je n'ai pas encore eu le temps de les mettre au courant de la nouvelle situation.

— Hum, j'imagine. C'est une soirée déguisée ?

— Évidemment ! Depuis quand on fait une soirée d'Halloween sans costume ? réplique Amara. On devrait trouver un truc génial et y aller ensemble.

— Je ne sais pas... Ce n'est pas mon truc, les grosses soirées. Et je dois vérifier que je suis bien invitée.

Après le déjeuner, je file droit sur mon casier. J'y trouve, comme je m'y attendais, l'enveloppe noire dûment scellée. Je fais une photo que j'envoie à Megan. Une demi-seconde plus tard, mon téléphone sonne.

— Dis-moi que tu viens ! s'exclame-t-elle sans même me dire bonjour. Je ferai attention à toi, tu vas t'éclater. Je vais même veiller à te ménager une retraite en cas de besoin. Viens, s'il te plaît, ça me ferait tellement plaisir ! Et c'est super important pour moi. C'est l'occasion de marquer vraiment des points à l'école, et....

Elle reprend enfin son souffle.

— C'est la veille du spectacle. Mon grand début sur les planches !

Je sursaute de stupeur.

— Hein, que veux-tu dire ?

Elle baisse la voix, comme si elle était entourée de monde et ne voulait pas être entendue.

— Posey a déclaré forfait aujourd'hui. Elle ne jouera pas Maria. Elle dit que c'est à cause du trac, mais je crois plutôt que c'est la culpabilité.

— Waouh.

Je ne trouve rien d'autre à dire.

— Alors, tu vas venir ? reprend Megan. S'il te plaît !

— OK, je vais voir ce que je peux faire.

Elle pousse un hurlement.

— Tu vas voir, ça va être la soirée *du siècle* !

Chapitre Trente-Deux

— **A**lors, Elliot, ton avis ?

Il s'adosse à son siège et se caresse pensivement le menton, comme s'il avait une barbe énorme.

— À mon avis, vous avez l'air des trois sorcières les plus affreuses que j'aie jamais vues... mais je ne crois pas que ce soit le genre de costumes que Megan avait en tête.

Il a sans doute raison. Kira et Amara sont venues chez moi pour qu'on se prépare ensemble, et on a fait une razzia dans la collection de costumes de ma mère pour nous confectionner le déguisement le plus « sorciérifique » possible. On a décidé d'aller à la soirée sous les traits des trois sorcières d'*Hocus Pocus*, mon film d'Halloween préféré. J'incarne le personnage de Sarah Sanderson – interprété par Sarah Jessica Parker –, tandis que Kira est Winifred et Amara Mary. Alex nous a aidées à trouver le maquillage et les accessoires excentriques – des faux ongles ultra longs aux perruques crêpées extravagantes – et, en nous regardant dans le miroir, je me demande si on n'est pas allées un peu trop loin. Mais on n'a plus le temps de changer d'avis.

Kira glousse.

— J'ai vraiment l'impression d'être une sœur Sanderson.

— Attends, ta perruque est de travers, me dit Alex en venant arranger mes longues mèches blondes emmêlées.

— Qu'est-ce que tu vas faire si tu tombes sur Callum ? me demande-t-il.

Callum m'a envoyé un texto pour savoir si je venais à la soirée et si on pouvait discuter.

— Je vais lui parler une bonne fois pour toutes et être parfaitement franche avec lui. Au moins, sous tout ce maquillage, il ne verra pas à quel point je suis mal à l'aise.

Amara pointe son balai vers moi.

— On va s'amuser. *Tu* vas t'amuser. On ne va certainement pas laisser ce Callum nous gâcher la soirée.

— Dis-moi encore où ça se passe ? demande Elliot en regardant le carton d'invitation.

— Au sud de Londres, dans une ferme du Surrey, à environ une demi-heure de route. Les jumelles ont emprunté la voiture de leur mère, c'est Kira qui conduit.

— Quelqu'un peut me dire où Megan a trouvé les moyens d'organiser un truc pareil ? Depuis quand elle roule sur l'or ?

C'est une question qui me turlupine, moi aussi.

— Je ne sais pas, ses parents ont de l'argent...
C'est peut-être pour fêter son premier rôle dans le
spectacle. C'est quelque chose, après tout.

Le silence qui s'installe entre nous est brusquement
rompu par le fou rire d'Elliot.

— Pardon, lâche-t-il entre deux gloussements,
mais je n'arrive pas à vous prendre au sérieux dans
cette tenue !

Je regarde Kira et Amara qui me dévisagent à leur
tour et, sans qu'on ait besoin de se donner le mot,
on pointe en même temps nos balais sur Elliot qui
fait semblant de se recroqueviller.

— Bon, on ferait mieux d'y aller avant de ruiner
notre superbe maquillage, dis-je en tournant les talons.

— Amusez-vous bien, bande de vieilles chouettes.
Et je compte sur vous pour me raconter tous les
détails ! nous crie Elliot tandis qu'on s'élance dans
l'escalier.

— Pas de problème !

Au rez-de-chaussée, mon père, en nous voyant,
pousse un vrai cri de frayeur.

— Oh, vous m'avez fait peur !

— C'est le but, papa ! je réplique en proférant
mon plus sinistre ricanement de sorcière.

— J'allais vous dire de faire attention à vous, mais
je vois que c'est plutôt aux autres de se méfier.

— Ah-ah-ah, très drôle, papa.

Je dresse un sourcil sarcastique, mais je surprends
notre reflet dans le miroir et je fais presque un bond.

J'ai toujours eu un faible pour l'expression « tout ou rien », mais là, je dois dire qu'on est *au-delà* du tout.

La voiture de la mère des jumelles est garée devant la maison.

— Vous imaginez si on se fait arrêter dans cet accoutrement ? demande Amara.

— Oh, j'espère qu'on n'a pas besoin de mettre d'essence !

— T'inquiète, me répond Kira en riant, j'ai fait le plein avant de venir.

On laisse Brighton pour prendre l'autoroute en direction du Sussex et de Londres. Je jette un coup d'œil sur mon téléphone, pour l'éteindre aussitôt : j'ai plusieurs appels manqués de Noah. Je sais que j'élude la question – on va bien être obligés de se parler – mais pour l'instant je n'ai pas le courage.

Après avoir quitté l'autoroute, et tandis qu'on attend à un feu rouge, on s'aperçoit qu'on flanque une peur bleue à un petit garçon dans la voiture à côté. Dès que le feu passe au vert, on démarre en éclatant de rire.

Le GPS nous conduit sur une route de campagne sinueuse et tellement étroite que les rétroviseurs frôlent les haies de chaque côté. Heureusement que ce n'est pas moi qui conduis – ça achèverait de me stresser.

Puis on se retrouve derrière un bus bondé de gens déguisés. Ils doivent aller au même endroit que nous, et ça doit être le bus dont Megan nous a parlé, celui pour les invités sans voiture. Heureusement que je n'y suis pas – rien que l'idée me donne des sueurs.

— Je suis bien contente de ne pas être là-dedans, dit Kira.

— Oh, moi aussi ! Tu peux me croire !

Amara me sourit.

— Ça va aller, Penny ? Tu veux qu'on mette un code au point, un signal pour dire qu'on veut rentrer ?

Je pense au film, au cri de ralliement de Winifred chaque fois que les sorcières ont besoin de se retrouver.

— Si l'une de nous veut partir, elle n'a qu'à crier « Mes sœurs ! », comme dans le film, je suggère alors.

— Génial ! s'exclament Kira et Amara en même temps. Vendu !

Je leur souris avec gratitude. Je les aime vraiment beaucoup. Elles comprennent mon angoisse et font tout ce qu'elles peuvent pour que je me sente à l'aise. Nous savons parfaitement toutes les trois que ce n'est pas l'une d'elles qui risque de siffler la fin de la partie, ce soir.

Le bus franchit les portes d'un immense mur d'enceinte et nous le suivons.

De l'autre côté, c'est... démentiel. Halloween grandeur nature : de chaque côté du chemin, des centaines de citrouilles creusées forment un étrange tapis orange et lumineux. Des toiles d'araignées fantomatiques pendent des branches dénudées et, pour compléter la scène, des ballots de foin sont entassés un peu partout.

Le vent fait vaciller la flamme des bougies, et je m'aperçois, en descendant de voiture, qu'il fait froid. J'ai bien fait de mettre un collant.

On remonte l'allée de citrouilles en serrant nos invitations. Un agent de sécurité ronchon (je pense aussitôt – avec un coup au cœur – à Larry, le garde du corps de Noah) vérifie nos noms sur une liste et nous fait signe de passer. Je suis sidérée par le nombre de personnes autour de nous, puis je m'aperçois qu'il ne s'agit pas seulement de la soirée de Megan. Il y a plusieurs bâtiments, et l'agent de sécurité balaie le sol avec sa lampe torche en direction d'une des granges. Sans doute celle où Megan nous attend.

— C'est dingue, dit Kira. Vous croyez que c'est normal d'avoir un peu peur ?

— Tu plaisantes ? Je suis terrorisée ! je réplique.

On prend notre tour dans la file qui s'est formée devant l'entrée de la grange et on attend. Un type affreux, déguisé en Joker, joue les cerbères. Il ouvre la porte, pousse un petit groupe à l'intérieur et ferme brusquement derrière eux. En approchant, je reconnais Luke, le béguin de Megan. Il doit être drôlement mordu pour accepter ce rôle de vigile.

— Bienvenue dans la maison des horreurs, nous dit-il quand on arrive. *Si vous osez entrer,* ajoute-t-il d'un ton sinistre complété d'un rictus effrayant de sa bouche maquillée.

— Heu... merci.

Je comprends pourquoi il fait du théâtre.

— Il suffit d'avancer, mais je vous conseille de vous tenir par la main. *Et surtout... de ne pas vous arrêter... hahahaha !*

Il ouvre la porte et, malgré nos hurlements, nous pousse à l'intérieur. Quand elle claque derrière nous,

nous nous retrouvons plongées dans une obscurité totale.

Je suis coincée entre les jumelles et je sens leurs mains, tandis qu'on avance d'un pas hésitant, se serrer sur les miennes.

— Oh, Penny, geint brusquement Kira, je sens quelque chose me frôler. Ça ne me plaît pas.

Moi non plus, mais je serre les dents.

— Allez, les filles, c'est censé être drôle. Je suis sûre que ce n'est pas... *AH !*

Je hurle en voyant un type, le visage dissimulé derrière un masque de hockey, surgir de l'obscurité et foncer droit sur moi, armé d'un couteau. Une seconde plus tard, c'est Amara qui pousse un cri hystérique à cause de l'apparition d'une fille au visage ravagé d'immondes plaies purulentes qui saute aux barreaux de sa cage, à quelques centimètres de nous. Poussées par une décharge d'adrénaline, on se met évidemment à courir. Je hurle de toutes mes forces, mais c'est bizarre, parce qu'en fait, je crois bien que je m'amuse. Être complètement terrorisé quand on est (presque) sûr qu'il ne va rien vous arriver, *c'est* amusant.

On s'arrête, bloquées par deux portes, sur la première est écrit « DANGER ! – INTERDICTION D'ENTRER !!! » et sur l'autre « PAR LÀ ». Je me sens poussée vers la porte « danger » et je me retrouve, sans pouvoir réagir, précipitée de l'autre côté.

Ça doit être la bonne direction, parce que, dès que j'ai recouvré mes esprits, je m'aperçois que nous sommes dans une grange immense, qu'il y a plein de monde, une piste de danse archicomble et des spots qui clignotent au rythme de la musique endiablée dispensée par un DJ bondissant installé dans un coin.

Ce n'est pourtant pas ce que je vois en premier. Mes yeux, avant, sont tombés sur... Noah.

Chapitre Trente-Trois

Il est déguisé en fantôme – un choix adapté, vu la façon dont il hante chaque instant de ma vie. Il est tout en blanc, même son visage, et ses cheveux sont couverts de poudre blanche. Je cligne des yeux, au cas où ce serait un *vrai* fantôme. Après tout, je me fais peut-être des idées. Mais non. Il est bien là.

Il est là et comme il scrute la foule, il ne regarde pas dans ma direction. Tant mieux, parce que je ne suis toujours pas prête à l'affronter. J'attrape la main de Kira et je l'entraîne dans un coin sombre. Amara, qui est restée en arrière, surveille les alentours en se demandant ce que j'ai bien pu voir. Heureusement que nous sommes aussi bien déguisées et que j'ai une perruque blonde. Noah aura du mal à me reconnaître.

— Que se passe-t-il ? me demande Kira.

— Je viens de voir un fantôme.

— Si tu pouvais être plus précise, dit-elle en balayant la foule d'un air un peu perdu. Il y a pas mal de fantômes dans les parages !

— Je parle de Noah.

— Sérieux ?

Son regard s'éclaire subitement.

— Ah, oui, je le vois. Au milieu du troupeau de filles, c'est ça ?

— Qu'est-ce que tu racontes ?

Je suis son regard et mes épaules s'affaissent. J'étais tellement centrée sur lui que je n'avais même pas remarqué. Il est, en effet, cerné par une bonne quinzaine de filles – et elles sont toutes *juste* assez loin pour ne pas avoir l'air trop avides, mais aussi *juste* assez proches pour croiser facilement son regard, si d'aventure il s'intéressait à l'une d'entre elles. Mais tout à coup, il se détourne et sort.

Je soupire de soulagement.

Amara, qui nous a rejointes, dresse un sourcil étonné.

— Tu ne veux pas lui parler ?

— Non... enfin, si. Sauf que... Enfin bref, pas maintenant. Mais qu'est-ce qu'il fait là, d'abord ?

Je ne vois qu'une seule explication : Megan. Elle a dû l'inviter. Après m'avoir promis de rester discrète. Promesse qui, visiblement, ne l'a pas empêchée de l'inviter à une soirée où des centaines de gens le verraient et s'empresseraient de faire le buzz. D'ailleurs, évidemment, toutes les filles qui l'entouraient sont à présent sur leur téléphone. Et leur murmure bourdonnant – *Ça, ça va direct sur mon Snap ! C'était* vraiment *Noah Flynn* ? — rebondit contre les murs de la grange.

Kira me donne un coup de coude. Avant que je puisse lui demander ce qu'elle veut, je vois Megan se faufiler vers nous, absolument splendide dans un costume de chat aussi soyeux que moulant. Même ses moustaches sont belles ; et le bout de son nez peint en noir est le contrepoint parfait de la cascade de ses longs cheveux qui dégringole sur ses épaules.

— Tu es magnifique, Megan ! nous écrions-nous en chœur.

— Et vous déchirez, les filles !

Elle se penche vers nous, mais au lieu de nos joues, elle embrasse l'air.

— Je ne veux pas avoir du rouge à lèvres partout ! crie-t-elle.

Je n'ai pas le cœur à rire.

— Qu'est-ce que Noah fait là, Megan ?

— Oh, lâche-t-elle avec une moue contrariée, tu l'as déjà vu ? Je voulais te faire la surprise. Être là pour votre rabibochage.

— Notre *rabibochage* ? Attends, Megan, c'est quoi, cette soirée, une sorte d'intervention spéciale ? Tu te prends pour quoi, un Casque bleu ?

Elle finit par capter mon intonation et plisse le front.

— Pourquoi tu t'énerves ? Je voulais seulement te faire plaisir.

— Me faire plaisir ? Je me rappelle t'avoir *précisément* demandé d'être discrète sur son retour !

Elle lève les yeux au ciel.

— D'abord, c'est *ma* soirée, Penny, et j'ai parfaitement le droit d'inviter *qui je veux*. Ensuite, Noah n'était pas obligé de venir. S'il préférait rester chez lui, il pouvait très bien le faire, personne n'aurait su qu'il était de retour parmi les vivants. Je ne l'ai forcé à rien, alors ne m'accuse pas. Profite plutôt de l'occasion. Moi, je vais m'amuser.

Elle fait demi-tour et s'en va aussi dignement qu'on peut le faire avec une queue de chat accrochée aux fesses. Je me tourne en soupirant vers Kira.

— J'imagine qu'elle n'a pas complètement tort, hein ? Si Noah voulait rester caché, il ne serait pas venu à cette soirée.

— Oui, mais quand même, elle aurait pu te prévenir.

Je pousse un nouveau soupir et je les regarde en souriant.

— Bon, vous n'êtes pas obligées de rester collées à moi. J'ai du monde à voir et... ça ne va pas être marrant.

D'abord Callum, puis Noah, puis faire des excuses à Megan... On ne peut pas dire que ces discussions m'emballent franchement.

— Tu es sûre ? me demande Amara.

— Oui, allez-y. Je vous retrouve plus tard.

— OK, et n'oublie pas, ajoute Kira, en cas de besoin : « Mes sœurs !!! » et on accourt !

— Ça marche !

Je les regarde partir en essayant d'oublier à quel point je redoute ce genre de soirées.

Malgré le froid qui règne dehors, il fait une chaleur étouffante à l'intérieur de la grange. Entre la masse d'invités qui circulent ou ceux qui dansent sous les spots, le brouillard artificiel, les odeurs d'eau de Cologne, de parfum bon marché ou de transpiration, j'espère que je ne vais pas mettre trop longtemps à trouver Callum.

Après une bonne inspiration, je me lance dans l'exploration des lieux. Ça me rassure de savoir que j'ai une issue de secours, et mon objectif me permet d'oublier un peu l'angoisse qui me serre la gorge. *Je peux y arriver.*

Je fais assez vite le tour de la foule sans apercevoir Callum. Je repère en revanche la queue de Megan qui circule au milieu des invités, j'aperçois aussi Kira et Amara une ou deux fois, mais heureusement, aucun signe de Noah. Je me demande en quoi Callum est déguisé.

Un escalier conduit à une mezzanine où se trouve le bar. Je décide de monter. J'aurai une meilleure vue d'en haut et sans doute plus de chances de localiser Callum. Dès que j'arrive, je me rends compte que j'ai bien fait : il est là, près du bol de punch, avec une bande de copains, en train de vider des fioles de liquide doré dans le cocktail de fruits. Ils sont tous déguisés en vampires, ce qui me paraît adapté à leur activité. Callum éclate de rire, et je vois le filet de sang dessiné au coin de sa bouche.

Quand il me voit, ses yeux s'écarquillent de surprise. Puis sa mâchoire se décroche.

— Penny ? dit-il enfin.

— Salut, Callum.

— Tu as l'air... Tu es...

Je comprends qu'il cherche un compliment, mais visiblement les mots lui manquent. Je souris. Je savais que mon déguisement, qui n'est ni moulant ni seyant, allait me mettre dans la minorité, mais je n'imaginais pas impressionner Callum.

— Tu voulais me parler ? lui dis-je.

— *Ooooh, méfie-toi de celle-ci, Callum,* entonnent tous ses amis en chœur en agitant un doigt vers nous.

Je me renfrogne, mais Callum éclate encore de rire.

— Oui, je voulais te parler, me dit-il. Tu veux un verre de punch avant ?

Comme je fais non de la tête, il hausse les épaules et me suit vers la rambarde qui surplombe la grange.

Une guirlande de petites citrouilles lumineuses est enroulée tout autour. Ce n'est pas mon modèle préféré, mais c'est dans l'ambiance. Je sais, en faisant semblant de m'y intéresser, que je retarde seulement une conversation inévitable. Alors je lève les yeux sur ceux de Callum.

C'est lui qui soupire en premier.

— Penny, quand j'ai su que tu venais, je me suis juré de te parler encore une fois.

Il me prend la main, joignant ses ongles crochus aux miens.

— Écoute, le mariage de Jane ne s'est pas passé exactement comme je l'espérais, mais j'étais sincère en disant que j'aime être avec toi, et que j'aimerais aller plus loin. Tu es aussi une photographe extrêmement douée, tu pourrais m'apprendre beaucoup. Et pour finir, tu es d'une beauté incroyable, enfin…

Il baisse le regard sur mes yeux charbonnés et ma perruque crêpée.

— … la plupart du temps !

En dépit de mes bonnes résolutions, je me sens rougir. Même Noah n'est pas aussi flatteur.

— Tout ça pour dire que je m'en voudrais jusqu'à ma mort si je n'essaie pas encore une fois. Alors voilà, est-ce qu'on peut se revoir ?

— Callum… Je ne veux pas me lancer dans une histoire. Je préfère rester seule.

Je ne suis pas sûre qu'il m'entende, parce que son regard se rétrécit sur quelque chose derrière moi.

— Oh, non, ça ne va pas recommencer, marmonne-t-il en me lâchant la main.

— Quoi ?

Je pivote et là, en haut de l'escalier, j'aperçois le fantôme Noah.

Comment peut-on avoir l'air aussi à l'aise dans un costume pareil ? Comment fait-il pour être le fantôme le plus divinement beau de la Création ?

Un fantôme à tomber qui nous a vus et fonce droit sur nous.

— Noah, s'il te plaît, je voudrais discuter avec Callum.

Je pourrais aussi bien ne pas exister : Noah a les yeux braqués sur Callum qui de son côté ne baisse pas les siens. Ils sont en train de s'affronter.

Et je déteste ça.

Callum, plus assuré maintenant qu'il est au milieu de ses copains, se dresse de toute sa taille – quelques centimètres de plus que Noah.

— Écoute, *vieux,* et si au lieu de la harceler comme un ex pitoyable, tu lui fichais la paix ?

— Moi, « harceler » Penny ? réplique Noah presque en riant.

Je les regarde, horrifiée, à tour de rôle. Et je ne suis pas la seule. Plusieurs téléphones, déjà pointés sur nous, filment toute la scène. Devenir la prochaine vidéo virale est bien la dernière chose dont Noah ou moi avons besoin. Il est grand temps d'intervenir.

— Ça suffit ! je crie. Tous les deux !

Mais ma colère est tout à coup balayée par une vague de chaleur. J'ai les mains moites et le sol se dérobe sous mes pieds. Je comprends que ce n'est pas une crise que je vais calmer par deux ou trois respirations.

— Penny…

Noah, qui reconnaît les signes avant-coureurs, se précipite vers moi. Callum, qui me connaît moins, m'attrape le bras et tente de s'interposer entre nous.

— Laissez-moi !

C'est à peine si j'arrive à parler tellement j'étouffe, mais je réussis à les repousser pour me diriger, d'un pas titubant, vers l'escalier. Les gens s'écartent, mais leurs téléphones sont toujours braqués sur moi.

Heureusement, en haut des marches, je reconnais, malgré son faux nez, le visage familier de Kira, tout pâle d'inquiétude.

— J'ai entendu le grabuge, alors je suis venue…

— Mes sœurs... *mes sœurs*..., je répète le souffle court.

Elle me prend la main.

— Viens !

Sans perdre une seule seconde, elle m'entraîne en bas de l'escalier et à travers la grange. Je la suis aveuglément, en titubant et avec une immense gratitude. Elle n'arrête pas de parler et son débit continu me rassure.

— J'ai repéré toutes les sorties en arrivant. Je sais que ça a l'air débile, Penny, mais je tiens beaucoup à toi, alors je fais attention à ces détails. Comme ça, en cas de besoin, tu peux compter sur moi, je sais toujours quel est le plus court chemin vers l'extérieur !

Je sens mon cœur gonfler de reconnaissance et je lui serre la main. De toute façon, même si je voulais, je ne suis pas sûre de pouvoir parler. Trop de questions tournent dans ma tête. *Qu'est-ce que Noah fait là ? Pourquoi est-il venu ? Pourquoi Megan l'a-t-elle invité ?* Et surtout : *Depuis quand les filles sont des trophées que les garçons pourraient se disputer ? Pour qui se prennent-ils ?* Ça ne ressemble pas du tout au Noah que je connais.

Quand on arrive à la voiture, je m'engouffre à l'intérieur tandis que Kira met le contact pour ouvrir la ventilation à fond. L'air froid me fait du bien.

— Tout va bien, tu es en sécurité, murmure-t-elle en me caressant les cheveux. Rien ne va t'arriver, ça va aller...

J'aimerais la croire, mais je me sens broyée dans un étau.

Enfin, après ce qui me semble une éternité, j'arrive à respirer régulièrement et les battements de mon cœur reviennent à la normale. Je lève la tête.

— Merci, Kira. Je ne sais pas ce que j'aurais fait sans toi. Mais... où as-tu appris tous ces gestes ?

Elle hausse les épaules.

— Bah, on a regardé une ou deux fois sur Google « comment calmer les crises de panique ». On voulait savoir quoi faire si jamais tu te retrouvais dans cet état.

Je la regarde, les yeux écarquillés. Je n'en reviens pas d'avoir des amies pareilles.

— Merci.

Mais ce petit mot n'exprime pas le millième de ce que j'éprouve.

Amara arrive en trottinant et monte dans la voiture.

— Bon, on s'en va ? Parce que franchement, elle craint, cette soirée.

On éclate de rire. Je n'ai jamais été aussi heureuse ! Heureuse d'avoir des amies comme elles, tellement solides, fiables et attentionnées.

Sur le chemin du retour, j'essaie, au lieu de penser à ce qui vient d'arriver, de me concentrer sur mon rétablissement.

Une chose à la fois, Penny, une chose à la fois.

Chapitre Trente-Quatre

À la lumière du jour, la dernière trace de maquillage disparue de mon visage (consciencieusement frotté, savonné et refrotté), je sais qu'il est grand temps de regarder les choses en face. Alors, avant de changer d'avis, j'attrape mon téléphone et j'appuie sur le numéro de Noah.

Il décroche presque aussitôt.

— Penny ?

— Bonjour, Noah. Je… je voulais te dire que je suis désolée d'être partie de cette façon, hier soir.

— Non, *je* suis désolé. Je n'avais pas compris que tu étais en pleine conversation, sinon, je ne serais jamais intervenu. Le moment était mal choisi.

— Tu peux le dire, oui, dis-je dans un rire.

— Écoute, tu as du temps aujourd'hui ? On pourrait se voir…

— Heu… oui. Tu es au *Grand Hôtel* avec Sadie Lee et Bella ?

Le *Grand Hôtel* est sur le front de mer, et c'est là que sa grand-mère et sa sœur sont installées pour leur séjour.

— Non, je vais t'envoyer l'adresse par texto. Tu es sûre ?

— Oui.

— Cool. À tout à l'heure, alors.

Il raccroche, et je vais dans la cuisine où ma mère fait du rangement.

— Tout va bien, chérie ?

— Noah veut qu'on se voie, alors je vais sortir un moment — sauf si tu as besoin de moi ?

Je me mords les lèvres.

Elle fait le tour du plan de travail et me serre dans ses bras.

— Tout va bien se passer, ma forte, courageuse et adorable *Penelope*.

— Merci, maman.

Elle ne m'appelle plus par mon prénom depuis des années et l'entendre me fait sourire.

Je vérifie deux fois l'adresse que m'a envoyée Noah. Je sais que c'est devant la mer, comme l'hôtel, mais je ne vois pas ce qu'il y a là-bas... Peut-être un nouveau café ? Je plisse le front. J'aimerais mieux qu'on se rencontre dans un endroit plus discret, surtout après les événements de la veille qui, comme je m'y attendais, font le buzz — des tonnes d'images montrent Callum et Noah se disputant pour moi. Les légendes et les commentaires disent à peu près tous la même chose, *Noah Flynn : de retour et malheureux en amour.*

Je descends la colline en serrant le col de ma veste pour me protéger de la morsure du vent. Nous sommes passés du mois d'octobre au mois de novembre, cette nuit, et le temps a changé lui aussi. Je pense à l'été dernier. Si seulement il avait pu durer éternellement.

Mais rien ne dure éternellement.

Même pas l'amour.

Quand j'arrive au bord de l'eau, je m'arrête pour regarder la mer. Ce n'est plus du tout la même : elle a l'air grise et froide sous les nuages, et les couleurs joyeuses des cabanons, si vives au soleil de l'été, ont l'air d'avoir terni. Comme si j'avais un filtre sépia devant les yeux. J'aime voir Brighton ensoleillée, mais cette version hivernale, plus grave, a son charme, elle aussi.

D'après mon téléphone, je suis à l'adresse où Noah m'a donné rendez-vous. Mais il n'y a pas de café, même pas la moindre boutique. On est loin de la jetée et du kiosque à musique, et je ne vois qu'une succession d'anciennes maisons victoriennes, la plupart transformées en appartements.

Je m'apprête à envoyer un message à Noah quand je reçois son texto.

Noah : sonne à l'appartement n° 5

Je lève les yeux, pour voir s'il est penché à l'une des fenêtres, mais rien ne bouge. Je hausse les épaules et j'examine la rangée d'interphones. À côté du numéro 5, une petite carte indique *F. Jones*. J'appuie quand même sur le bouton et, quelques secondes plus tard, la porte s'ouvre.

L'entrée est magnifique, un grand lustre de fer forgé est suspendu au plafond et mes pas résonnent sur le sol de marbre. Des informations et des prospectus sont épinglés sur un panneau de bois, et du courrier dépasse de tout petits casiers, comme des oiseaux dans un pigeonnier.

Je reçois un nouveau texto.

Noah : prends l'ascenseur jusqu'au troisième étage

Je plisse le front. L'ascenseur ?

Je le découvre en levant les yeux : c'est un de ces vieux modèles avec une porte qu'il faut ouvrir et fermer soi-même. Il est minuscule, juste assez grand pour transporter une ou deux personnes − intime, diraient certains. Il a l'air *beaucoup* plus vieux que moi, sans doute aussi plus vieux que mes parents. J'ai un peu peur d'y monter, mais je suis surtout curieuse. Alors j'ouvre la porte, j'entre et j'appuie sur le bouton du troisième étage, en espérant arriver sans encombre.

La cabine s'élève dans un inquiétant bruit de ferraille et de craquements de bois, mais le trajet, heureusement, est bref. Je manque de me casser un ongle en ouvrant la porte, mais ce que je découvre m'arrache une exclamation d'un autre genre : il donne directement *dans* un appartement ! Pas de porte d'entrée, de sonnette ou quoi que ce soit. Je n'ai cependant pas le temps de m'émerveiller : je perçois une très nette odeur de brûlé.

Au même instant, Noah apparaît dans le couloir.

— Désolé !

Entre ses mains – protégées par des gants de cuisine à fleurs – il tient un moule qui a l'air de contenir une éponge calcinée.

— Je voulais faire un gâteau, mais… je n'ai pas hérité les talents culinaires de ma grand-mère. Entre, va te mettre à l'aise dans le canapé pendant que je le jette à la poubelle.

Il disparaît.

Me mettre à l'aise ? Je suis clouée sur place. La moindre surface de l'entrée est couverte des affaires de Noah. Il a dû ouvrir une fenêtre pour chasser l'odeur de brûlé, parce qu'un vent frais traverse l'appartement et c'est l'air de la mer qui me sort de ma paralysie. Il fait aussi tomber une feuille de papier à mes pieds. Je me baisse pour la ramasser. C'est une page de musique, couverte de l'écriture de Noah. Des paroles, parfois rayées et récrites, s'étirent sous les notes d'une mélodie. Je la repose sur la console d'où elle est tombée et je la coince prudemment sous un trousseau de clefs.

Ensuite, je me décide à avancer. Mais l'espace que je découvre, au détour de l'entrée, est tellement grand que j'en reste, de nouveau, interdite.

La cuisine (où Noah est en train de se débarrasser de son gâteau calciné) est ouverte sur une gigantesque pièce qui sert à la fois de salon et de salle à manger. Deux immenses fenêtres en saillie – qui accueillent des banquettes où l'on rêve de se nicher avec un bon livre – offrent une vue magnifique, qu'on dirait infinie, sur la mer.

À l'intérieur, tout indique très clairement la présence de Noah. C'est son paradis. Je remarque, d'un seul coup d'œil, au moins quatre instruments de musique. Un piano (qui a certainement remplacé la table à manger), et trois guitares posées contre le dossier du canapé en L. Même le canapé, en vieux cuir usé marron, ressemble à Noah, tout comme l'écharpe gris foncé moucheté de jaune vif, négligemment jetée sur un coussin. D'immenses œuvres d'art sont accrochées aux murs – certaines sont des photos de musiciens rock légendaires, comme Robert Plant et Jimmy Page de Led Zeppelin, d'autres sont des toiles abstraites aux couleurs éclatantes. Son ordinateur, couvert d'autocollants, traîne sur la table basse, et il y a des gobelets de café vides un peu partout.

Noah n'est là que depuis quelques jours, mais on dirait qu'il vit ici depuis des années ! Je me demande qui est le propriétaire de l'appartement et s'il est au courant de la façon dont Noah en a pris possession. Plus je regarde, plus on dirait qu'il est chez lui ! Sur la cheminée (qui n'a pas l'air d'avoir beaucoup servi), il y a même des photos encadrées de Bella et Sadie Lee.

J'ai un pincement au cœur en voyant un Polaroid de nous. Je serre Noah dans mes bras sur la plage de Brighton, et nous sourions comme des imbéciles heureux à l'objectif. Sa main est posée sur la mienne, pour me serrer encore plus contre lui. Les bons moments.

— OK, je suis nul en pâtisserie, mais je peux quand même te servir à boire. Qu'est-ce que tu veux ?

J'ai la gorge desséchée et je ne sais pas quoi faire de mes mains, alors j'opine.

— Un verre d'eau ?

— Ça marche !

Quand il revient, je lui prends le verre des mains et j'en avale la moitié d'un coup. Ensuite, quand je suis enfin capable de parler, je lève les yeux dans ses splendides et envoûtants yeux noirs.

— Cet endroit est magnifique, Noah. À qui appartient-il ?

Il me sourit.

— À moi.

Chapitre Trente-Cinq

— Tu me fais marcher !

— Pas du tout. On est chez moi.

Je ne comprends pas.

— Mais... Je... Comment est-ce possible ? Qui est F. Jones, alors ?

— Oh, ça.

Il plisse le front.

— Je n'ai pas pris le temps de changer le nom et de toute façon, c'est plus discret. Mais F. Jones, c'est Fenella Jones, ma nouvelle agente au Royaume-Uni. Quand j'ai abandonné la tournée, on a beaucoup parlé, de ce dont j'avais envie, ce que je voulais vraiment faire. Elle m'a dit qu'elle avait un appartement à Brighton qu'elle voulait vendre, il m'a semblé que c'était une solution. La vue est plutôt cool, non ?

Je suis son regard. Et je dois admettre qu'il a raison. En se baissant un peu, on pourrait croire que la mer débute au pied de son salon. Mais la vue n'explique pas tout.

— Ça veut dire que... Non, attends.

Je secoue la tête pour remettre mes idées en place.

— Depuis combien de temps habites-tu ici, Noah ?

— Depuis que j'ai quitté la tournée.

— Hein ?

Je le dévisage, complètement abasourdie.

— Tu es en train de me dire que, pendant tout ce temps, tu étais à Brighton ?

— Oui.

Il m'invite à m'asseoir et heureusement parce que je ne suis pas sûre que mes jambes me tiennent encore longtemps.

— Mais... Pourquoi ? Je croyais que tu adorais New York ? J'imaginais, si tu devais t'installer chez toi, que tu choisirais cette ville.

— Tu as vu les prix, à New York ? Même Londres est plus abordable !

En voyant la tête que je fais, il s'adoucit.

— OK, ce n'était pas une question d'argent. Je voulais voir si je pouvais vivre ici pour de bon.

— Et si tu n'avais pas pu ? Ce n'est pas rien d'acheter un appartement.

— J'avais gagné de l'argent avec la tournée et, si je changeais d'avis, ça restait un bon investissement. Mes nouveaux managers ne plaisantent pas avec mes finances. Ils m'obligent à veiller au grain, tu peux me croire !

— Oui, je comprends.

Je triture un fil qui dépasse de ma veste. Je ne l'ai même pas enlevée, c'est dire mon niveau de sérénité...

Noah s'approche de moi et je sens nos genoux se frôler.

— Ce que je veux, Penny, par-dessus tout, c'est être avec toi. Mais je suis aussi parfaitement conscient que je ne peux pas te demander de lâcher ta vie, tes amis, tes rêves, pour me suivre en tournée. Alors quoi ? Vivre à New York le reste du temps, pendant que tu es à Brighton, et se contenter d'une relation à distance ? Non, c'est trop dur. On s'en est déjà rendu compte.

J'opine, le cœur serré au souvenir de toutes les raisons qui nous empêchent d'être ensemble.

— Alors je voulais voir si je pouvais vivre ici, mais sans t'imposer mon choix, sans te faire stresser à l'idée que je déménagerais seulement à cause de toi. Et tu sais quoi, Penny ? *J'adore* cette ville ! Fenella m'a présenté à quelques musiciens géniaux, on passe notre temps à jouer. J'ai plus composé en regardant la mer ici que je ne l'ai fait à Brooklyn. Les rues bouillonnent de créativité. C'est super bizarre, mais j'ai l'impression d'être... chez moi.

— C'est vrai ?

— Oui. Depuis que mes parents...

Sa courte inspiration me rappelle à quel point c'est toujours dur pour lui de parler d'eux.

— Depuis leur mort, je ne me suis jamais senti vraiment chez moi nulle part. Sadie Lee est formidable, mais sa maison n'est pas la mienne, ou ne l'est plus en tout cas. Quand on s'est rencontrés, la musique était une échappatoire, je m'évadais, je fuyais tous mes problèmes, mais tu m'as stabilisé, tu m'as ancré.

Je me demandais si cette sensation perdurerait dans cette petite ville balnéaire britannique. Et ça a été le cas. Pour l'instant, c'est ici que je veux habiter.

Il me prend la main.

— Si cela ne te dérange pas. Parce que si ça te dérange, je peux m'en aller, mais si ça te va...

Je m'adosse au canapé en soupirant.

— Noah...

— Je sais, ça fait beaucoup. Tu n'es pas obligée de dire quoi que ce soit maintenant. Je voulais tout te raconter en Écosse, puis j'ai pensé que ce serait mieux que tu viennes, que tu puisses voir par toi-même.

Il a raison. Ce n'est qu'en venant que je pouvais me rendre compte à quel point il est ici chez lui, c'est même... palpable. Je ne suis pas sûre que je l'aurais aussi bien compris s'il me l'avait raconté.

Je lève les yeux.

— Et la soirée ?

Il rit doucement.

— Je croyais que tu savais que je serais là. C'est ce que Megan m'a dit. Alors, quand je t'ai revue avec ce type... j'ai vu rouge. Ce n'est pas une excuse, j'essaie seulement de t'expliquer.

— Je ne m'attendais pas à te voir.

Je me rappelle brusquement toutes les fois où j'ai *cru* voir Noah. Ce n'était peut-être pas son fantôme, après tout.

— Tu m'as vue depuis que tu es à Brighton ?

Il éclate de rire.

— Difficile de faire autrement ! Cette ville est bien plus petite que ce que j'imaginais. Mais j'ai fait attention à ne pas me montrer. Je ne voulais pas, comme je te l'ai dit, que ma décision soit une contrainte, ni pour toi, ni pour moi.

Il se mordille la lèvre.

— J'ai bien fait ?

Je pense à la façon dont son absence et son silence m'ont blessée. Je pense aux efforts que j'ai faits, malgré le poids qui me retenait, pour avancer. Je pense au fantôme de Noah qui hantait chacun de mes pas. Je pense aux progrès que j'ai accomplis – en amitié, en photographie et même par rapport à mes crises d'angoisse. Tout ce que je veux, c'est partager ces joies, ces difficultés et ces petites victoires avec la personne que j'aime le plus au monde. Celle qui me rend meilleure. Et si cela signifie oublier le mal qu'elle m'a fait... je peux le faire.

Sans la moindre hésitation.

Je n'ai qu'une petite question.

— Et Sadie Lee et Bella ?

— C'est le principal sujet dont je voulais parler avec Sadie Lee en Écosse. Mais en fait, c'est elle qui m'a surpris. Tu sais que le partenariat avec ta mère se passe à merveille ?

— Oui...

— Et qu'elles envisagent depuis un moment de s'associer pour de bon ?

— Elles rêvent d'enchaîner les événements haut de gamme.

— Eh bien, apparemment, ça progresse.

— Sérieux ?

J'en frissonne de plaisir. Ce serait tellement génial pour ma mère : elle et mon père ont toujours peur d'être obligés de fermer boutique, mais avec Sadie Lee comme associée... Elles vont être imbattables !

Noah opine.

— Elles ont décidé de tenter le coup. Et comme Bella adore Brighton... elles vont rester un moment.

Je quitte mon coin du canapé pour me jeter dans ses bras.

— C'est vrai ? Ça va vraiment se passer ?

— Absolument.

J'en reste d'abord muette de saisissement. Puis Noah me serre contre lui, et je me détends d'une façon que je n'ai pas éprouvée depuis des mois. Je lève la tête et, en croisant ses beaux yeux sombres, je me rappelle chaque pépite dorée dans ses iris, leur bel éclat marron foncé, la courbure de ses longs cils. Mon regard descend ensuite sur sa mâchoire carrée, sa barbe naissante et enfin, ses lèvres magnifiques.

Il se penche vers moi. Je sens sa main qui me retient solidement dans le dos et m'empêche de tomber, puis ses lèvres qui glissent sur les miennes, d'abord doucement, puis avec une bien plus grande passion.

Et tout à coup, les étincelles qui m'ont tellement manqué explosent dans une myriade de scintillements d'or et d'argent. Il tente de s'écarter, mais je glisse la main dans ses cheveux et je le retiens. J'aime trop son goût, son odeur et je veux que ce baiser ne s'arrête jamais.

Un baiser tellement parfait que je m'attends à voir des anges descendre du ciel en chantant.

Quand nos lèvres se séparent, on reste si proches qu'on pourrait aussi bien recommencer. Il me caresse la joue et murmure :

— C'est toi et moi, Penny. J'étais sincère quand je disais « pour toujours ».

1ᵉʳ novembre

Brooklyn Boy est de retour

Bonsoir, mes lecteurs adorés !

Je vous ai promis que cette version de *Girl Online* serait plus cash, alors je suis obligée de partager la nouvelle avec vous : Brooklyn Boy est de retour, sauf qu'il ne s'appelle plus Brooklyn Boy... mais Brighton Boy !

Parfois, les fantômes du passé viennent nous hanter et, dans ce cas, le plus difficile, c'est de savoir s'ils sont bien ou mal intentionnés. Il m'a fallu un peu de temps pour découvrir de quel côté penchait le mien, mais désormais je le sais : il n'avait que d'heureuses intentions !

BB est donc revenu dans ma vie. Dans celle de tout le monde, d'ailleurs.

C'est drôle, je pensais vraiment qu'en m'appliquant j'arriverais à enterrer tous les sentiments que j'avais pour lui. Peine perdue, même un charmant Écossais – pardon, un Écossais super canon – n'a pas réussi à les balayer. Pire, il les a fait ressurgir. Du coup, j'ai compris qu'ils étaient tellement forts qu'il ne servait à rien de vouloir les ignorer !

Je me suis également aperçue qu'entre le cœur et la raison, c'est toujours le cœur qui l'emporte. La cervelle peut hurler tout ce qu'elle peut, la voix du cœur est toujours plus vibrante. Je ne sais pas ce que ça va donner et, pour être tout à fait franche, je suis un petit peu stressée, mais j'ai décidé de mettre mes angoisses de côté et de prendre la vie comme elle vient.

Je suis tellement heureuse que j'ai l'impression, toutes les deux secondes, que je vais exploser, mais c'est *génial*. Ça semble tellement normal et en même temps plus nouveau et exaltant qu'au premier jour !

Bon, j'arrête. Impossible de *réfléchir* avec le barouf que produit mon scandaleusement beau et outrageusement doué petit copain avec sa guitare. (Trop bizarre de dire une chose pareille !!!)

GIRL ONLINE, going offline xxx

PS : Vous prendrez bien un peu de sucre avec toute cette guimauve ? ;) x

Chapitre Trente-Six

— À la santé des retrouvailles du *deuxième* plus beau couple au monde ! s'exclame Elliot en levant son verre devant nous.

J'ai invité Alexiot à venir chez Noah pour célébrer l'événement — on a commandé des pizzas qu'on mange assis par terre (puisque Noah n'a pas de table) et dans des assiettes dépareillées (trouvées en fouillant ses placards). Il ne plaisantait pas en disant qu'il ne faisait pas la cuisine : la plupart des ustensiles ont l'air de n'avoir jamais servi !

Je me serre contre lui et je lève ma coupe d'eau pétillante.

— Et Noah, poursuit Elliot, permets-moi de saluer ta décision, aussi sage que géniale, de rester dans les parages. On va enfin retrouver notre Penny habituelle, au lieu de l'espèce d'ours mal léché qui traînait dans nos pattes dernièrement.

— Eh ! je proteste en lui envoyant un morceau de pain à l'ail dans la figure.

Mais je rate mon coup et il tombe, avec un « plouf ! », dans son verre.

— Mon champagne ! couine-t-il.

— Joli coup ! s'exclame Alex en riant.

C'est exactement la scène dont je rêvais : nous quatre réunis et riant aux éclats comme si rien d'autre n'existait.

— Alors, racontez-moi un peu ce qui vous est arrivé pendant mon absence, demande Noah en se tournant d'abord vers Alex.

— Rien de très particulier, répond Alex. Je suis serveur maintenant et je gagne plus avec mes pourboires qu'à la boutique vintage ! Je crois que le patron veut me payer une formation de manager, ce qui serait génial. À part ça, je traîne toujours avec cet adorable cinglé.

Il donne un coup de coude à Elliot qui manque une seconde fois de renverser sa coupe de champagne sur son gilet.

Noah le regarde, et Elliot pousse un soupir théâtral.

— Oh, moi... Tu sais que j'habite chez Penny, en ce moment ?

— C'est ce que j'ai cru comprendre, répond Noah, le front barré d'un pli soucieux. Mais je ne connais pas tous les détails.

Alex serre gentiment la main d'Elliot qui hausse les épaules.

— Je ne suis pas sûr que tu aies envie de les entendre ! Disons que mes parents sont des psychopathes et que je préfère prendre l'air.

Il rit, mais je sens bien que le cœur n'y est pas et, en voyant qu'on ne réagit pas comme il l'espérait, il baisse les yeux et fait traîner son doigt sur le bord de son verre.

— OK, ils passent leur temps à se hurler dessus. J'imagine qu'ils vont finir par divorcer, mais le temps qu'ils s'en rendent compte… je préfère prendre l'air. De toute façon, ce ne sera bientôt plus mon problème. J'ai d'autres soucis en tête, comme entrer à l'université et m'assurer qu'Alex, ici présent, va me suivre.

— Évidemment que je vais te suivre, et tu le sais parfaitement, réplique Alex. Ce n'est pas comme si j'avais le choix !

Il lève la main d'Elliot et l'embrasse en riant.

— Je suis désolé, vieux, dit Noah. Ça craint, tes parents. Tu as choisi ton université ? La dernière fois, tu parlais d'aller à Londres.

— Oui, je vise UCL[1], si on m'accepte.

— Oh, je suis sûr qu'ils vont te prendre ! s'exclame Noah. Tu es le type le plus intelligent que je connaisse… à part moi, bien sûr !

Elliot fait tournoyer sa main avec extravagance et s'incline devant Noah.

— Monseigneur est bien bon, dit-il faussement modeste. Et moi qui m'inquiétais de laisser Penny se morfondre toute seule en mon absence et de lui manquer terriblement. Mais maintenant que tu ne

---

1. UCL : University College London, la plus ancienne des universités de Londres et mondialement reconnue. (NdT.)

joues plus les miss Havisham, je suis rassuré, achève-t-il sur un clin d'œil.

— Eh! Tu vas quand même me manquer! je proteste. Mais je ne vais pas me morfondre, parce que, au cas où tu ne l'aurais pas remarqué, depuis mes visites à Megan, je suis devenue une pro des descentes éclairs à Londres!

— En parlant du diable... tu as de ses nouvelles depuis la soirée?

— Non. Mais ça ne m'étonne pas d'elle. En plus, elle doit être en plein dans les dernières répétitions. C'est demain soir, la première.

— Tu n'auras qu'à lui dire « merde » de ma part. Du fond du cœur.

— Elliot!

— Quoi? Inviter Noah à sa soirée pour se faire mousser auprès des abrutis de son école, sans se soucier de tes sentiments ou des drames qu'elle peut provoquer – franchement, ça ne me pousse *pas* à augmenter le peu d'estime que j'avais pour elle. J'étais peut-être passé du niveau Haine élevée au niveau Haine modérée, mais avec ce coup-là, je suis revenu au niveau Haine maximale.

— De quoi est-ce que tu parles, Wiki?

— Des différents niveaux de vigilance. « Maximal », en tout cas aux États-Unis, est le niveau le plus élevé.

Je plisse le front.

— Elle n'est pas *aussi* méchante que ça, Elliot. Elle a vraiment eu du mal à s'intégrer dans son école. Et tu connais Megan, elle veut toujours être au top.

— Tu n'es pas obligée de passer ton temps à l'excuser, Penny, réplique Elliot. C'est épuisant de t'entendre prendre sa défense. Si tu pouvais ouvrir les yeux, ne serait-ce qu'une fois. Cette fille *est* l'incarnation du diable.

Je sens le bras de Noah se raidir sur mes épaules, mais je n'ai pas besoin de son aide.

— Je suis la plus ancienne amie de Megan, dis-je fermement, c'est mon rôle de la soutenir.

— Tu perds ton temps avec elle, grommelle mon meilleur meilleur-ami.

Puis il me regarde en agitant les sourcils.

— C'est plutôt à *elle* qu'il faut demander ce qu'elle a fabriqué pendant ton absence, Noah. Côté photo, je veux dire.

— Ah bon ?

Noah se tourne vers moi et recule un peu pour mieux plonger dans mon regard. Je me sens rougir violemment.

— Je ne veux pas en parler tout de suite…, je bredouille, penaude.

— C'est vrai. C'est *ultra* secret, insiste Elliot.

— C'est en rapport avec ton… diplôme ? me demande Noah.

Son hésitation me fait sourire, il n'a toujours pas compris le système éducatif anglais, il faut reconnaître qu'il est assez différent de celui des États-Unis (j'ai déjà dû lui expliquer au moins trois fois que ce qu'on appelle « collège » ici désigne en fait chez lui les universités).

Je fais non de la tête, mais je reste muette.

— OK. Est-ce que c'est lié au stage que tu as fait cet été, dans cette agence branchée ?

— En quelque sorte, dis-je en regrettant de livrer même cette minuscule bribe d'information. Écoute, je te promets de tout te raconter quand ce sera un peu plus concret. Pour l'instant, ce n'est qu'un projet et j'ai peur, si j'en parle trop, de voir tout s'écrouler.

— Je vois ce que tu veux dire, certaines chansons me donnent parfois cette impression, reconnaît-il. En tout cas, je suis heureux de savoir que tu restes passionnée de photo. Un don qui m'a vraiment manqué quand j'ai vu le résultat de celles que j'ai voulu prendre de la mer. Pitoyable ! Même Bella se débrouillerait mieux, termine-t-il en m'embrassant sur la joue avant de me serrer contre lui.

Je rayonne.

— Pouah, vous m'écœurez, tous les deux !

— Nous ? C'est plutôt toute la pizza que tu as engloutie ! je réplique en riant.

Il se serre le ventre à deux mains et pousse un grognement.

— Oh là là, tu dois avoir raison, geint-il en se levant.

— Les toilettes sont au fond du couloir, vieux, à droite ! crie Noah dans son dos.

Mon téléphone se met à sonner et, en voyant le visage de Leah s'afficher sur l'écran, je dis à Noah :

— Excuse-moi, je dois répondre.

Il opine, légèrement inquiet.

— Je t'expliquerai, dis-je en me levant.

Je réponds quand je suis dans l'entrée.

— Salut, Leah. Comment ça va ?

— Bah, comme ça. J'ai vu que Noah est revenu, son compte Twitter est réactivé. Tu as des nouvelles ?

Elle ne me voit pas, mais je souris.

— Oui, et pas que des nouvelles ! dis-je encore fébrile de nos retrouvailles toutes fraîches. On s'est vus et, pour faire court, on a décidé de se remettre ensemble !

Un véritable cri de joie me répond.

— C'est *super*, Penny ! Je suis tellement heureuse pour vous ! Il faudra tout me raconter, mais là, je t'appelle à propos du piratage de la chanson. J'ai un peu plus de détails. Tu as ton ordi sous la main ?

— Non, mais je vais demander à Noah si je peux emprunter le sien.

Je retourne au salon et, en lui montrant son Mac-Book, je murmure :

— Je peux ?

— Oui, bien sûr, répond-il en se levant même pour aller le chercher.

Je vais dans la cuisine, je pose l'ordi sur le comptoir et, en attendant sa mise en marche, je demande à Leah :

— Que va-t-il arriver à Posey ?

J'ai beau savoir qu'elle ne mérite pas ma compassion, je m'inquiète de la sanction qui l'attend. Perdre son rôle dans le spectacle est assez dur.

— Écoute, Penny, les techniciens, la maison de disques et mes avocats sont sur les dents depuis des jours, m'explique Leah.

Je pousse un soupir. C'est vraiment un sale coup pour Leah.

— Je suis vraiment désolée, lui dis-je. Tu as pris une décision ?

— Oui. On ne va pas porter plainte pour l'instant. Ma maison de disques a décidé de positiver. L'idée, c'est de profiter du buzz pour sortir le titre aussi vite que possible. Je vais devoir bosser comme une folle ces prochains jours, mais le single sera prêt.

— Ça fait au moins une bonne nouvelle. Quel cauchemar.

Quel soulagement aussi de voir Leah si... conciliante. Elle aurait pu porter plainte et être furieuse, mais je trouve que Posey a déjà suffisamment payé.

— Quoi qu'il en soit, continue Leah, on a trouvé un truc *très* intéressant, hier, et c'est pour ça que je t'appelle. Je t'ai envoyé un mail avec un lien. Regarde. Après, ce sera à toi de décider ce qu'il faut faire. Bon, je dois te laisser. Je suis super heureuse pour toi et Noah. À ma prochaine visite, il faut absolument qu'on se voie !

— J'y compte bien !

Elle coupe avant que je puisse l'interroger davantage sur le lien qu'elle m'a envoyé. Alors, mes doigts courant sur le clavier, je me connecte immédiatement à ma boîte mail. Son message est tout en haut de la liste, et l'objet — « strictement confidentiel » — me noue la gorge.

Je l'ouvre et je clique sur le lien.

C'est une vidéo.

Je la regarde une fois et... je relance aussitôt le visionnage.

J'appuie une troisième fois sur la flèche.

— Penny ? Que se passe-t-il ? Tu es toute blanche.

Je regarde Elliot qui, dans le couloir, me regarde regarder l'ordinateur.

Je relève les yeux.

Alex et Noah me dévisagent aussi.

— Penny...

J'ai du mal à déglutir.

— On dirait que tu t'es trompé, Wiki. Megan est encore pire que tu l'imagines.

Chapitre Trente-Sept

L a vidéo que m'a envoyée Leah provient du système de surveillance du studio d'enregistrement londonien. On voit Megan tripoter son téléphone, puis le poser sur la table de mixage, juste à côté du haut-parleur d'où vient le son de la salle insonorisée. Après, elle se lève et quitte la pièce. Ça doit être au moment où elle est montée me demander où étaient les toilettes. Avec les caméras de l'entrée, le minutage n'est pas difficile à évaluer, je suis d'ailleurs sûre que les techniciens l'ont déjà vérifié… Le fait est que Megan n'était *pas* dans la pièce, mais que c'est bien *elle* qui a enregistré la chanson.

Je n'arrive pas à y croire ! Non seulement elle récidive dans le mensonge et la trahison, mais en plus, elle est assez stupide pour croire qu'elle ne sera pas démasquée ?

Je montre la vidéo à Elliot, Alex et Noah.

Elliot lève la tête et me regarde d'un air si explicite qu'il n'a pas besoin d'ouvrir la bouche. Tout son visage me crie « je te l'avais dit ! ».

Je sens le bras de Noah glisser sur ma taille.

— Que vas-tu faire ?

Je ferme son ordi d'un coup sec et je me serre contre lui.

— Je ne sais pas.

Je secoue la tête, effondrée et complètement désemparée.

— Milkshake ! Milkshake ! martèle Elliot en souvenir du jour où, pour lui donner une bonne leçon, on lui avait vidé nos verres sur la tête.

Apparemment, ça n'a servi à rien.

— Elliot, c'est grave ! Et vu le résultat du milkshakegate la première fois, je ne crois pas qu'on obtiendra grand-chose en recommençant.

Je lâche un soupir de frustration.

— Leah ne porte pas plainte. Elle me laisse décider de la suite à donner. Oh !

Je porte brusquement les mains à ma bouche.

— Posey ! J'ai été ignoble avec elle ! J'ai refusé de la croire quand elle clamait son innocence, je n'ai même pas voulu l'écouter !

Le remords et la honte me serrent la gorge.

— Ne t'inquiète pas, me dit gentiment Elliot, tu vas t'expliquer avec elle, je suis sûr qu'elle comprendra. Quant à Megan... si j'étais toi, je ne lui dirais pas que Leah ne porte pas plainte. Un type a fait deux ans de prison pour avoir piraté des chansons de Madonna.

— C'est vrai ?

— Oui, l'industrie musicale ne plaisante pas avec la violation des droits d'auteur, surtout si c'est pour en tirer profit. Ce qui semble être le cas.

Je me rappelle tout l'argent que Megan a dépensé dernièrement : le maquillage hors de prix à Covent Garden, la somptueuse soirée d'Halloween. J'en frémis. Elle m'a déjà trahie, et je lui ai pardonné. Mais cette fois, c'est *pire*. Elle ne s'en est pas seulement prise à une de mes amies, mais à deux : Leah – dans les grandes largeurs – et Posey. Elle m'a fait croire que c'était Posey qui avait piraté la chanson, alors que c'était elle la coupable. Elle a détruit mon amitié, volé le rôle principal dans le spectacle et s'est catapultée du statut de *nobody* chez madame Laplage à celui de Miss Populaire.

Il faut reconnaître qu'elle sait s'y prendre.

J'en frémis de rage. Je ne risque pas de lui redonner ma confiance.

Elliot se penche vers moi et murmure :

— Vengeance !

Ce petit mot, comme une baguette magique, fait exploser ma fureur. J'éclate de rire.

— Tu sais quoi, Elliot ? Elle ne mérite même pas la vengeance. Tout ce que je veux, c'est ne plus jamais la voir ni lui parler, qu'elle disparaisse de mon existence.

— Oh... Tu es sûre qu'il n'y a pas un *tout petit* quelque chose à faire ? Elle ne va quand même pas s'en tirer comme ça.

Je me tapote les lèvres du bout des doigts.

— Hum, tu as raison, Wiki. Tout compte fait, je crois que je peux faire quelque chose.

Je m'autorise à sourire. Je ne vais pas me laisser faire, et elle ne va pas s'en tirer comme ça.

— Raconte, me pousse Elliot en trépignant d'impatience.

— Non. Mais vous êtes libres demain soir, n'est-ce pas ? Ça vous tente d'aller à Londres voir un spectacle ?

Après le départ d'Elliot et Alex, quand je ne suis plus qu'avec Noah, je me laisse aller aux larmes que je retiens depuis que j'ai regardé la vidéo. Megan n'a pas toujours été ignoble avec moi. Elle a peut-être enchaîné les mauvais coups, mais elle a aussi été une bonne amie, autrefois. Et même ces derniers temps, elle semblait sincèrement chercher mon amitié, et elle a toujours été vraiment géniale avec mes angoisses... J'imagine qu'il y a des gens comme ça, capables un jour du pire et le lendemain du meilleur. Tout le truc, c'est de savoir jusqu'où on peut aller, ce qu'on est capable de supporter.

Et moi, j'en ai assez de m'accommoder des pires côtés de Megan.

— Ça va aller, Penny, me dit Noah. Tu ne pouvais pas deviner.

— Tu crois ? Elliot avait raison, il m'a dit et répété à quel point elle était néfaste, et moi, qu'est-ce que j'ai fait ? J'ai pris sa défense ! Elle m'a manipulée.

— Ce que tu as fait, Penny ? Exactement ce que font les bons amis, et les gens bien intentionnés, tu lui as donné le bénéfice du doute, tu as préféré croire qu'elle pouvait s'améliorer. Qu'elle n'en soit pas capable n'est pas ta faute.

— Ce que j'ai dit à Posey...

— Posey te pardonnera. Tu ne savais pas.

— Oh, j'espère que tu as raison. Mais je ne peux pas m'excuser par texto, je dois lui dire en face.

— Bon, tu me donnes un indice sur ton mystérieux projet photo, maintenant ?

— Belle tentative de diversion, dis-je avec un sourire. Mais si tu espères profiter de ma faiblesse pour m'arracher mes secrets, c'est raté !

Il pose la main sur son cœur.

— Moi, profiter de ta faiblesse ?

— Je te jure de tout te raconter dès que je serai prête, OK ?

— OK, de toute façon, je n'ai pas le choix !

— Exactement !

Je pousse un soupir et on va s'asseoir sur le canapé.

Elliot a mis un DVD, tout à l'heure, un vieux documentaire animalier de la BBC, le son n'est pas très fort et on se laisse emporter par les images splendides de la nature. Ma tête nichée au creux de l'épaule de Noah, je m'émerveille de nous sentir aussi à l'aise l'un avec l'autre.

— Et toi ? je lui demande en laissant traîner mon regard sur les instruments dans la pièce.

— Hmm ? Que veux-tu dire ?

— Quand est-ce que tu vas me parler de *tes* projets ?

— Ah-ah, tu n'es pas la seule à avoir tes petits secrets.

— Oh.

— Je plaisante ! Tu crois vraiment que je peux résister à ce regard ? Bon, je ne vais pas *tout* te dévoiler – toi aussi, tu vas être obligée d'attendre – mais je peux te jouer un morceau. C'est un peu différent de ce que j'ai fait jusqu'ici.

Il se lève pour s'asseoir au piano – ce qui me surprend, parce que je ne l'ai jamais vu en jouer, je ne savais même pas qu'il pratiquait cet instrument. Il étire deux ou trois fois ses doigts au-dessus du clavier et se lance dans une magnifique mélodie avec une aisance que je trouve impressionnante.

Puis il commence à chanter, et je suis tellement heureuse de l'entendre en *live* (je me suis contentée de son album pendant son absence) qu'au début, je n'écoute même pas les paroles. Quand je prête l'oreille, je m'aperçois qu'il est question de quelqu'un qui part à la dérive, emporté par le courant sombre d'une eau profonde et mouvementée. La mélodie est triste et lente, mais si envoûtante qu'elle m'emporte moi aussi, et elle s'achève sur un long crescendo qui me laisse sans voix.

Lorsque la dernière note s'efface, j'applaudis à tout rompre.

— Tu as aimé ? me demande Noah.

— C'est magnifique !

— Je l'ai composée aux pires moments, au début de mon séjour ici, quand j'ai commencé à écrire… Les mots et la musique semblaient couler comme un torrent. Mais c'était un morceau pour piano, pas pour guitare. Il fallait un son plus solennel, plus ancré. Je ne l'ai pas encore envoyé à Fenella.

— Elle va adorer, j'en suis sûre.

— Merci infiniment, dit-il en imitant l'accent traînant du Sud de Sadie Lee.

— Je n'arrive toujours pas à croire que tu vas vivre ici.

Il me rejoint sur le canapé.

— Oui, c'est dingue, hein ? Je veux que tu m'apprennes à faire tout comme un Anglais. Je pourrais peut-être commencer par l'accent ?

— *Nooon* ! Surtout pas ! J'adore ton accent *new-yorkais* !

J'essaie de l'imiter, mais tout ce que j'arrive à produire, c'est un affreux mélange d'accents irlandais, indien et français.

— OK, OK, pas les accents ! s'écrie-t-il. Mais toutes les autres traditions britanniques. On pourrait aller saluer la reine au palais de Buckingham ?

— Prendre le thé l'après-midi !

— Regarder les matchs de foot au pub !

Là, je fais la grimace.

— Oh, non, non, non, ne deviens surtout pas un supporter.

Il éclate de rire.

— Aucun danger ! Je n'étais pas un passionné de sport aux États-Unis, ce n'est pas la traversée de l'Océan qui va me changer.

— Il y a tout un tas d'autres choses à faire, visiter les thermes romains, aller dans les festivals, ou apprendre à parler de la météo pendant des heures !

— Tant que nous sommes tous les deux, je suis prêt à tout.

— Ça va être tellement bien !

Je ne me rappelle pas la dernière fois que je me suis sentie aussi heureuse. Je me serre contre Noah. La lune, qui brille derrière la grande fenêtre, éclaire le bout de nos pieds emmêlés. J'aimerais pouvoir mettre ses rayons dans une bouteille et l'emporter chez moi.

Cette réflexion me rappelle que je dois rentrer.

— Je ferais mieux d'y aller, dis-je à Noah en regardant l'heure.

— Pas de problème. Tu sais où me trouver maintenant ! Et je ne risque pas de m'envoler, je suis trop content d'être avec toi !

— Moi aussi.

— Tu es sûre que tu ne veux pas que je t'accompagne à Londres, demain ?

— Oui, je dois me débrouiller toute seule.

— OK, ne t'inquiète pas, tout va très bien se passer. Je te fais confiance.

Ces mots suffisent à calmer mes crampes d'estomac.

Demain s'annonce comme le plus dur de tous les jours de mon existence.

Chapitre Trente-Huit

L e lendemain, au lycée, c'est un calvaire. Tout le monde ne parle que de la soirée de Megan « tellement géniale » qu'ils espèrent tous qu'elle en fera une « encore plus dingue », l'an prochain. Son plan se déroule à merveille : sa popularité est remontée en flèche.

Pour l'instant.

J'ai tellement de mal à me concentrer que Mlle Mills est obligée de m'appeler trois fois avant que je lève les yeux.

— Ah, tout de même !

Elle a l'air agacée.

— Pardon, mademoiselle Mills, j'ai la tête ailleurs.

— Ça se voit ! Est-ce que je peux te voir, après le cours ?

— Heu...

Je baisse les yeux sur mon téléphone. J'espérais filer juste après la sonnerie. C'est ma dernière heure de la journée et j'ai tout le temps d'aller à Londres intercepter Megan et mettre mon plan en œuvre.

— Penny... ?

— Oui, bien sûr.

Je ne suis pas à quelques minutes près, et je ne veux pas décevoir ma professeure préférée.

Alors, quand la sonnerie retentit, au lieu de partir en courant, je prends mon sac et je vais devant son bureau où elle trie des copies.

— Je ne t'ai pas beaucoup vue, ces derniers temps, me dit-elle sans lever les yeux.

— Je travaillais et, heu, je ne suis pas encore prête à vous montrer mon projet.

Cette fois, elle lève la tête et me dévisage avec attention. Je m'efforce de prendre mon air le plus innocent. Ce n'est pas mon genre de lui cacher mon travail — même inachevé — mais là, c'est différent. Il n'y a que deux personnes à l'avoir vu, et elles m'ont encouragée à continuer. N'empêche, ça reste encore trop flou et trop fragile, comme une bulle de savon, et j'ai peur, si trop de personnes sont au courant, de le voir disparaître dans un « plop ».

— OK, me répond Mlle Mills, l'important, c'est de rester suffisamment concentrée. Ta vie est mouvementée en ce moment.

Elle me sourit.

— J'ai lu ton blog, et je suis très heureuse pour toi, seulement fais attention à ne pas dilapider les progrès que tu as réalisés jusque-là. Tu te débrouilles formidablement bien toute seule.

— Je vais faire attention, mademoiselle Mills, promis.

— Bien. À demain, alors.

— À demain !

En sortant de la classe, je tombe sur Kira qui, elle aussi, veut me parler.

Je me mords les lèvres. Si je ne pars pas très vite, je n'aurais jamais le temps...

— Tu vas à Londres, ce soir ? Parce que nous aussi. On peut y aller ensemble ? Tu connais le chemin, puisque tu es déjà allée à l'école de Megan, et comme ça, on ne risquera pas de se perdre.

Elle a parlé à toute allure et j'ai à peine eu le temps de comprendre.

— Quoi ? Attends... Vous allez voir le spectacle, ce soir ?

— Wou-hou, tu étais où, Penny ? Megan nous a *tous* invités à la voir jouer.

— Megan vous a *tous* invités ?

— Oui, il paraît qu'elle a des tas de places supplémentaires et tu la connais, elle veut qu'on soit tous là pour applaudir ses grands débuts.

J'avale la boule qui s'est formée dans ma gorge. Mon plan va être beaucoup plus difficile à mettre en œuvre.

— Alors, reprend Kira, tu y vas ?

— Oui, mais je n'ai plus cours là, et j'avais prévu de partir tout de suite, pour voir Megan avant le spectacle.

— Oh, mince. Bon, ben tant pis. Mais on se retrouve là-bas, hein ?

— Bien sûr. À plus !

J'ai juste le temps d'attraper le train. Si je rate celui-ci, je n'arriverai jamais à temps. Je me mets à courir, quand mon téléphone vibre. J'ai reçu un texto.

Megan : salut, Penny, je suis désolée, mais je n'aurais pas le temps de te voir avant le spectacle. C'est la folie, ici. Tu sais ce que c'est !

Pas de bises à la fin, ni d'émoticônes... Apparemment, elle m'en veut toujours de ce que je lui ai dit à la soirée. Et maintenant que tout le lycée – *et* les élèves de madame Laplage – lui mange dans la main, elle n'a plus besoin de sa vieille amie.

Tu n'as jamais été son amie, me rappelle une petite voix.

Elle s'est seulement servie de toi.

Je sens des larmes me piquer les yeux. Je croyais, après tout ce qui s'est passé, connaître Megan, et je pensais même – les connaissant aussi – être à l'abri de ses défauts... Une phrase, tout à coup, me revient en tête, ce qu'elle m'a dit à propos des élèves de madame Laplage : *ils veulent tous être une star.*

Et aucun d'eux ne le souhaite autant que Megan.

Elle est prête à tout pour y arriver... quel qu'en soit le prix.

Et la seule capable de l'arrêter, c'est moi.

Chapitre Trente-Neuf

À quelques heures du spectacle, le théâtre, encore désert, est silencieux. Tout est prêt et il règne, comme avant la tempête, un calme étrange. Sur scène, le décor est en place. Il est destiné à transporter les spectateurs dans la ville de New York, et il me rappelle celui de *Roméo et Juliette*, la pièce qu'on avait jouée au lycée. Notre professeur de théâtre avait décidé de placer l'action aujourd'hui à Brooklyn. C'était peut-être aussi un fan de *West Side Story*. Mais les moyens ne sont pas du tout les mêmes ! Je peux presque me croire dans une rue de Manhattan. Je passe sur le côté de la scène – heureusement que Megan m'a fait faire le tour complet de l'école, je sais parfaitement où aller.

J'arrive devant la loge principale. Une feuille de papier, où est écrit « Maria », est punaisée sur la porte. Je prends une bonne inspiration et je frappe.

— Entrez ! répond la voix mélodieuse de Megan.

Son immense sourire, en me découvrant, disparaît complètement. Je ne sais pas qui elle attend, mais de toute évidence, ce n'est pas moi.

— Oh, salut, lâche-t-elle avec irritation. Tu n'as pas reçu mon texto ?

Elle se tourne vers le miroir et commence à appliquer sa première couche de maquillage. Ses magnifiques cheveux châtains scintillent à la lumière des spots, et je dois reconnaître qu'elle a tout pour faire une diva. Dommage qu'elle ait choisi des moyens aussi fourbes pour y arriver.

— Si, je l'ai reçu, je lui réponds, mais je devais te voir. C'est important.

— Si important que ça ne pouvait pas attendre après le spectacle ?

Je préfère le dire tout de suite, avant de me dégonfler.

— Je sais que c'est toi qui as piraté la chanson de Leah.

Elle suspend son geste, prend le temps de poser son fond de teint, et se tourne vers moi.

— Qu'est-ce qui te prend ? Je t'ai dit que je n'y suis pour rien. Je n'étais même pas là. On sait parfaitement que c'est Posey.

Je lève les yeux au ciel et je croise les bras.

— Arrête, Megan. Leah a vu les bandes d'enregistrement des caméras de surveillance.

— Ah, réplique-t-elle.

Au moins a-t-elle la décence d'avoir l'air un peu moins fanfaron.

— Tu sais qu'elle peut porter plainte, je continue.

Elle devient toute blanche.

— Elle va le faire ?

— Non, tu n'en vaux pas la peine.

— Bon, eh bien dans ce cas, j'imagine qu'on n'a plus rien à se dire. Et si cela signifie que je ne suis plus obligée d'être ton amie, tout le monde y trouve son compte, finalement.

Ma mâchoire se décroche.

— Qu'est-ce que je t'ai fait, Megan ?

— Ce que tu m'as fait ? Ce rôle était pour moi, cette fille allait abandonner. Et voilà que tu débarques, que tu voles à son secours pour la guérir de son trac, et non seulement *tu l'aides*, une fille que tu ne connais même pas, mais en plus, tu as le culot de m'impliquer ? Je croyais que tu étais *mon* amie, Penny ! Mais quel genre d'amis vous poignarde dans le dos comme tu l'as fait, hein ?

J'en reste bouche bée.

— Qu'est-ce que tu racontes, Megan ? Je suis ton amie. Enfin... je l'étais. Mais tu es allée trop loin cette fois.

— Qu'est-ce que tu veux exactement, Penny ? Parce que je suis occupée, et si ça ne te gêne pas, j'aimerais me préparer pour le spectacle.

— Je veux que tu rendes son rôle à Posey.

Elle éclate de rire, mais s'arrête aussi vite.

— Et puis quoi encore ? Non, Penny. Je me suis battue pour arriver là, tu ne risques pas de me déloger.

— J'ai les vidéos qui te montrent en train de pirater la chanson. Je peux dire à tout le monde que c'est toi qui as fait le coup.

Elle se lève et, d'un coup de tête, envoie sa chevelure derrière son épaule.

— Franchement, Penny ? Qui s'intéresse à une chanson piratée ? Elle a fait le buzz, tout le monde l'adore, j'ai gagné un peu d'argent et Leah a eu droit à un sacré coup de pub... Tout le monde est gagnant. Maintenant, tu ferais mieux de partir. De toute façon, je sais très bien que tu ne feras rien de cette vidéo. Tu n'as pas le cran, ça ferait de toi quelqu'un comme moi, et tu es bien trop parfaite pour tenter quoi que ce soit de ce genre.

Je m'aperçois que mon plan est en train de se fissurer. Megan a raison : je suis incapable de publier cette vidéo pour lui nuire. Mais je dois quand même essayer de la faire plier, pour Posey.

— Je ne sais pas à quel moment tout s'est mis à aller tellement mal pour toi, Megan. Je t'ai longtemps donné le bénéfice du doute, mais tu as changé. En pire. Tu n'es pas celle que je croyais. La Megan que je connaissais était gentille, prévenante. Elle aimait rendre les gens heureux. Elle n'était pas cette fille dure, égoïste et prête à piétiner les autres pour obtenir ce qu'elle veut. Je crois que le moins que tu puisses faire, c'est rendre son rôle à Posey.

— Non.

— Tu en es sûre ? demande une voix douce derrière nous.

Megan change de couleur.

Et, tandis que je pivote, je l'entends lâcher d'une voix blanche :

— Madame Laplage ?

Je suis en face d'une femme grande, au regard sévère, chargée d'un gros bouquet de fleurs jaunes et blanches qu'elle pose sur une table en entrant dans la loge. Je comprends que c'est la célèbre directrice de l'école, venue en personne saluer son élève. Elle croise les bras.

— Voudrais-tu, s'il te plaît, m'expliquer ce qu'il se passe ici ? me demande-t-elle.

— Elle ne devrait même pas être là ! s'exclame Megan. Elle n'a pas le droit.

J'ai l'occasion de découvrir moi-même l'impressionnante autorité dont j'ai tellement entendu parler, parce que madame Laplage, d'un seul regard, réduit Megan au silence. Elle pose ensuite les yeux sur moi. Ils sont, heureusement, moins durs. Encourageants.

J'ouvre la bouche, mais rien n'en sort. Je ne suis pas sûre d'être capable de dénoncer Megan – pas devant quelqu'un d'aussi important que madame Laplage, en tout cas. Puis je me rends compte que je suis obligée de le faire, pour Posey. C'est elle qui devrait être ici.

— Megan a vendu une chanson de Leah Brown qu'elle a piratée, dis-je tout à trac, et elle a accusé Posey Chang qui a abandonné le rôle de Maria à cause de ça.

Madame Laplage hoche lentement la tête.

— Est-ce vrai, Megan ?

Megan regarde ses pieds sans rien dire.

— Nous n'aimons pas les voleurs dans cette école.

— Les voleurs ? couine Megan.

— J'en ai bien peur. Nous sommes une école d'art prestigieuse. Nous sommes extrêmement sévères à l'égard du vol de droit d'auteur. Et le fait que tu aies accusé une autre élève et profité de son manque d'assurance pour lui prendre le rôle... J'en ai vu des doublures manigancer pour obtenir le premier rôle, mais cet exemple de dévoiement surpasse les pires machinations que j'ai connues, *et de beaucoup* !

Elle se dresse de toute sa hauteur, et Megan et moi nous recroquevillons.

— Tu n'as plus ta place dans cette école. Ton inscription est suspendue.

— Non... je vous en prie ! s'écrie Megan.

Elle tremble comme une feuille, maintenant.

— Je vous en prie ! J'ai compris la leçon, madame Laplage ! Je vous assure ! Je ne voulais pas... Penny a raison, ce n'est pas moi... Je ne suis pas comme ça... pas complètement... je voulais tellement ce rôle que je n'ai pas réfléchi, je n'ai pensé à rien d'autre...

Mais madame Laplage reste inflexible, aussi pincée que ses lèvres.

— Je vais prendre le temps d'examiner ton cas, et nous verrons si tu peux espérer une seconde chance, mais il faudra attendre *après* le spectacle. Pour l'heure, tu n'es pas la bienvenue ici, et je te demande de quitter cette loge sur-le-champ.

Megan passe devant moi, en me jetant le pire des regards, et disparaît comme une furie. Je suis complètement sonnée et vaguement désolée pour elle jusqu'au moment où je m'aperçois qu'elle n'a pas formulé la moindre *excuse*. Elle a clairement montré qu'elle n'avait aucune intention ni de s'excuser ni de rendre le rôle à Posey. Elle mérite de se faire virer.

Madame Laplage tourne son regard d'acier sur moi et me dévisage comme si elle me découvrait à l'instant.

— Tu fais partie des élèves de la maison ?

Je fais non de la tête. Je me sens tout à coup extrêmement intimidée et pas du tout à ma place dans les coulisses.

— Mais tu connais Posey Chang ?

J'opine.

— Alors je te suggère de la trouver rapidement et de lui dire qu'on l'attend pour la représentation de ce soir. Avec beaucoup d'impatience.

J'opine une nouvelle fois et je me précipite vers la porte.

Oups.

Je me tourne.

— Merci, madame Laplage.

Heureusement que j'y ai pensé, elle est *tellement* terrifiante. Je n'aimerais pas être à la place de Megan.

C'est dans une tout autre humeur que je frappe à une nouvelle porte, quelques minutes plus tard. Je souris jusqu'aux oreilles et je ne peux pas m'empêcher, en attendant qu'elle s'ouvre, de trépigner d'impatience.

— Oui ? dit Posey en entrouvrant.

— Salut, c'est moi.

J'ai un peu peur qu'elle ne me claque la porte au nez, mais au lieu de ça, elle sourit. Puis elle se rappelle sans doute ce qu'il s'est passé, et son sourire s'efface. Elle a l'air effrayé, tout à coup.

Mon cœur se serre. Je n'arrive pas à croire ce que je lui ai fait, et je m'en veux terriblement. J'étais censée être son amie. Je pose la main sur la porte.

— Je voulais te dire que je suis désolée, Posey, tellement désolée de ne pas t'avoir écoutée.

— Oh ?

Elle se détend.

— Je sais maintenant que tu n'as rien fait, et je n'aurais jamais dû en douter. Je ne te connais peut-être pas beaucoup, ni depuis très longtemps, mais je sais que tu vaux mieux que ça.

Ses yeux brillent de larmes.

— Merci, Penny. C'était déjà horrible de penser que tu m'en voulais, alors savoir en plus que c'était à cause d'un mensonge...

— Et ce n'est pas tout.

Je prends une inspiration.

— Megan ne va pas pouvoir jouer Maria, ce soir.

Elle écarquille les yeux.

— Quoi ? Pourquoi ?

— Elle s'est fait virer, pour avoir enfreint le règlement.

— Non ! Tu plaisantes.

— Elle t'a accusée d'avoir piraté la chanson de Leah pour mieux te piquer le rôle, madame Laplage est furieuse. Et c'est elle, la coupable.

— Tu veux dire que c'est Megan qui a volé la chanson de Leah ?

— Oui ! Je n'aurais jamais dû lui faire confiance. J'aurais dû ouvrir les yeux depuis longtemps. Je me suis comportée comme une imbécile.

— Oh, la vache !

Posey recule dans sa chambre et se laisse tomber sur son lit comme si ses jambes la lâchaient. Je me sens un peu secouée, moi aussi, alors je vais m'asseoir à côté d'elle.

— Mais elle a invité tellement de monde pour la voir, reprend-elle, et elle l'a annoncé sur Facebook, son blog, Twitter… Qu'est-ce qu'elle va dire à tous ces gens ?

Je hausse les épaules.

— C'est son problème. Elle aurait dû y penser *avant* de voler la chanson.

— Waouh ! Je n'arrive pas à croire que c'est elle. Mais toi, qu'est-ce que ça te fait, Penny ? Ça va ?

Elle me regarde, les yeux brillants d'inquiétude.

— Oui, ça va. Je suis un peu secouée, mais je suis contente que tout soit tiré au clair. De toute façon, *la* grande nouvelle, c'est que, quand madame Laplage a entendu comment Megan avait obtenu le rôle, en t'accusant à sa place et tout, elle a dit que tu devais jouer Maria ce soir. Elle m'a envoyée te chercher exprès pour te dire de te préparer en vitesse.

Elle baisse la tête.

— Sauf que je ne suis pas prête, Penny, et je ne suis pas du tout certaine d'y arriver. Je me suis faite à l'idée d'un petit rôle et…

Ses mains commencent à trembler.

— Tu vois ? Rien que *l'idée* de jouer me donne le trac. Je suis sûre qu'une autre actrice peut prendre le relais. Je ne sais même pas si je me souviens des paroles... ou de mes répliques... je me suis concentrée sur le chœur. Je risque de tout gâcher. Je vais avoir une note pourrie et je vais me faire virer aussi.

Elle a terminé dans une espèce de marmonnement à peine audible.

— Posey, dis-je en la prenant par les épaules. Ferme les yeux, respire.

Elle ferme les yeux et inspire plusieurs fois.

— Tu es capable de jouer, lui dis-je quand elle respire plus tranquillement. Tu es née pour faire de la scène. Tu connais ton rôle par cœur. Tu stresses et tu as peur, c'est normal. Imagine ton trac...

Je pense à la métaphore de l'arbre de Leah.

— Comme... une pluie. La plupart des gens voudraient que le soleil brille tout le temps, mais tu sais qu'il faut qu'il pleuve aussi. L'arbre en a besoin pour grandir. Tu peux te servir de ta peur, elle peut t'aider, ne cherche pas à faire comme si elle n'existait pas. Souviens-toi qu'il ne va rien t'arriver de grave — tu vas survivre, tes amis et ta famille t'aimeront toujours. Accepte ta peur et avance avec elle. Il y aura peut-être des soirs où elle sera trop forte, mais pas ce soir. Tu *peux* y arriver, tu *veux* y arriver. J'ai confiance en toi, Posey.

Je sors de mon sac le petit cadeau que je lui ai apporté et je le lui tends.

— Tiens, c'est pour toi.

Elle soulève le couvercle de la boîte en carton et regarde à l'intérieur.

— Oh ! s'exclame-t-elle en sortant le minuscule bonsaï.

En comparaison de sa hauteur, son tronc est énorme, et ses feuilles – pas plus grosses que l'ongle de mon petit doigt – sont d'un beau vert sombre et brillant.

— J'ai pensé qu'il t'aiderait à te souvenir de son frère imaginaire à l'intérieur de toi – cet arbre de confiance qui te donne le courage d'avancer. Ni l'un ni l'autre ne demandent beaucoup d'entretien, il suffit de ne pas les oublier !

— Il est magnifique, Penny ! Je l'adore !

Elle le pose sur son bureau et le contemple quelques instants.

Quand elle se retourne, son regard a changé. J'y vois une détermination que je n'avais jamais remarquée, puis elle baisse les yeux sur sa montre et pousse un cri.

— OK, j'ai trente minutes... j'ai intérêt à me dépêcher !

— Oui !

Je me lève, mais j'ai envie de sauter sur place en hurlant. Elle va jouer. Elle va vraiment jouer !

Elle me prend dans ses bras et on bondit toutes les deux de bonheur, puis elle me lâche et commence à rassembler tout un tas de choses, vêtements, maquillage, qu'elle fourre dans un grand sac.

On vient à peine de quitter sa chambre qu'elle m'arrête au milieu du couloir. Je pense aussitôt qu'elle a changé d'avis, mais elle sourit.

— Tu sais que tu es vraiment douée pour ça, Penny.

— Quoi ?

— Aider les autres.

Une vive rougeur me monte aux joues.

— Bah, pas plus que n'importe qui.

— Oh, non, ne crois pas ça. Avant toi, personne ne m'a jamais vraiment écoutée pour mon trac. Tout le monde pensait que ça finirait par me passer, comme si c'était une crise d'adolescence, ou un genre de caprice.

— En fait, j'imagine à peu près ce que tu peux ressentir à cause de mes propres angoisses. Et je sais qu'on ne maîtrise pas ce qui les déclenche.

Je pense à l'accident de voiture qui a provoqué mes crises de panique.

— On ne doit pas laisser les mauvaises expériences nous gâcher la vie. Et toi, ne les laisse pas s'interposer entre toi et tes rêves ! Bon, je te laisse. On se voit après ?

Elle me retient par la main.

— Viens avec moi dans les coulisses. J'ai un peu peur de craquer, mais si je sais que tu es là… je *sais* que je peux y arriver.

Je souris.

— OK !

Chapitre Quarante

Contrairement à tout à l'heure, les coulisses sont une vraie ruche. Tout le monde s'apostrophe en courant dans tous les sens, les costumes volent au-dessus des têtes et les lumières de la scène n'arrêtent pas de changer, à cause des tests des techniciens. Je m'écarte pour laisser passer un chariot rempli de jupons froufroutants.

— Ah ! Je vois que tu as trouvé notre étoile ! Parfait, s'exclame la voix caractéristique de madame Laplage tandis qu'on fonce vers la loge de Posey.

— Madame Laplage ! Merci beaucoup, dit Posey en se retournant.

Elle s'apprête à faire une révérence, comme si elle venait de tomber sur un membre de la famille royale, mais elle s'arrête au dernier moment.

— Tu n'as pas à me remercier, lui répond madame Laplage. J'ai lu les commentaires de plusieurs de tes professeurs sur ton audition, apparemment remarquable, et certaines de tes répétitions ont été, semblet-il, aussi bonnes. Mais ne t'inquiète pas, tout le monde connaît au moins une répétition générale catastrophique.

Elle lui fait un clin d'œil.

— Cela augure généralement d'une bonne première. Bon, dépêche-toi, maintenant.

Posey disparaît dans sa loge, me laissant toute seule devant l'impressionnante madame Laplage.

— Me permettez-vous, madame, de rester dans les coulisses ? Posey pense que ça va l'aider.

Elle m'examine, d'un regard sévère, et pince les lèvres.

— Je n'aime pas voir des fainéants traîner dans les coulisses. Tu peux te rendre utile ? Aider au maquillage, à l'habillement ?

— Je peux faire des photos ? dis-je timidement.

— Des photos ? Pourquoi pas ? On a déjà un photographe, mais un deuxième regard peut être intéressant. Tu as ton matériel ?

Je fais glisser le sac de mon dos et lui montre mon appareil à l'intérieur.

— Parfait.

Elle tape dans ses mains.

— Au travail, alors !

Elle fait tourner sa robe en partant et s'en va d'une démarche théâtrale destinée à impressionner les élèves autour de nous. Je lâche un soupir, et je souris. Bien qu'elles soient aux deux extrémités de la palette dramatique, je parie que ma mère et madame Laplage s'entendraient à merveille.

Je sors mon appareil photo d'une main et de l'autre, j'envoie un texto à ma mère, Elliot et Alex pour leur dire que je les retrouverai après la représentation. Ensuite, je le mets sur silence, et je me lance dans mon nouveau job.

C'est le moment que je préfère. Dès que j'ai mon appareil dans les mains, j'ai l'impression d'être quelqu'un d'autre — quelqu'un qui n'a pas peur de photographier le mauvais sujet sous le mauvais angle, qui est prêt à (presque) tout pour capturer un moment unique. Je remarque un petit groupe qui s'échauffe la voix — je vise et j'appuie sur le déclencheur. Après, j'enchaîne, de façon quasi automatique — viser, régler, déclencher.

Je ne m'arrête qu'au moment où mon viseur tombe sur un autre viseur, directement pointé sur moi. Derrière, je distingue la chevelure blond foncé, légèrement ondulée, d'un garçon d'au moins un mètre quatre-vingts.

Il baisse son appareil et m'adresse un petit sourire timide. Évidemment ! J'aurais dû me douter que le photographe dont a parlé madame Laplage serait Callum !

— Salut, camarade, me dit-il.

— Salut, je réponds, brusquement timide.

— Tu peux me donner un coup de main ? J'ai du mal à choisir les bons réglages dans certains coins.

Et, d'un coup, on se remet à parler photo, je m'aperçois que j'adore discuter avec quelqu'un qui est aussi passionné que moi — même si ça ne va pas plus loin qu'une amitié photographique.

— Lever du rideau dans cinq minutes !

— Je ferais mieux de me mettre en place, dit Callum. Tu restes dans les parages ?

— Oui. À plus tard, et n'oublie pas ce que je t'ai dit sur la vitesse d'obturation !

— Oui, c'est noté.

Il part du côté de la salle pour prendre des photos depuis la fosse d'orchestre. J'entends les musiciens s'échauffer, prêts à se lancer dans les premières mesures du morceau d'ouverture. De mon côté, je mitraille les acteurs autour de moi se préparant avant le début de la représentation. Les spectateurs sont installés maintenant, et j'entends les bruissements étouffés de la salle. Je perçois aussi la tension qui monte – l'attente du public face au spectacle qui s'annonce, l'espoir de ne pas être déçu.

— Penny ?

Posey sort de sa loge, absolument sublime. Ses cheveux noirs et brillants rebiquent à la mode des années 50 et son visage est chargé de maquillage – un excès qui permettra aux spectateurs de mieux voir ses expressions. J'aperçois un minuscule micro dissimulé dans ses cheveux. Elle a tout d'une star.

— Posey – ou plutôt, Maria, tu es... époustouflante !

Elle se mordille les lèvres.

— Je n'ai pas encore dit à ma mère que je reprends le rôle de Maria.

— C'est peut-être mieux, lui dis-je gentiment. Tu es prête ?

— Autant que je peux l'être.

Elle ne joue pas tout de suite – son entrée doit attendre la fin des premières scènes – et je la sens frémir, aussi tendue qu'une corde de piano. Je lui prends la main.

— N'oublie pas l'arbre, je lui glisse dans un murmure.

— T'inquiète, je l'ai.

Puis, très vite, c'est à elle. Elle me lâche la main, plaque un immense sourire sur son visage et avance vers la scène. Les premières notes de l'orchestre semblent suspendues dans l'air quand, tout d'un coup, sa voix s'élève pour les emporter avec elle. On dirait qu'elle est née pour cette chanson.

Je suis tellement émue que les larmes me montent aux yeux.

Et les applaudissements, quand elle termine son solo, sont assourdissants.

Une main se pose sur mon épaule. Je me tourne pour découvrir madame Laplage.

— Tu devrais rejoindre ta place dans le public, me dit-elle. Il semble que ta mission ici soit terminée, et tu apprécieras beaucoup mieux le spectacle depuis la salle.

J'opine.

Être au milieu du public et contribuer, en applaudissant de toutes mes forces, à l'ovation de Posey, je ne rêve que de ça.

Chapitre Quarante et Un

C'est une ovation *debout*.

Les spectateurs, qui se sont levés comme un seul homme, saluent, dans un tonnerre d'applaudissements, les acteurs réunis sur scène. Le spectacle s'est déroulé sans la moindre anicroche, et toute la troupe a été magnifique. Posey a incarné une Maria prodigieuse et musicalement irréprochable. Je ne suis pas la seule à avoir été émue aux larmes par sa voix. Cette représentation était peut-être un exercice obligé pour les élèves, mais je suis certaine qu'absolument tout le monde a été transporté par leur talent et leur enthousiasme. C'est cette passion qui fait la différence, et je les imagine tous, dans quelques années, poursuivre des carrières fantastiques à West End ou Broadway. Si j'étais madame Laplage, je leur donnerais à tous un vingt sur vingt.

Quand Posey revient saluer sur scène, je siffle entre mes doigts et je crie :

— Bravo, Posey ! Bravo !

Ma mère éclate de rire et, de l'autre côté, Elliot et Alex sont aux anges.

— Quel spectacle ! s'exclame Elliot quand les vivats commencent à s'épuiser et qu'on peut parler normalement.

Un brouhaha étouffé continue néanmoins de parcourir la salle, celui d'un public satisfait qui commente le spectacle.

Ma mère a les yeux brillants d'émotion.

— J'ai l'impression d'avoir été transportée dans ma jeunesse, dit-elle. J'avais oublié à quel point j'adore *West Side Story*. Et Posey a été remarquable. Je n'arrive pas à croire qu'elle ait voulu refuser ce rôle ! Mais au fait, qu'est-il arrivé à Megan ?

Elle baisse un regard confus sur le programme qui, face au nom de Maria affiche toujours celui de Megan. Ce n'est qu'un petit sticker, ajouté au dernier moment, qui annonce le changement d'acteur.

— C'est vrai, ça, renchérit Elliot, qu'est-il arrivé à notre vipère préférée ? Je ne l'ai même pas vue dans le chœur.

— Ils ont découvert qu'elle avait manigancé pour obliger Posey à abandonner son rôle – et que c'est elle qui a piraté la chanson de Leah. Sachant qu'elle s'était rendue coupable de vol de droit d'auteur, ils ne pouvaient pas la laisser s'en tirer comme ça, alors ils l'ont virée.

— Oh ! ça alors ! dit ma mère, stupéfaite. C'est terrible, mais elle l'a bien cherché, non ?

On la dévisage, Elliot et moi, avec surprise. D'habitude, c'est elle la plus fervente défenseuse de Megan. Elle hausse les épaules.

— Quoi ? Je n'aime pas qu'on s'en prenne à ma Penny !

On sort de la salle et, dans l'entrée, je vois Kira et Amara en grande conversation avec d'autres élèves du lycée, venus eux aussi assister aux grands débuts de Megan. Ils regardent tous leurs programmes d'un air déconcerté. Dès que les jumelles me voient, elles me font signe de les rejoindre. Je m'excuse auprès de ma mère et d'Alexiot et je file vers elles.

— Alors, le spectacle t'a plu ? je demande à Kira d'un ton aussi dégagé que possible.

— Oui, c'était cool, mais... je croyais qu'on allait voir Megan. Tu devais la rencontrer. Tu lui as parlé ? Que s'est-il passé ?

Je hausse les épaules.

— C'est à elle de le raconter.

— Oh !

— Allez, raconte ! me pousse Amara.

C'est tentant, mais je garde la bouche fermée. Je ne veux pas faire de commérages. J'ai déjà été victime des ragots et je sais très bien comment ça se passe : les gens parlent à votre place et ils déforment si bien la vérité qu'elle devient méconnaissable. Je ne veux pas faire la même chose, même à ma pire ennemie.

De toute façon, Kira, Amara et les autres ne vont pas tarder à tout savoir. Les élèves de madame Laplage – ceux qui faisaient partie du spectacle – commencent en effet à sortir des loges pour rejoindre leurs amis et leur famille qui les attendent dans l'entrée. Le commérage étant l'une des activités préférées de cette école (selon Megan – mais, à mon avis, c'est valable partout), la nouvelle se répand à toute allure. En trois minutes, il est clair que pratiquement tout le monde ne parle plus que de la scène « épique » entre Megan Parker et madame Laplage. Et chacun sait qu'elle a dû faire quelque chose de *vraiment* grave pour se faire virer juste avant le spectacle.

Quelqu'un me tape sur l'épaule.

— Penny.

Je pivote pour me retrouver devant Posey, en compagnie d'une femme mince et élancée, aux mêmes cheveux noirs lisses et brillants.

— Je te présente ma mère, Christine.

— Oh, ravie de vous rencontrer, madame Chang, dis-je en tendant la main.

Au lieu de me la serrer, elle me surprend en me prenant dans ses bras pour m'écraser contre elle.

— Merci de tout ce que tu as fait pour Posey ! Elle me dit que sans toi, elle n'aurait jamais pu monter sur scène, ce soir.

Je rougis.

— Oh, il ne faut pas exagérer. Elle se serait parfaitement débrouillée.

— Je n'en suis pas du tout certaine ! C'est toi qui as su révéler le courage dont je savais ma fille dotée sans pouvoir l'en convaincre.

— C'est une fille extraordinaire, je réponds.

— Vous l'êtes toutes les deux ! réplique-t-elle.
Et je suis heureuse qu'elle ait une amie comme toi.

— Et moi, je suis très heureuse d'avoir une amie
comme elle ! dis-je en me tournant pour sourire de
tout mon cœur à Posey.

Chapitre Quarante-Deux

Q uand la sonnerie annonce la fin des cours, le lendemain, j'ai tellement hâte de m'en aller que j'attrape mon sac et, sans même enfiler ma veste, je me précipite vers la sortie. J'ai passé la journée sidérée par la vitesse avec laquelle quelqu'un – en l'occurrence Megan – peut se faire emporter par la vague des persiflages, et j'éprouve une pointe de compassion pour elle. Personne n'est au courant des détails, cela n'empêche pas les gens de spéculer, et pas dans le bon sens. Tout le monde m'a pressée aussi de questions, mais j'ai refusé de répondre.

Ce n'est pourtant pas la seule raison de ma hâte à voir la journée se terminer. C'est la première fois que je quitte le lycée en sachant que je peux envoyer un texto à Noah pour lui donner rendez-vous. Et je n'ai aucune envie de m'en priver !

Penny : Coucou, tu es dans le coin ? xxx

J'appuie sur la touche « envoi », un gigantesque sourire aux lèvres. C'est un peu débile de s'enthousiasmer autant pour un truc aussi normal, mais nous n'avons jamais eu, Noah et moi, de relation « normale » ; une relation où l'autre est à portée de la main (et pas à des millions de kilomètres). Une relation où l'on ne vit pas de conversations à l'arraché sur Skype, où l'on ne jongle pas avec le décalage horaire, où l'on ne passe pas son temps à traquer les meilleurs billets d'avion sur Internet.

C'est l'occasion de savoir si ça peut vraiment marcher. Et ça commence avec des petites choses du quotidien. Il me répond aussitôt.

Noah : je suis avec Elliot et Alex à la crêperie. Tu nous rejoins ? N x

Du coup, je cours encore plus vite. Tous les gens que j'aime sont réunis au même endroit, génial !!!

Le lycée est un peu loin des Lanes, alors je saute dans le bus qui descend vers la mer. Il est bondé, et je remarque, en particulier, une bande d'élèves du lycée, tous penchés sur leur téléphone. J'ai envie de prendre une photo, mais je ne peux pas le faire discrètement, alors j'enfonce les mains dans mes poches et je prie pour que le chauffeur ne traîne pas.

La minuscule crêperie se trouve dans une ruelle pavée, presque au bord de la mer. Lorsque j'arrive, la serveuse m'indique la salle au sous-sol en souriant.

— Merci, lui dis-je en passant devant une tablée de touristes.

Je les entends parler d'une star qui vit à Brighton — s'ils espèrent le voir, je crois qu'ils vont être déçus —, et je me demande ce qu'ils diraient s'ils savaient qu'un célèbre chanteur américain est juste sous leurs pieds !

En arrivant dans la salle, je repère immédiatement mes amis. Ils sont installés au fond et c'est Elliot qui me voit en premier. Il agite frénétiquement la main. Je me glisse à côté de Noah et j'attrape son verre de Coca pour avaler une gorgée.

— Eh ! s'écrie-t-il d'un air faussement outré avant de m'embrasser sur la joue.

— J'avais soif !

— Tu savais que les crêpes sont une spécialité de la Bretagne, une région de France, et que là-bas, on les appelle *krampouezh* ? me demande Elliot en prenant une bouchée de la sienne, couverte de fraises et de crème Chantilly.

— Je te sers quelque chose ? me demande la serveuse.

— Une limonade, s'il te plaît.

Quand elle m'apporte mon verre, Elliot lève le sien.

— Je voudrais porter un toast. À *toute* la bande enfin réunie et, une fois de plus, à Noah qui a enfin recouvré ses esprits !

— À nous ! crions-nous tous en chœur en faisant tinter nos verres.

— Et, reprend Elliot avec un petit sourire retors, à... Mega-Naze qui a enfin obtenu ce qu'elle mérite.

— Je crois que tu ferais mieux d'être un peu plus discret, dit Alex en baissant la voix.

— Ah oui, et pourquoi ? réplique Elliot. Mega-Naze a débarrassé le plancher, tu ne crois tout de même pas que je vais m'en plaindre, hein ?

Alex lui donne des coups de coude, maintenant.

— Eh, tu me fais mal ! crie Elliot avant de se taire subitement.

Il a levé les yeux et regarde derrière moi, la bouche arrondie de stupeur.

Je les dévisage un instant, en me demandant s'ils sont devenus fous, quand je sens un frisson désagréable me parcourir la nuque, comme si quelqu'un me regardait.

Je pivote sur ma chaise – avec la curieuse impression de bouger au ralenti – et je vois... Megan.

Ses cheveux sont tirés en arrière dans une queue-de-cheval qui ne la met pas en valeur, et elle ne porte aucun maquillage. Elle a même les yeux rouges, gonflés, et ses lèvres tremblent. Je vérifie rapidement, mais pas de milkshake en vue.

Ce qui ne m'étonne pas quand je vois sa mère descendre l'escalier derrière elle. S'il y a quelqu'un de plus redoutable encore que Megan, c'est bien Mme Barker. Elle s'assoit à l'une des tables près de l'escalier, tandis que Megan avance prudemment vers nous.

— Salut, Penny, me dit-elle.

— Heu, salut, Megan, je réponds en avalant ma salive.

Sous la table, Noah me serre le genou d'une main réconfortante. Elliot la fusille du regard.

— Kira m'a dit que je te trouverais certainement ici, reprend-elle. Je me doute que tu n'as pas envie de me voir, et encore moins, certainement, de me parler, et j'ai compris que tu ne voudrais plus jamais être mon amie, mais je voulais m'excuser de tout ce que j'ai dit hier et de tout ce que je t'ai fait, à toi, à Posey et à Leah. Je sais que c'était mal et je n'arrive pas à croire que j'ai laissé les choses aller aussi loin.

— Oh... heu, OK, dis-je, un peu désarçonnée.

— Je sais que c'est difficile à croire, continue-t-elle en lisant dans mes pensées. Et je ne te demande pas de me pardonner. Seulement j'ai publié un post sur mon blog, où j'essaie... d'expliquer. Je voulais que tu saches que je ne cherche pas à me cacher.

J'écarquille les yeux. Je pensais que Megan serait prête à tout pour défendre sa réputation, pas qu'elle posterait des excuses publiques – des excuses que tous ses amis, sa famille et même le monde entier verraient.

— Quand tu l'auras lu, tu pourras le transmettre à Leah Brown de ma part ? Je n'ai aucun moyen de la joindre pour m'excuser personnellement.

— Oui, je lui transmettrai.

— Merci.

Elle fait demi-tour et part vers sa mère.

— Megan, attends !

— Oui ?

— Qu'est-ce que tu vas faire, maintenant ? L'école, tout ça ?

— Madame Laplage a suspendu mon inscription, mais elle est prête à étudier l'éventualité de mon retour. Elle m'a suggéré de prendre une année de césure, pour que je sois sûre, avant de revenir, que c'est bien ce que je veux faire. Si je retourne à l'école, je recommencerai en première année, parce que le premier spectacle est obligatoire pour valider le passage.

— Je suis sûre que c'est une bonne idée de prendre une année sabbatique.

— Oui. Bon, ben, salut, dit-elle avec un petit mouvement de la main.

— Heu, oui... salut, Megan.

Je ne vois pas ce que je pourrais ajouter, alors je la regarde partir.

Sa mère pose une main sur son épaule et elles remontent l'escalier.

Je me demande combien de personnes elle va aller voir pour s'excuser et j'espère qu'elle a déjà vu Posey.

— Waouh, la vache ! lâche Elliot dans un souffle.

— Tu l'as dit ! Je n'aurais jamais cru qu'elle soit capable de venir jusqu'ici, dis-je en m'asseyant.

— Non, je ne parle pas de ça – enfin, si – mais je suis en train de lire son post. Tu veux voir ?

Il me tend son téléphone.

Pardon

Salut tout le monde,

D'habitude, je profite de cet espace pour vous montrer toutes les choses que j'aime, mais aujourd'hui je voudrais aborder d'autres sujets.

Certains d'entre vous savent certainement déjà de quoi je parle : mon erreur et ma bêtise. Je veux seulement dire que je suis profondément désolée du mal que j'ai causé. Je ne pensais à rien ni à personne d'autre que moi.

Je voulais, plus que tout, avoir ce rôle dans le spectacle de l'école. Cette ambition aurait dû me pousser à travailler plus dur, à être meilleure, pas à gâcher le succès des autres, ou les piétiner, pour prendre leur place. J'ai reçu de l'argent de *Starry Eyes* en échange de la chanson que j'ai piratée, mais j'ai décidé de donner cet argent au Great Ormond Street Hospital.

Je ne vais pas retourner tout de suite au cours de madame Laplage. J'ai besoin d'un peu de temps pour savoir ce que je veux vraiment. Il n'y a pas longtemps, une amie m'a particulièrement éclairée sur la manière de trouver la voie qui nous est propre, sans le faire au détriment des autres, en se concentrant sur son chemin. Je crois que pour une fois, je vais l'écouter. Je suis extrêmement têtue et je sais que j'ai tendance, pour obtenir ce que je veux, à tout écraser sur mon passage. J'ai vraiment honte qu'il ait fallu, pour m'ouvrir les yeux, que je sois suspendue de l'école de mes rêves. J'ai compromis mes amis et mes rêves de carrière par pur égoïsme.

Encore une fois, si vous lisez ces lignes et que vous faites partie de ceux que j'ai offensés ou blessés, je suis sincèrement, profondément, désolée.

Pas de commentaires

Chapitre Quarante-Trois

Elliot émet un long sifflement.

— Le moins qu'on puisse dire, c'est qu'elle ne manque pas de cran, dit-il.

Bizarrement, la lecture du post de Megan relâche la tension qui me noue l'estomac. Mon amitié avec elle ne sera plus jamais la même, à supposer qu'il ait vraiment été question d'amitié.

En tout cas, maintenant, je sais au moins où j'en suis avec elle.

Et curieusement, ça me va.

Devenir adulte n'est peut-être pas si mal, après tout.

Le téléphone d'Elliot se met à vibrer et il le regarde en fronçant les sourcils.

— Qui est-ce ? je lui demande.

— Ta mère...

— Ma mère ? Qu'est-ce qu'elle veut ?

— Je ne sais pas. Elle nous demande de rentrer. Seulement nous deux, si possible.

Je regarde Noah aussi perplexe qu'Elliot regarde Alex.

Qu'est-ce que ça veut dire ?

— Vous n'êtes pas en train de nous mijoter un coup ? leur demande Elliot.

Noah lève les mains.

— Je ne suis au courant de rien.

Je commence aussitôt à stresser. Ce n'est pas le genre de ma mère d'envoyer des textos à Elliot pour me demander de revenir. Surtout depuis mon entrée en terminale, mes parents semblent tous les deux ravis de me donner plus d'indépendance.

— On ferait mieux d'y aller, dis-je à Elliot, c'est peut-être urgent.

J'embrasse Noah (sans trop de regret puisque je sais qu'on se reverra plus tard).

— OK, dit Elliot d'un ton inhabituellement maussade.

— Tu me tiens au courant ? lui demande Alex.

Il l'embrasse légèrement sur la joue avec un air inquiet. J'imagine qu'il ressent le même malaise que moi.

— Bien sûr ! répond Elliot.

Il n'y a que lui pour changer d'humeur aussi vite et retrouver son air guilleret. Il me sourit comme si tout allait bien et, en voyant son clin d'œil, je me sens tout à coup nettement mieux, moi aussi.

Il se lève et glisse son bras sous le mien.

— Allez, viens, je parie qu'elle a besoin de mes conseils d'expert pour son prochain thème de mariage !

On monte l'escalier bras dessus, bras dessous, et c'est en chantant à tue-tête *We Are Family* qu'on arrive chez moi.

Notre humeur change pourtant en franchissant la porte du salon. Mon père et ma mère sont assis en face de deux silhouettes sévères aux allures de notaires : les parents d'Elliot.

Je prends aussitôt la main d'Elliot, qui reste toute molle dans la mienne. Il commence à reculer vers la porte, et je le sens frémir, comme s'il était prêt à déguerpir.

Ma mère doit s'en rendre compte, elle aussi, parce qu'elle se lève.

— S'il te plaît, Elliot, tes parents ont besoin de te parler.

— Je suis venu chez vous parce que je vous faisais confiance ! s'écrie-t-il en m'arrachant sa main pour la plaquer contre son torse, comme si je l'avais brûlé.

Il s'adresse à ma mère, mais je sais que je suis comprise dans le lot.

— Je voulais les fuir, pas les retrouver *ici* !

— Nous le savons, Elliot, lui dit sa mère.

— Tes parents...

— Ce n'est pas à eux de décider à quel moment ils peuvent débarquer et ruiner ma vie !

— Elliot, ne parle pas sur ce ton à Mme Porter, le coupe sévèrement son père.

— C'est toi qui me dis ça ! réplique Elliot.

— Tu vois ? dit son père à sa mère. Je t'avais dit que ça ne valait pas le coup.

— Oui, *je* ne vaux pas le coup, comme toujours, lâche Elliot.

Sur quoi, il tourne les talons et fonce dans l'escalier.

Je reste plantée là, secouée par le choc et l'émotion. Je n'arrive pas à croire que le père d'Elliot lui parle de cette façon — et je n'arrive pas à croire que ma mère lui ait tendu cette embuscade.

Elle me regarde, le front plissé d'anxiété.

— Tu penses pouvoir lui parler, Penny ? Il doit écouter ce que ses parents ont à lui dire, c'est important. Je sais que c'est dur.

J'opine, hébétée, puis je monte l'escalier en me demandant ce que je vais bien pouvoir dire à mon meilleur ami qui vient de se faire piéger chez moi... En arrivant dans la chambre de Tom — devenue celle d'Elliot —, je le vois en train de fourrer fiévreusement ses affaires dans un sac. La colère ne lui va pas. Son visage est marbré et il tremble de rage.

Je vais jusqu'à lui et, sans dire un mot, je le prends dans mes bras. Il commence par se débattre, enfermé dans sa colère, puis il finit par lâcher prise et pose la tête sur mon épaule.

— Je suis obligé de leur parler, hein ?

J'opine.

— Tes parents ne se comportent pas franchement en adultes, mais tu n'es pas obligé d'être comme eux.

— Ça craint d'être adulte, hein ?

Je m'écarte et j'essuie la larme qui roule sur sa joue.

— Carrément, mais ma mère est forte en arbitrage, tu sais. Elle va faire attention à ce que ça ne dérape pas. Elle va te protéger de ton père.

Il pousse un soupir misérable.

— Je vais en avoir besoin. Tu as vu comme il est à cran ?

— Ils traversent aussi une période difficile. Mais, quoi qu'il arrive, ne les laisse pas t'accuser ou te reprocher quoi que ce soit. C'est toi la victime dans cette histoire. Tu n'es pour rien dans leurs disputes.

— Merci, Pen-pen.

Il approche du miroir, efface les dernières traces de larmes sous ses yeux, puis il se redresse et secoue les épaules.

— Souhaite-moi bonne chance.

— Tu veux que je t'accompagne ?

Il fait non de la tête et m'embrasse sur les deux joues.

— Je dois me débrouiller tout seul, mais si j'ai besoin de ton aide, tu seras là, hein ?

— Évidemment ! Bonne chance.

Je passe l'heure suivante à contempler le plafond de ma chambre, incapable de me concentrer sur mes devoirs, les commentaires de mon blog ou même le message de Melissa qui attend dans ma boîte mail. La seule chose que j'arrive à faire, c'est envoyer un texto raisonnablement rassurant à Noah pour lui expliquer la raison de celui de ma mère, auquel il répond immédiatement par une émoticône encourageant et la promesse de venir si jamais on a besoin de lui.

Trois petits coups frappés à ma porte me tirent de mes réflexions. Je saute de mon lit pour ouvrir.

C'est Elliot, les yeux rouges et gonflés, mais étrangement calme.

— Ça y est, dit-il d'une voix presque éteinte. Mes parents divorcent.

4 novembre

Que faire quand votre meilleur ami est au fond du trou ?

Salut tout le monde,

J'ai encore besoin de vos conseils.

Un de mes amis traverse une période vraiment dure, en ce moment. Je ne suis pas sûre de pouvoir l'aider. Mais je suis certaine que beaucoup d'entre vous se sont trouvés ou se trouvent dans la même situation.
Alors voilà :
Comment s'en sort-on quand les parents divorcent ?

Si c'était les miens, je sais que je serais complètement perdue.
Dans le cas de mon ami, l'atmosphère à la maison est invivable depuis longtemps, parce que ses parents ne sont pas heureux ensemble. Si divorcer leur permet d'être plus heureux, ça doit être une bonne décision pour eux. Mais pour lui, c'est dévastateur. Je veux l'aider, mais comment ? Je l'ai gavé de chocolats chauds et de playlists réconfortantes, mais je vois bien que ça ne suffit pas. Je sais que les divorces arrivent souvent aujourd'hui, alors si vous pouvez m'aider en partageant ce que vous avez vécu, je vous en serai ultra reconnaissante.

Merci d'avance.

GIRL ONLINE, going offline xxx

Chapitre Quarante-Quatre

— Tu me jures que c'est une *vraie* tradition britannique, et pas un truc que tu viens d'inventer pour te payer ma tête ?

Nous sommes, Noah et moi, chez JB's Diner, devant un chocolat chaud, et j'essaie de lui expliquer les subtilités de la nuit de Guy Fawkes[1].

Son scepticisme me fait glousser.

— C'est vrai, je t'assure !

— Répète-moi les paroles de la comptine.

— « Souvenez-vous, souvenez-vous du 5 novembre », je chantonne en riant, « poudre à canon, trahison et complot ! »

— Et vous brûlez vraiment quelqu'un sur un bûcher ?

---

1. La nuit de Guy Fawkes (*Bonfire Night* en anglais) célèbre l'échec de la Conspiration des poudres du 5 novembre 1605, au cours de laquelle des catholiques anglais tentèrent de faire sauter le Parlement. Guy Fawkes était l'un des conspirateurs. Son effigie est traditionnellement brûlée sur un bûcher et à cette occasion on tire de nombreux feux d'artifice. (NdT.)

— On brûle parfois une *effigie*, une marionnette de chiffons bourrée de papier journal, mais ça n'a plus tellement cours à Brighton, on se contente de grands feux de joie et de feux d'artifice.

— C'est cool. Et d'où ça vient ?

— Pour la leçon d'histoire, tu vas devoir attendre Wiki ! Cette année, mon père a décidé de faire un feu dans le jardin. On ne l'a pas fait depuis des siècles, mais comme tu es là, il veut faire les choses en grand.

— Tes parents sont vraiment super !

Je glisse les doigts sur le bord métallique de la table. Il y a beaucoup de jeunes de notre âge autour de nous, mais la plupart ne font pas attention à nous. Noah fait partie du paysage, maintenant.

— Tu sais que c'est ici que j'ai eu ma première vraie crise de panique ?

— Ah bon ?

Il passe un bras sur mes épaules pour me serrer contre lui, mais tout va bien : mon cœur bat tranquillement, ma vision est claire et mes mains ne tremblent pas.

— Oui. Megan était là, cette fois aussi. En fait, c'est plutôt elle qui l'a déclenchée.

— C'est bien que tu ne la voies plus. À mon avis, elle te pourrissait la vie plus qu'autre chose.

Je plisse le front, mais plus j'y pense, plus je dois admettre qu'il a sans doute raison.

— Je croyais que mes angoisses étaient dues à l'accident de voiture. J'ai vraiment été traumatisée, ce jour-là.

Aujourd'hui encore, si je ferme les yeux, je me souviens parfaitement de cet instant. Je ne me rappelle pas tous les détails – où nous allions, par exemple –, mais j'ai des flashs et mes sensations restent aussi vives. La lumière des phares qui dérape sur la route, mon incapacité à respirer pendant qu'on fait un tonneau, mes mains plaquées sur la portière, incapables de me libérer.

— Mais ça n'arrive pas seulement quand j'ai peur. C'est le sentiment d'être *prise au piège*, dans cette voiture, au milieu de la foule, dans une... amitié.

Noah se penche vers moi et cherche mon regard.

— Si jamais tu te sens prise au piège avec moi, Penny, jure-moi de me le dire.

— Bien sûr, mais ça m'étonnerait que ça se produise ! En fait, quand je suis avec toi... C'est très bizarre, tu me fais l'effet... d'une issue de secours ! Il suffit que je plonge les yeux dans ton regard et...

Je rougis tellement ça me semble stupide, mais Noah me soulève le menton et m'oblige à le regarder.

— Je sais, Penny. J'éprouve exactement la même chose.

Il glousse.

— Tu comprendras ce que je veux dire quand tu écouteras ma nouvelle chanson.

— Et quand aurai-je cet immense privilège, monsieur Mystère ?

— Bientôt ! Et ne m'accuse pas de faire des mystères quand tu es la première à ne rien dire de ce que tu es en train de manigancer !

— Tout vient à point à qui sait attendre !

Nous éclatons de rire quand un bruit s'élève à l'entrée du café. Quelqu'un m'appelle. Je tourne la tête et je vois Alex, le visage pâle, hagard et échevelé, scruter la salle avec angoisse. Il s'est passé quelque chose...

— Alex ?

Il pousse un cri de soulagement en me voyant.

— Dieu merci, vous êtes encore là !

Il m'a envoyé un texto une heure plus tôt, pour me demander où nous avions rendez-vous, Noah et moi, après les cours. J'ai pensé qu'il voulait nous rejoindre avec Elliot. Mais Elliot, apparemment, n'est pas là.

Il se précipite jusqu'à notre table.

— Vous ne savez pas où se trouve Elliot, par hasard ?

— Non, je croyais que vous étiez ensemble.

— Tu n'as pas reçu de texto, d'appel ?

Je secoue la tête.

— Oh, non. J'espérais encore le trouver ici...

Il fait les cent pas devant nous, bien trop secoué pour s'asseoir.

Noah le prend par le bras pour l'obliger à s'arrêter.

— Eh, Alex, dis-nous ce qui se passe, vieux.

— J'ai merdé ! On s'est disputés hier soir, après la discussion avec ses parents...

Ma gorge se serre instantanément. Elliot était effondré, hier soir, il n'avait certainement pas besoin d'une dispute avec Alex.

— Raconte-moi ce qui s'est passé, je lui demande.

— C'est de ma faute ! Je peux être tellement...
détaché, parfois. Je lui ai dit que ce n'était pas un
drame de divorcer, qu'on s'en remet. J'ai eu tort,
c'était stupide, j'aurais dû me douter qu'il ne pouvait pas comprendre, que c'était trop tôt pour dire
un truc pareil. Il m'a demandé de partir, alors je
l'ai laissé. On n'est jamais restés brouillés plus d'une
heure ou deux. Je pensais, qu'après le choc avec
ses parents, il valait mieux que je le laisse dormir
– rien de tel qu'une bonne nuit de sommeil pour se
remettre d'aplomb, non ? Enfin bref, je pensais qu'il
irait mieux ce matin. Mais Penny, il n'a répondu
à aucun de mes textos et, apparemment, il n'a pas
mis les pieds au lycée !

Moi non plus je n'ai reçu aucune nouvelle d'Elliot
aujourd'hui – pas de réponse à mes messages, ni
aucune de ses anecdotes farfelues habituelles –, mais
compte tenu de ce qu'il traverse, ça ne m'a pas
inquiétée.

— Tu es allé vérifier dans sa chambre, chez moi ?

Il baisse la tête et ses épaules s'affaissent.

— C'est la première chose que j'ai faite. Il n'est
pas là et personne ne l'a vu partir, ce matin. Son lit
est fait, comme s'il n'y avait pas dormi cette nuit...
et son sac a disparu.

Mon sang se glace dans mes veines.

— Tu plaisantes ?

— Non. J'aimerais bien.

Une larme roule sur sa joue, et je comprends qu'il
est mort d'inquiétude.

— J'ai même demandé à ses parents. Ils ne savent rien, évidemment.

— Il ne partirait pas sans nous prévenir, dis-je en me forçant à paraître convaincante. Il doit être dans un de ses endroits habituels. Viens. Noah et moi, on va t'aider à le chercher.

— Merci. Je vais passer chez moi prendre un manteau et ma batterie de secours – il va peut-être essayer de me joindre et je ne veux pas risquer de me retrouver en panne de téléphone. Préviens-moi si tu as des nouvelles.

— Bien sûr.

J'enroule déjà mon écharpe autour de mon cou, tandis que Noah met son manteau.

— Tu crois vraiment qu'Elliot s'est envolé ? me demande-t-il.

— C'est possible.

Elliot s'envole *toujours* – que ce soit pour échapper aux disputes avec ses parents ou à une mauvaise journée au lycée. Quand il avait rompu avec Alex, il s'était même enfui jusqu'à Paris pour me rejoindre. C'est son truc, la fuite. Et je m'en veux de ne pas avoir compris plus tôt qu'après l'annonce de ses parents, il risquait de faire la même chose. Mais il n'a jamais cherché à me fuir *moi*. Il n'est jamais parti nulle part sans me prévenir, ou m'inviter.

Cette fois pourtant, je sens que c'est différent.

Plus grave.

— On va le trouver, me dit Noah plein d'assurance. Il ne partirait jamais sans te le dire.

— C'est ce que je croyais, mais s'il a disparu depuis ce matin et peut-être même cette nuit...

Je regarde mon téléphone en me demandant à quoi il sert puisque je n'ai aucun message d'Elliot. Je tente encore une fois de le joindre.

Penny : Eh, où es-tu ? P xxxx

Il fait presque nuit quand on sort — le soleil se couche plus tôt maintenant —, et l'air est froid. Mais nous sommes bien emmitouflés dans nos manteaux ; j'ai mis mes gants et mon écharpe est remontée jusqu'à mes yeux.

— On commence par où ? me demande Noah.

Mon regard tombe sur les lumières de la jetée, et je me rappelle toutes les fois où Elliot et moi, quand on avait besoin de se changer les idées, nous sommes allés nous défouler sur les machines à deux pence. Bizarrement, les bruits de la fête foraine nous apaisaient toujours.

— Par là ! dis-je à Noah en lui prenant la main pour l'entraîner avec moi.

Elle n'est heureusement pas très loin. Il y a beaucoup de monde à cause des feux d'artifice, et on est obligés de zigzaguer entre des groupes qui sirotent des boissons chaudes ou qui trempent leurs churros dans des gobelets de sauce chocolat. J'entends le grondement des montagnes russes, et je vois les lumières brillantes du train qui donne, en tournoyant, l'impression de vouloir jeter tous ses passagers dans la mer.

Quand on arrive devant l'entrée, je montre l'allée de gauche à Noah.

— Va de ce côté, moi je passe par là. Continue jusqu'au bout et on se retrouve aux auto-tamponneuses, d'accord ?

— Ça marche, me dit-il en ôtant son bonnet.

Maintenant qu'on est à l'intérieur et au milieu de la foule, je me sens un peu étouffer. Courir m'a donné chaud et mon cœur bat à toute allure, mais je dois rester concentrée.

Où es-tu, Elliot ?

Chaque fois que je passe devant une de nos machines préférées, je retiens mon souffle, mais je ne vois pas Elliot. Je sursaute en apercevant une tête surmontée d'un trilby qui ressemble au sien, mais ce n'est pas lui.

Elliot Wentworth n'est pas sur la jetée.

— Alors ? je demande à Noah en le rejoignant près des auto-tamponneuses.

— Rien.

J'envoie un texto à Alex.

Penny : il n'est pas sur la jetée. Je vais faire un tour du côté des Lanes et on se retrouve chez moi, OK ?

C'est chez moi qu'on l'a vu pour la dernière fois, et si je ne suis pas là pour la spécialité de mon père avant le brasier final (des marshmallows grillés spécial Guy Fawkes), mes parents vont s'inquiéter aussi pour moi. De toute façon, une fois sur place on pourra organiser nos recherches avec eux.

Je me souviens aussi du compte Grande Évasion d'Elliot. Si la carte a disparu... alors on a vraiment du souci à se faire.

Je mets Noah au courant de la carte et il opine d'un air grave.

— Apparemment, il prévoyait le coup, me dit-il.

Des larmes inattendues me montent aux yeux, et Noah en les voyant me serre brusquement dans ses bras.

— Il ne serait jamais parti sans me le dire ! je sanglote contre lui. C'était un pacte. On se raconte *tout* !

— Il a presque dix-sept ans, Penny. Il sait se débrouiller...

— Je me fiche de son âge, il a besoin de ses amis. Il ne peut pas disparaître et tout plaquer...

Mais c'est exactement ce qu'a fait Noah. Je ne veux pas y penser.

On fouille les Lanes, vérifiant tous nos endroits préférés : la crêperie, le café de la librairie Waterstones, chez *Choccywoccydoodah* ; j'irais bien explorer la librairie elle-même, mais elle est fermée à cette heure. Les ruelles commencent à se remplir, tout le monde se presse vers le grand feu de quartier et les feux d'artifice.

— Viens, me dit Noah, il est temps de rentrer chez toi. Peut-être qu'il est déjà rentré et nous attend.

— Peut-être.

Mais je n'y crois pas un seul instant.

Nous prenons le taxi, c'est plus rapide et de toute façon on a beaucoup trop froid pour attendre le bus.

Quand on arrive, si j'avais eu le moindre espoir, il se serait évanoui en voyant le visage inquiet de ma mère.

— Alors, nous demande-t-elle quand on franchit la porte, vous avez des nouvelles ?

Je secoue la tête et je laisse Noah répondre pour me précipiter dans la chambre d'Elliot. Alex avait raison : elle semble abandonnée et le lit n'est pas défait. Le seul détail qui me donne une toute petite lueur d'espoir, c'est le livre qu'Elliot est en train de lire : il est toujours sur la table de nuit, son marque-page bien en place. Elliot l'aurait emporté s'il était parti pour de bon. Il ne supporte pas de ne pas finir un livre.

J'ouvre l'armoire et j'écarte ses vêtements jusqu'à trouver ce que je cherche. Une petite boîte noire fermée par une serrure à combinaison que je connais très bien – parce que nous avons la même –, un mélange de nos dates de naissance. Je la déverrouille rapidement, et je soulève le couvercle.

Elle est vide.

La carte Grande Évasion d'Elliot a disparu avec lui.

La boîte me tombe des mains et s'écrase dans un bruit métallique à mes pieds.

Il est vraiment parti.

Chapitre Quarante-Cinq

— P enny, ça va ?
Je me suis laissée tomber sur les genoux sans même m'en rendre compte et c'est dans cette position, recroquevillée par terre, que me trouve Noah.

— Il a pris sa carte Grande Évasion, dis-je entre deux sanglots. Ça veut dire qu'il est parti pour de bon...

— Viens, me dit-il en m'aidant à me relever. Alex va arriver, et tu dois mettre tes parents au courant.

Quand on arrive au salon, Alex est là, dans les bras de ma mère, tandis que Mme Wentworth fait les cent pas en se tordant les mains. Mes yeux doivent poser la question que je suis incapable de formuler, parce qu'elle se prend subitement le visage à deux mains et dit :

— Je ne sais pas où il est, si seulement j'avais su...

— Où est le père d'Elliot ? je demande.

— Parti lui aussi !

Elle lâche un rire amer.

— Mais *ça* ne m'étonne pas. Il est parti retrouver sa secrétaire, vivre son idylle avec elle. Ils se voient depuis des mois !

— Oh, je suis désolée.

— Je pensais me rapprocher de mon fils. Ça a l'air ridicule maintenant, mais je suis sortie lui acheter un de ces éclairs au chocolat qu'il adorait quand il était petit.

Elle montre un emballage en carton un peu écrasé sur la table.

— Un gage de réconciliation. Mais ce n'est plus un bébé. Quand je suis rentrée, j'ai trouvé ça.

Elle me tend une feuille de papier arrachée d'un cahier.

Vous m'avez fait comprendre hier soir que je n'étais plus le bienvenu ici, alors je pars. Salut. Elliot.

Mon cœur se serre douloureusement.

— Où l'avez-vous trouvée ?

— Sur la console dans l'entrée.

Son visage est crispé d'inquiétude, et elle a l'air complètement effondrée.

— En l'espace de quelques heures, j'ai perdu toute ma famille.

— C'est vous qui l'avez chassé ! s'écrie Alex en tapant rageusement du poing sur le canapé. Si vous aviez pensé à lui une seule seconde, il serait toujours là !

Ma mère lui serre l'épaule et lui murmure des paroles apaisantes.

Je vais vers la table et j'ouvre la boîte où se trouve le gâteau. J'ai l'impression d'agir comme un robot, j'ai la tête complètement vide et mon corps semble obéir à quelqu'un d'autre.

Ce n'est pas le moment de manger, Penny, je me dis.

Sur la boîte, il y a un petit dessin, un personnage de bande dessinée qui me rappelle vaguement quelque chose...

Et tout à coup, je me souviens.

Il y a un endroit que je n'ai pas vérifié.

Un endroit auquel personne, à part moi, n'aurait l'idée de penser.

— Madame Wentworth, est-ce que la porte de chez vous est ouverte ?

— Non, mais je peux te prêter les clefs.

— J'ai une idée de l'endroit où peut se trouver Elliot, mais j'ai besoin de quelque chose dans sa chambre.

Elle me tend son trousseau.

Noah me donne une pression de la main rassurante et je sens le regard interrogateur d'Alex posé sur moi, mais je ne veux pas avoir l'air trop optimiste, au cas où ce serait encore une fausse piste.

Chez Elliot, je grimpe l'escalier quatre à quatre jusqu'à sa chambre sous les combles. Elle est l'exacte réplique de la mienne, derrière le mur de gauche.

Tout est complètement renversé, à cause de sa mère, puis après le passage d'Alex, mais ils ne connaissent pas cette chambre aussi bien que moi. Je sais que, derrière son miroir, il y a une porte secrète qui mène dans le recoin de la soupente – comme chez moi. C'est là qu'Elliot et moi cachions nos plus précieux trésors – toutes sortes de babioles, si chères à nos yeux d'enfants –, là que nous entreposons tout un tas de souvenirs que nous nous promettons souvent de jeter sans jamais réussir à nous en séparer. De mon côté, il y a mes journaux intimes, des boîtes et des boîtes remplies de photos. Elliot y garde ses livres préférés et les vêtements ou objets dont il est *absolument* certain qu'ils reviendront un jour à la mode. Il a aussi affiché son dessin d'une pêche géante (*James et la grosse pêche* est son livre d'enfant préféré), agrémenté d'une étoile dorée décernée par sa mère (sa façon de le féliciter et de lui dire « je t'aime »).

Je m'agenouille à côté du panneau. Il me faut un moment pour repérer l'encoche, mais je la trouve et je tire. La porte s'ouvre et je me faufile, accroupie, de l'autre côté.

Elliot est là, recroquevillé dans le coin, les cheveux tout emmêlés et couverts de toiles d'araignées. Il est enveloppé dans une vieille couverture et il regarde un album que je n'ai jamais vu.

— Salut, dis-je un peu hésitante.

Il tourne la tête.

— Salut.

Ses yeux sont rougis derrière la monture écaille de ses lunettes.

— Comment as-tu deviné que j'étais là ?

— Je te connais, idiot.

Il sourit faiblement.

— J'allais disparaître, tu sais.

— Je sais.

Il écarte sa couverture et m'invite à le rejoindre. Je me serre contre lui et je lui prends la main.

— J'allais vraiment le faire, reprend-il. Je suis venu ici la nuit dernière, prendre quelques trucs, comme ce livre.

Il ramasse son précieux exemplaire de Roald Dahl, encore couvert de plastique transparent.

— Et j'ai trouvé ça. Je l'avais complètement oublié, je ne me souvenais même pas de l'avoir fait.

Il ferme l'album pour me montrer la couverture, sur laquelle je lis :

MA FAMILLE par ELLIOT WENTWORTH ~~8 ans~~, ~~9 ans~~, ~~9 ans ¾~~, 10 ans

Je glousse devant l'amour de la précision du jeune Elliot, même concernant son âge.

— Il me semble que c'était un devoir de classe, au début, mais j'ai continué.

Il tourne les pages. Sur la première, il y a un arbre généalogique avec de petites photos (méticuleusement découpées) de ses grands-parents, de ses parents et de lui ; suit une collection de souvenirs précieux : un chardon séché de leur voyage en Écosse, des tickets de musée, de cinéma et, surtout, toute une série de photos d'Elliot avec son père et sa mère réunis. Heureux.

— Regarde, c'est toi ! s'exclame-t-il en posant le doigt sur une photo au coin de la page.

Je me reconnais, à six ans, les joues rebondies, vêtue d'un tablier à pois et le bras autour du cou d'un Elliot maigrichon de sept ans. Je porte les lunettes d'Elliot et lui, il a un boa à plumes de ma mère enroulé autour du cou. On fait une belle paire d'imbéciles. Et une paire encore plus belle de meilleurs amis du monde.

— Oh là là, tu as vu mes cheveux ! je gémis en découvrant, incrédule, ma tignasse coupée au bol.

— Je trouve que tu as l'air très chic !

— Menteur, dis-je en lui donnant un coup de coude.

Il croise mon regard et soupire.

— Je pensais vraiment partir, cette fois, dit-il en tripotant distraitement le coin de son album. Je suis assez vieux, j'aurais pu m'en sortir. Je ne voulais plus dépendre de personne, ni aimer personne. L'amour n'apporte que de la souffrance, pas vrai ?

Je lui serre la main.

— Et puis je suis venu ici, j'ai retrouvé tout ce que j'avais rassemblé en grandissant. OK, ma famille était loin d'être parfaite – regarde comment mon père me traite aujourd'hui – mais il y *avait* de l'amour à la maison. J'ai de la chance d'avoir eu ça, même si c'est du passé. Ce n'est pas parce que c'est terminé que ça n'a jamais existé ou que ça n'était pas vrai, hein ?

— Oui.

— C'est ça, devenir adulte ? me demande-t-il dans un rire désabusé.

— Si tu veux dire avoir autant de souffrance que de bonheur, autant de tristesse que d'espérance, autant de désillusions que d'enthousiasme, je crois que oui.

— Comment sait-on qu'on est prêt à devenir adulte ?

— Je ne suis pas sûre qu'on le sache vraiment, ni qu'on soit jamais prêt. À mon avis, même nos parents continuent d'évoluer.

— C'est peut-être vrai pour les tiens, mais regarde les miens. Ils sont tellement figés dans leurs petites habitudes qu'on dirait des statues.

— Tu es sûr ? Regarde les changements qu'ils traversent. Ils grandissent, eux aussi.

Il soupire.

— Les choses changent vraiment, hein, Penny ?

— Oui, elles changent.

— Mais nous, on ne changera pas, hein ? On ne laissera pas ce qu'on a nous échapper ?

Je lui prends la main et je la serre de toutes mes forces.

— Jamais, Elliot, dis-je fermement.

Mais je sais bien qu'on ne peut pas rester éternellement ici. Alors, après quelques minutes, je reprends doucement :

— Tu nous as fait très peur, Elliot. Pourquoi n'as-tu pas répondu à nos messages ? Alex est mort d'inquiétude !

Il gigote.

— Il faisait nuit quand je suis arrivé et je me suis servi de mon téléphone pour m'éclairer. J'ai dû m'endormir. Je n'ai plus de batterie, c'est tout.

Je suis désolé de vous avoir inquiétés, j'avais besoin de solitude.

— OK, tu es prêt à revenir, maintenant ?

— Je suis vraiment obligé ? me demande-t-il avec un regard implorant.

J'opine.

— Tu ne peux pas vivre ici jusqu'à la fin de tes jours. Et la magnifique maison de tes rêves ? Je ne suis pas sûre que ce cagibi te corresponde...

— Tu as parfaitement raison. Ce n'est pas très chic.

Il pose son album où il l'a trouvé, remet la couverture sur son sac, et nous sortons.

J'enlève les toiles d'araignées dans ses cheveux, puis j'époussette la poussière sur ses épaules.

— Penny ? dit-il en me prenant la main.

— Oui ?

— Je suis content que tu m'aies trouvé.

— Je n'aurais jamais cessé de chercher, Wiki.

— Je sais.

— Tu es mon meilleur ami au monde. Non, plus que ça. Tu es toute ma vie. Je ne pourrais pas continuer sans toi. Alors ne t'avise plus jamais de me quitter comme ça, d'accord ?

— Plus jamais, dit-il. Promis.

Chapitre Quarante-Six

Quand on revient chez moi, c'est un énorme soulagement. Alex se jette dans les bras d'Elliot et le couvre d'un million de baisers jusqu'au moment où ils se rappellent qu'ils ne sont pas seuls. Ils s'écartent, brusquement embarrassés, mais Elliot garde fermement la main d'Alex dans la sienne. Il se tourne vers sa mère.

— Désolé pour le mot, lui dit-il avec un sourire triste.

— Non, c'est moi qui suis désolée… pour tout, répond-elle. J'aimerais… faire la paix. Tu veux bien ?

— Ça veut dire que je peux récupérer ma chambre ?

Le visage de sa mère s'illumine comme un sapin de Noël.

— C'est vrai ? Tu veux revenir à la maison ?

— Si ça te va.

— Bien sûr !

Ils échangent alors l'étreinte la plus timide et la plus maladroite que j'aie jamais vue. Mais c'est un début.

Ma mère pousse un énorme soupir de soulagement.

— Comment as-tu deviné où il était, Penny ? me demande-t-elle.

Je rougis.

— C'est à cause du carton de la pâtisserie, le dessin m'a fait penser aux soupentes dans nos chambres, là où on garde tous nos souvenirs d'enfance, notre cachette préférée quand on était petits.

— Oh, oui, je me souviens ! s'exclame ma mère. Je t'ai cherchée un jour entier quand tu avais sept ou huit ans. J'avais complètement oublié l'existence de ce cagibi !

Son visage s'éclaire subitement.

— Oh, je pourrais y ranger quelques cartons de la boutique !

— Maman !

— Qui veut des marshmallows ? demande mon père en sortant à point nommé de la cuisine.

— Il n'est pas trop tard pour lancer le feu ? demande Noah.

— Chez les Porter, il n'est *jamais* trop tard pour célébrer la nuit de Guy Fawkes !

— Alors dans ce cas, répond Noah en s'inclinant pour saluer mon père avec un chapeau imaginaire.

— Oh ! quel *horrible* accent britannique ! s'exclame Elliot en riant.

Noah fait mine d'être complètement découragé.

— Ah bon ? J'ai pourtant regardé *My Fair Lady* en boucle.

Il sourit.

— Mais tu n'es *pas* Eliza Doolittle, réplique ma mère.

Je vais chercher les cierges magiques dans le placard sous l'escalier en riant, puis on traverse tous la cuisine pour aller dans le jardin, où mon père a préparé un tas de bois pour le feu. Ce n'est pas un immense bûcher, comme celui organisé par la ville, mais il fera très bien l'affaire pour griller nos marshmallows.

Mon père nous aide à allumer nos cierges et nous nous amusons, Elliot, Alex et moi, à écrire nos prénoms dans les airs. Après en avoir consumé un nombre incalculable, je retourne dans la maison chercher mon appareil photo et je prends plusieurs clichés d'Elliot qui, un cierge à la main, tournoie autour d'Alex immobile. On dirait qu'Alex est entouré de rubans d'or en fusion. C'est très poétique et super cool.

Noah s'active avec mon père autour du feu et, très vite, de grandes flammes s'élèvent et nous enveloppent dans une belle chaleur rouge orangé. Mon père place les petites boules de papier aluminium qu'il a préparées sur les braises et, quelques minutes plus tard, nous dégustons de délicieux marshmallows fondus dans un mélange de pépites de chocolat et de biscuits écrasés. C'est à tomber !

— Ce n'est pas exactement comme chez moi, commence Noah d'un ton songeur.

On le regarde tous, dans l'attente de son verdict.

— Mais c'est *super* bon !

Mon père rayonne comme s'il venait d'être couronné meilleur chef de l'année.

— Venant d'un Américain, c'est le plus beau compliment qu'on peut me faire ! s'exclame-t-il en souriant jusqu'aux oreilles. Et maintenant... les choses sérieuses !

Il va au fond du jardin, vers les feux d'artifice.

— Je peux vous aider, Rob ? lui propose Alex.

— Avec plaisir. Viens !

La mère d'Elliot sort de la cuisine avec un plateau chargé de tasses de vin chaud et de chocolat fumant. Derrière elle, ma mère apporte les couvertures, et nous nous installons confortablement sur les chaises longues autour du feu.

— Tu ne voudrais pas nous jouer quelque chose, Noah ? demande ma mère.

— Avec plaisir, Dahlia !

Il se lève et court vers la maison de laquelle il sort, presque aussi vite, avec sa guitare.

Il s'arrête sur le seuil, caresse le manche, glisse les doigts sur les cordes, plaque quelques notes pour vérifier les accords puis, satisfait du résultat, il passe la bandoulière autour de son cou et vient vers nous.

Je le regarde avancer, émerveillée par l'aisance avec laquelle il joue. Comment peut-on produire des sons aussi beaux en ayant l'air de ne même pas y penser ? Je sais qu'il y a beaucoup de travail derrière, n'empêche, j'ai l'impression de voir un miracle !

Il s'assoit et, à la demande d'Elliot, il se lance dans son premier succès, *Elements*, avant d'enchaîner sur *Automn Girl*, puis *Brown-Eyed Girl* – cette fois à la demande de ma mère – qu'il joue, comme les autres, à la perfection.

Quand il s'arrête, on entend mon père crier au fond du jardin :

— Tout le monde est prêt ?

— Oui !

— Bien. Alors *un*…

Je me penche vers Noah pour murmurer :

— C'était magnifique. J'avais presque oublié à quel point j'aime t'entendre chanter.

— *Deux*…

— Et moi, j'avais presque oublié à quel point j'aime chanter pour toi.

— *Trois !*

On s'embrasse au milieu d'une explosion d'étincelles et de cris de joie.

Après le feu d'artifice, la mère d'Elliot et mes parents nous souhaitent bonne nuit. Ils s'en vont parce qu'ils sont, paraît-il, fatigués. Alors nous nous retrouvons, Noah, Elliot, Alex et moi.

— Nous aussi, on est crevés, déclare Elliot peu de temps après.

Il faut reconnaître que la journée a été riche en émotions pour tout le monde. Alors je me lève et, au lieu de l'empêcher de partir, je serre Elliot dans mes bras.

— Je t'aime, lui dis-je.

— Je t'aime aussi, Penny Chou.

— Merci de votre aide, nous dit Alex. Je ne sais pas ce que j'aurais fait sans vous.

Je lui souris.

— Veille bien sur lui, d'accord ? Il est précieux, tu sais.

— Oui, je le sais, me répond-il en couvant Elliot d'un regard aussi aimant qu'attendri. Ne t'inquiète pas, je vais faire attention.

Quand nous nous retrouvons seuls, Noah et moi, sous les étoiles, je ne rêve que d'une chose : me nicher dans ses bras. Mais, à ma plus grande surprise, il garde ses distances. Mon air déçu le fait sourire.

— Je voudrais te chanter quelque chose, dit-il en s'asseyant dans sa chaise longue.

— Oh.

Je m'assois à mon tour et je m'enroule dans ma couverture, intriguée.

— C'est... une de mes nouvelles chansons, poursuit-il en se passant la main dans les cheveux.

— On dirait que ça te fait peur, Noah ! je m'exclame en riant.

— Parce que ça me fait peur, réplique-t-il les yeux brillants. J'ai toujours peur quand je chante une nouvelle chanson pour la première fois devant quelqu'un. Alors une nouvelle chanson *pour toi*... J'espère qu'elle va te plaire. Elle s'appelle *My Forever*.

Il prend une bonne inspiration, et sa belle voix douce et profonde s'élève dans la nuit.

You have your life, I have mine
Plenty of reasons to deny
All these feelings runnin' round in my head
But as I... have... always... said...

379

We may not be good for each other
But I know we'd be great together

Can't spend forever this way
Can't spend even one more day
Away from you
Apart from you
My forever
Seasons come, seasons go
From sun-soaked days, to crisp white snow
So many things I love through the year
But as I... have... always... said...
The thing I long for most in this world Is
to be in love with my Autumn Girl

Girl, you and I may be complicated
But if you ask me, distance is overrated

Can't spend forever this way
Can't spend even one more day
Away from you
Apart from you

Far from you
I long for you
My forever

Les dernières notes peuvent s'effacer et disparaître, je reste plongée dans un océan de pur bonheur.
— Noah, c'était...
Mais il n'existe pas de mots assez beaux ni assez justes pour décrire sa chanson ou ce qu'elle m'inspire.

— C'est ce que j'éprouve, lâche Noah dans un murmure.

Il plonge son regard dans le mien et m'attire sur ses genoux.

— C'est tout, Penny... Et je ne suis pas certain que l'éternité suffise.

Un mois plus tard

7 décembre

Girl Online saute le pas

Salut tout le monde !

Ce post a mis du temps à venir, mais il faut dire que j'étais hyper stressée à l'idée de le publier. Vous êtes, depuis deux ans, ma communauté de cœur (et d'âme) en ligne. Je voulais faire quelque chose pour vous remercier, mais surtout, je me suis aperçue, il n'y a pas très longtemps, que j'avais très, très envie de vous rencontrer. Je voudrais savoir si cette petite communauté née et grandie sur Internet fonctionne aussi bien dans la vraie vie. Alors j'ai décidé... de sauter le pas !

Je travaille sur un projet photo dont je n'ai parlé à personne – pas même à Brooklyn Boy ni à mon meilleur

meilleur-ami, Wiki –, et j'aimerais vous impliquer – vous, les abonnés de *Girl Online*.

Inutile d'habiter Brighton ou ses environs, ni même en Angleterre, pour participer. Il suffit de m'envoyer vos photos, celles de votre espace personnel, votre sanctuaire, l'endroit où vous êtes *quand vous vous connectez* (lorsque vous lisez ce post, par exemple). C'est peut-être dans votre chambre, devant votre ordinateur, ou bien dehors, dans un café, penché sur votre téléphone tout en parlant avec les gens qui vous entourent... Les photos peuvent être complètement anonymes (vous n'êtes même pas obligés d'apparaître dessus !) et peu importe la qualité de l'image. Ce qui compte, c'est de vous voir... à l'œuvre.

Je vous promets de vous donner plus de détails... dès que j'en aurai !

Plein de bisous, comme d'habitude ;)
GIRL ONLINE, going offline xxx

— Penny ?

C'est Noah qui m'appelle.

Je sors de la cuisine pour le rejoindre au salon.

— Oui ?

— Je viens de lire ton post. C'est quoi ce projet ?

Je souris en sentant mes yeux pétiller.

— Tu vas être obligé d'attendre, comme tout le monde ! Tu vas m'envoyer une photo ?

— Comment ça ?

— Je veux voir mes abonnés à l'œuvre. Où ils sont lorsqu'ils lisent *Girl Online*.

Il s'adosse confortablement dans le canapé et me tend son téléphone.

— C'est toi la photographe. Vas-y !

— OK, une seconde.

Je cours dans le couloir de l'entrée chercher mon sac où se trouve, comme d'habitude, mon appareil photo. Quand je l'ai en main, je retourne au salon, mais je m'arrête à la porte. D'ici, le visage de Noah est à peine visible, mais la lumière de son téléphone se reflète parfaitement dans ses cheveux. J'appuie sur le déclencheur et je baisse les yeux sur ma photo. Je souris. Elle est parfaite.

Chapitre Quarante-Sept

— **A**lors, me demande Noah, où va-t-on ?
— Tu vas voir. Fais-moi confiance.

On quitte l'Escalator de la gare de Waterloo pour découvrir le hall déjà décoré pour Noël. Sous l'ancienne horloge victorienne, un gigantesque sapin est chargé d'immenses boules rouges et or. Devant lui, une chorale de Noël donne une nouvelle jeunesse à la fameuse chanson *Ding Dong Merrily on High*.

J'adore venir à Londres à Noël ! La ville est pleine d'animation et, entre les touristes et les Londoniens, les rues sont une vraie ruche. Je pense au Noël précédent, à New York. Je n'arrive pas à croire que j'ai rencontré Noah il y a tout juste un an. J'ai l'impression de l'avoir toujours connu et en même temps de le découvrir à peine ! Il y a encore tant de choses que nous ignorons l'un de l'autre, et j'ai hâte de tout savoir.

On se fraie un chemin dans la foule pour prendre le passage souterrain vers Southbank Centre. Un marché de Noël est installé le long de la Tamise, nous passons sous une voûte de guirlandes lumineuses, entre les chalets de bois couverts de fausse neige, où l'on vend du *glühwein*, du pain d'épices et toutes sortes de décorations de Noël.

— Ah, les voilà ! dis-je en apercevant le groupe que je cherche.

Ils sont tous là : mon père et ma mère, Tom et Melanie, Sadie Lee et Bella, Elliot et Alex, Mlle Mills, Kira et Amara. Et ils sont tous sur leur trente et un ! Quand on arrive, ils nous entourent, et me regardent avec la même question sur le visage.

Je prends une inspiration, et je me lance.

— Vous vous demandez pourquoi je vous ai demandé de venir ici… Alors voilà… J'ai travaillé sur une série photo, un projet que j'ai appelé *Girl (and Boys) Online*. Et François-Pierre Nouveau l'a tellement aimé qu'il a organisé ma première expo ici, sur South Bank !

Ma mère pousse un cri de joie, et son enthousiasme est contagieux : en une seconde, tout le monde se jette sur moi pour m'embrasser et me serrer dans ses bras en criant. C'est un petit peu étourdissant, mais je me sens la fille la plus heureuse du monde. C'était super dur de garder le secret aussi longtemps, mais en voyant leur joie, je ne regrette pas une seule seconde les affres que j'ai traversées !

Et ce n'est pas tout : c'est la première sortie dans le monde des abonnés de *Girl Online*. Je vais enfin pouvoir mettre un visage sur les noms qui m'accompagnent depuis si longtemps.

Des noms comme Miss Pégase, par exemple.

Les joues me picotent d'impatience et de froid – on gèle vraiment ici.

— On peut rentrer et aller voir ? demande Elliot en trépignant sur place.

— Bien sûr ! Après vous, les amis.

Tout le monde se précipite, mais je retiens Noah jusqu'à ce qu'on soit seuls tous les deux.

— Je suis super fier de toi, me dit-il.

Je lui serre la main.

— Ça m'a pris du temps, mais j'ai fini par trouver un truc « typiquement Penny ». Et je veux le partager avec toi.

— Je veux tout partager avec toi, Penny. Ces moments incroyables comme les autres, murmure-t-il en s'approchant tellement que je sens son souffle sur mes lèvres.

— Allons-y alors ! Une chose après l'autre !

On franchit l'entrée pour arriver dans le hall, rempli de monde venu assister à un concert, boire un café ou juste visiter les lieux.

Dans un coin, un espace est séparé du reste par un cordon de velours, une petite foule se presse déjà à l'intérieur. Je remarque tout de suite Melissa. Dans sa petite robe noire très chic, avec ses grandes boucles d'oreilles et ses longues tresses rassemblées dans un chignon compliqué, elle a tout d'une directrice d'agence glamour.

— Bienvenue à ta toute première exposition, Penny Porter ! me dit-elle en venant m'embrasser.

— Merci, Melissa ! Et je te présente Noah, dis-je en m'écartant légèrement.

Je vois ses yeux pétiller de malice.

— Ah, je me disais aussi ! Ravie de faire ta connaissance, Noah. Il y a une superbe photo de toi à l'intérieur — un ajout de toute dernière minute.

— J'ai hâte de la découvrir.

Je présente Melissa à ma mère, puis je prends le temps de regarder autour de moi. Ma propre exposition ! Dans un petit coin d'un espace immense et prestigieux. Au milieu, en grand et isolée du reste, trône la photo qui a inspiré l'ensemble de la série : l'autoportrait que j'ai pris le jour où j'ai rencontré Leah dans son studio, moi absorbée par la lecture des commentaires de mon blog. Mon visage incarne la plus grande concentration, et mon ordinateur a l'air de projeter une ombre, mais une ombre *de lumière*. Comme la lumière que j'espère répandre autour de moi grâce à *Girl Online*.

C'est le message de cette exposition. Je suis entourée de photos d'adolescents — des jeunes auxquels je ressemble et qui me ressemblent, toute une génération qui vit *autant*, et aussi bien, dans le monde virtuel que dans le monde réel. À ceux qui croient que nous gâchons notre jeunesse, ou qui se demandent pourquoi nous ne sommes pas dehors, à respirer le grand air, j'espère offrir, grâce à mes photos, un autre éclairage.

Il y a celle de ce garçon connecté sur FaceTime à ses grands-parents restés en Inde.

Ce selfie d'un groupe de filles posté sur Snapchat, pour partager ce moment avec tous leurs amis.

Celle des élèves français à la National Gallery qui ont l'air de s'amuser sur leur téléphone, mais qui s'informent en fait sur les peintures devant eux.

Celle de Noah en train de lire mon post sur son téléphone.

Il n'y a pas que la sienne d'ailleurs. Tout autour sont rassemblées celles que mes abonnés m'ont envoyées. J'ai dû en recevoir plus de cinq cents, et elles sont toutes accrochées. C'est ma tribu. Ma #TeamInternet.

— Penny, c'est tellement formidable ! me dit Mlle Mills en arrivant vers moi. Mais n'imagine pas que tu as déjà décroché ton vingt sur vingt. Tu as encore du travail pour ton examen !

— Oh, ne vous inquiétez pas, je sais, dis-je en souriant à son clin d'œil. En plus, je voudrais faire autre chose maintenant.

— Oh ?

— Je me disais que je pouvais peut-être aider les gens comme moi. Ceux qui ont des phobies.

Elle se détend.

— Je suis sûre que tu vas nous épater, Penny. Et, dès qu'on sera au lycée, nous verrons comment t'aider à atteindre aussi ce but.

Après Mlle Mills, quelqu'un arrive en applaudissant bruyamment des deux mains.

— Pénélope, *ma chérie* !

Il n'y a qu'une seule personne au monde à m'appeler « Pénélope ». François-Pierre Nouveau, le photographe mondialement connu et l'homme qui a organisé cette expo – avec l'indispensable concours de Melissa, bien sûr.

— Ne t'avais-je pas dit que je t'offrirais ta première exposition ? À condition que tu trouves ton style.

Il pose autour de nous un regard pétillant.

— Et je crois que tu l'as trouvé. La porte-parole de ta génération ! Quelque chose de… *typiquement toi*.

— Merci, monsieur Nouveau, dis-je timidement.

— Ce n'est pas moi qu'il faut remercier, mais ton inspiration et ceux qui l'ont provoquée ! Certains d'entre eux sont là, n'est-ce pas ?

— Une seulement.

C'est elle que j'ai le plus hâte de rencontrer ce soir.

— Bon et bien file, maintenant ! Et bravo. J'espère te revoir à l'agence, l'été prochain.

Il disparaît dans un tourbillon, à la recherche de potentiels acheteurs pour mes photos. C'est très bizarre d'imaginer mes œuvres accrochées chez des gens que je ne connais même pas.

Je regarde autour de moi et je repère une fille qui contemple une des photos. Son écharpe rayée rouge et blanc bien serrée autour du cou me fait penser à un sucre d'orge. Elle porte un caban bleu foncé sur une robe avec plusieurs couches de jupons fluo, et des collants de laine noirs parsemés d'étoiles dorées. Une paire de Doc Martens complète son habillement. Elle a l'air ultra cool, mais elle rentre un peu les épaules et, à la façon dont ses cheveux tombent sur son visage, je sens sa timidité. Elle se tourne et, en voyant le long collier qu'elle porte autour du cou – au bout duquel je découvre un pendentif en forme de cheval ailé – je comprends tout de suite que c'est elle. *Miss Pégase.*

Nos regards se croisent au même moment. C'est mon amie virtuelle, ma confidente en ligne depuis les débuts de *Girl Online*, celle pour laquelle je n'ai pratiquement aucun secret. J'avance vers elle, avec l'impression de ne plus toucher le sol.

— Salut, dis-je – ce mot me paraît tellement inepte !

— Salut.

Et, du même élan, on se jette dans les bras l'une de l'autre comme de vieilles amies perdues de vue depuis longtemps et qui se retrouveraient enfin.

Girl Online a enfin sauté le pas ! Et le plus beau, c'est que c'est aussi génial que je l'ai espéré.

31 décembre

À l'aube du Nouvel An

Quelle année ! On peut dire, entre les managers véreux, les amis jaloux, les rencontres éblouissantes et le garçon dont je n'arrivais pas à me défaire, qu'elle a été haute en couleur ! (Brooklyn Boy, si jamais tu lis ces lignes – ce dont je suis sûre – et si jamais tu en doutais – ce qui m'étonnerait – sache (une fois de plus) que je suis bien contente que tu m'aies collée aux basques comme un chewing-gum agaçant coincé sous la semelle de ma chaussure – ah ah).

Quand les gens disent que la vie est un chemin et que ce chemin est parfois tellement tordu et cahoteux qu'on ne sait plus du tout où il nous mène, ça peut être franchement flippant. Je fais partie de ceux qui croient dur comme fer que rien n'arrive jamais par hasard. Alors quelles que soient les difficultés qu'on rencontre, je suis sûre qu'elles finiront par s'aplanir et que tout finira bien.

Si on m'avait dit, il y a encore trois mois, que je passerais le Nouvel An avec Brooklyn Boy, j'aurais éclaté de rire (n'oublions pas l'incroyable déveine dont j'étais habituellement victime jusque-là). Mais aujourd'hui, ça me semble tellement... évident. Franchement, je n'imagine plus ma vie sans lui. Il me semble aussi réel que les falaises de Brighton, et je n'ai aucun doute sur la durée de notre histoire. C'est peut-être une formule ridicule, mais entre nous, ça colle !

En fait, tout colle en ce moment : je me suis débarrassée d'amitiés nocives et j'en ai noué de nouvelles qui ne m'apportent que du bonheur. J'ai toujours mon meilleur meilleur-ami, mon plus grand fan, et je suis super heureuse qu'il vive lui aussi une belle histoire d'amour avec le garçon le plus adorable de la terre.

Je crois que le facteur déclenchant, ce qui m'a aidée à tout remettre dans l'ordre, c'est la décision de travailler sur moi avant de m'occuper de quelqu'un d'autre. Comment peut-on être véritablement heureux quand on n'est pas d'abord heureux, ou tranquille, avec soi-même ? Alors j'ai décidé de me concentrer sur *mes* objectifs personnels, et j'ai réalisé d'énormes progrès cette année. J'ai eu, bien sûr, l'immense privilège de voir F-P Nouveau m'organiser une expo, mais si cet événement s'est produit, c'est parce que autre chose s'était produit avant : j'ai eu un déclic. J'étais plus que jamais décidée à me prouver que JE

POUVAIS réaliser mes rêves pour peu que je m'y attelle vraiment. Je n'avais besoin de personne pour faire les choses à ma place ; je n'avais pas besoin des médias, je n'avais pas besoin d'un garçon (si génial guitariste fût-il), et je n'allais certainement pas me laisser freiner par mes angoisses. Une fois que j'ai compris ça, et que je me suis mise au travail, le reste a suivi.

Après les innombrables photos que vous m'avez envoyées, je veux que *Girl Online* continue d'être notre petite ruche, notre communauté, l'espace chaleureux où nous pouvons mutuellement nous aider et où trouver l'optimisme et la générosité dont nous avons besoin. Nous pouvons tous nous aider les uns les autres à atteindre nos objectifs ; personne n'est obligé d'avancer seul sur le chemin de la vie.

Je vous souhaite à tous de passer un excellent réveillon. Et au moment de lever nos verres, portons un toast plein d'espérance à la nouvelle année et à tout ce qu'elle nous réserve !

Encore mille et mille mercis pour vos encouragements et vos contributions !
Et mille et mille bisous à tous !

GIRL ONLINE... POUR TOUJOURS xxx

Remerciements

Je tiens d'abord à remercier ma formidable éditrice et amie, Amy Alward. Ce livre n'aurait jamais été si bien ficelé sans son aide. *Girl Online* occupe une grande partie de nos vies depuis deux ans, et je suis heureuse qu'elle nous ait autant rapprochées. Nous avons beaucoup ri – en cherchant des noms plus farfelus les uns que les autres –, mangé beaucoup trop de fraises, et écouté beaucoup trop de musique sur Spotify, mais je ne vais pas m'en plaindre ! Non contente de me guider tout au long du processus d'écriture, Amy est restée une amie fidèle et attentive, et je n'imagine pas de meilleure complice. Je suis d'ailleurs certaine qu'il n'en existe pas deux comme elle !

Merci au reste de la remarquable équipe de Penguin qui a permis à *Girl Online* de voir le jour : à Shannon Cullen (la plus délicieuse des éditrices et des personnes) ; à Tania Vian-Smith (qui sait TOUJOURS comment sauver la mise – c'est la bonne fée des relations publiques et des tournées commerciales) ; à Clare Kelly (la reine des attachées de presse) et à Natasha Collie (gourou du marketing) ; à Jacqui McDonough et Becky Morrison qui ont créé d'aussi belles illustrations de couverture ; à Wendy Shakespeare qui fait aussi partie de mon équipe éditoriale ; et à tous les membres de Penguin qui, en coulisse, ont contribué à la création de ce livre. Merci de m'avoir rendu cette expérience aussi facile que réjouissante et de me permettre de partager cette histoire et ses personnages avec le monde.

Merci à la Gleam Team : Dom, Maddie, Phil, Meghan, Ange et Carrie, mon assistante. Merci de tout ce que vous faites pour me faciliter la tâche et l'existence. J'éprouve une immense gratitude de vous avoir tous à mes côtés.

Merci à ma famille et mes amis : vous savez tous combien votre affection et votre soutien me sont précieux, c'est grâce à eux que j'ose m'aventurer hors des sentiers battus. Merci de votre confiance et de vivre cette folle aventure avec moi. C'est une chance merveilleuse d'avoir un tel réseau d'encouragements autour de soi. Et même si la moitié d'entre vous n'a pas fini de lire *Girl Online en tournée*, je ne vous en veux pas ! Faites-moi seulement savoir ce que vous pensez de ce nouveau tome d'ici... quatre ans, d'accord ?

Je veux aussi saluer ici mon ami Mark, que j'ai rencontré pour la première fois lors du lancement de *Girl Online en tournée*. Ma vie était un peu compliquée et il s'est révélé comme la lumière au bout du tunnel. Je ne savais pas que j'avais de la place pour une nouvelle amitié. J'ai ri aux larmes, dansé dans ma cuisine et partagé plus d'un menu Wagamama avec lui, quelqu'un dont je me sentais si proche qu'on aurait pu être des jumeaux. Il m'a demandé, il n'y a pas très longtemps, si je savais à quel point j'avais changé *sa* vie. Mais il a aussi changé *la mienne*. Je suis plus sûre de moi, beaucoup plus heureuse, et tellement plus insouciante depuis que je le connais. Ne cessez pas de veiller sur les amis qui vous font tellement de bien, ils sont si rares et si précieux.

Alfie Deyes. L'homme de ma vie. Mon roc, mon univers et mon plus grand fan. Je t'aime xxx

RÉALISATION : NORD COMPO À VILLENEUVE-D'ASCQ
IMPRESSION : CPI FRANCE
DÉPÔT LÉGAL : MARS 2017. N°134265-1 (139409)
IMPRIMÉ EN FRANCE